Возвращение

РОМАН

МОСКВА

ИЗДАТЕЛЬСТВО
ЭКСМО
2000

УДК 820(73)
ББК 84 (7 США)
С 80

Danielle STEEL
GOING HOME

Перевод с английского *Е. Каца*

Стил Д.
С 80   Возвращение: Роман / Пер. с англ. Е. А. Каца. — М.:
Изд-во ЭКСМО-Пресс, 2000. — 384 с.

ISBN 5-04-004787-8

Вместе с Крисом в жизнь Джиллиан Форрестер вошла любовь и
непростое счастье. Ее возлюбленный красив и беспечен, серьезные
проблемы и ответственность не для него, а тем более ответственность
за будущего ребенка. И вот в жизни Джиллиан появляется другой
мужчина — серьезный и положительный Гордон Харт. Разрыв с Крисом
кажется неизбежным. Но как мучителен бывает выбор, и каким непростым оказывается возвращение к любви...

УДК 820 (73)
ББК 84 (7США)

ISBN 5-04-004787-8

Глава 1

Стояло прекрасное солнечное утро. Звонок из рекламного агентства Карсона прозвучал в девять пятнадцать. Их стилист заболел, и им срочно требовалась помощь в съемках на побережье. Свободна ли я? Возьмусь ли я за это дело? Сколько? О да, я была свободна, согласна, и цену давали подходящую. Сто двадцать долларов в день, на всем готовом. После Нью-Йорка Калифорния казалась мне землей обетованной. Мной были довольны и платили щедро. Да и работа была непыльная. Нам с Самантой вполне хватало алиментов, а если раза два в неделю поступали заказы, можно было жить безбедно. Правда, иногда работы не было по нескольку недель, но мы с дочкой не слишком расстраивались.

Мы уехали из Нью-Йорка в промозглую, сырую погоду и, словно первопроходцы, пустились на завоевание новых земель. Мне было двадцать восемь, ей почти пять, но трусили мы одинаково. Прекрасный новый мир[1]. На этот раз нас ждал абсолютно незнакомый Сан-Франциско. А где наша не пропадала! Риск — благородное дело.

---

[1] «Прекрасный новый мир» — название знаменитого романа-антиутопии (1932) английского писателя Олдоса Хаксли (1894 — 1963). — *Здесь и далее прим. пер.*

Мы прожили там уже почти три месяца. К нашим услугам была маленькая квартирка, из окон которой виднелись бухта, лес мачт и лодки, пришвартованные к причалу яхт-клуба. Когда не было работы, мы с Сэм шли на пляж. Пока я валялась на солнышке, она носилась по песку или поднималась по лестнице на лужайку. А в Нью-Йорке еще лежал снег... Мы не ошиблись, это действительно был райский уголок. Стоило увидеть загорелую, пышущую здоровьем дочку или взглянуть утром в зеркало, и в этом не оставалось никаких сомнений. Я наконец-то ожила и помолодела лет на десять. Джиллиан Форрестер суждено было в двадцать восемь лет возродиться из пепла в городе, раскинувшемся на живописных холмах, между горными хребтами и безбрежной гладью океана. Сан-Франциско!

Я выглянула в окно, полюбовалась горой Тамальпаис и посмотрела на часы. Девять тридцать, а автобус от фирмы Карсона должны подать к десяти. Обычно мы ездили большой компанией, в которую, однако, не входили люди с киностудии. Автобус у них был собственный. И идеи тоже. Иногда я удивляюсь, зачем им понадобилась моя помощь. В рекламных агентствах всегда не прочь перестраховаться, но киношников обычно не интересует чужое мнение. Они вечно перешептываются: «Кто это? Как, стилист? Мужик, кончай заливать... Из Нью-Йорка? О боже!» Но мне плевать на это. Лишь бы агентствам нравилась моя работа и заказы поступали.

Школьный автобус уже заехал за Сэм, и у меня было время принять душ, натянуть старенькие джинсы, полотняную рубашку и туристскую куртку. Погоду предугадать трудно. Если съемка затянется, можно и замерзнуть: начало апреля все-таки. Да еще этот неотвязный туман... Я сунула ноги в походные ботинки, а волосы собрала в пучок на затылке. Вот и все. Теперь звякнуть соседке, попросить ее присмотреть за Сэм, когда девочку привезут из школы, и можно начинать гнуть спину на агентство Карсона.

Нам предстояло снять ролик с рекламой сигарет на скалистом берегу, к северу от Болинас. В нашем распоряжении было четверо статистов, несколько лошадей и куча всякого снаряжения. Требовалось изобразить непринужденный пикничок на свежем воздухе. Ну, свежего воздуха будет хоть отбавляй, а вот с непринужденностью придется повозиться. Да мне-то что! Моя забота — чтобы статисты выглядели пристойно и действительно напоминали людей, отправившихся на пикник, чтобы девицы правильно сидели верхом и чтобы никто не навернулся со скалы. Не так уж много за сто двадцать долларов в день, правда?

Ровно в десять под окнами просигналила машина, и я вышла из подъезда с «волшебной сумкой» на плече. Бинты, аспирин, транквилизаторы, лак для волос, немного косметики, блокнот, куча ручек и карандашей, шпилек, английских булавок и книжка — «Антология коротких рассказов», которую я все равно не успевала читать, но которая позволяла мне при случае изображать из себя «синий чулок».

Спустившись с крыльца, я увидела темно-зеленый пикапчик и джип, напоминавший армейский вездеход. Кузов был битком набит всяким барахлом. На заднем сиденье расположились две заспанные, укутанные шарфами девицы в свитерах под горло. Похожи они были, как близнецы. Так, женская часть труппы... Впереди сидели два жутко мужественных типа с квадратными челюстями и короткими стрижками. Тоже в свитера упаковались! За версту было видно, что это гомики. А это, стало быть, на сегодня наша мужская половина. Замечательно! Впрочем, я давно перестала переживать из-за таких вещей. Сан-Франциско — это вам не Нью-Йорк, приходилось брать, что дают. Королева красоты мужского пола, сидевшая ближе к окну, махнула рукой, дверца хлопнула, и ко мне двинулся улыбающийся широкоплечий коротышка. Черные как смоль волосы, кустистые брови... Ба, да это же Джо Трамино, с которым мы встречались на предыдущих съемках для Карсона! Их художественный руководитель и чертовски славный парень.

— Привет, Джиллиан! Как поживаешь? Рад тебя видеть!

— И я тоже. Неплохой день для съемок, правда? Эти парни в джипе тоже статисты?

Мы стояли на тротуаре, и он вращал глазами, словно какой-нибудь неаполитанец.

— Попала пальцем в небо. Они важные шишки. Все трое. Этому ролику придается огромное значение. Я тебя представлю. — Он засеменил к джипу, и один из типов опустил стекло. — Это наш стилист. Джиллиан Форрестер, или просто Джилл... Джон Окли, Хенк Тодд, Майк Уиллис.

Они кивнули, улыбнулись и пожали мне руку, но без особого интереса. Надо было выдать продукцию на пятьдесят тысяч, выжатых из богатого клиента, и больше их ничто не волновало. Им не до обмена любезностями с каким-то стилистом!

— С кем поедешь, с ними или с нами? Все равно будет тесно, так что разница невелика.

Джо пожал плечами и принялся ждать, пока я не приму решение. Я знала, что нравлюсь ему. Он называл меня «симпатичной бабенкой». Мы отличались как небо от земли. Я — высокая шатенка с голубыми глазами. Для меня в этом сочетании не было ничего особенного, но оно ему нравилось. И от моего зада он тоже был без ума.

— Я поеду в пикапе, Джо. Ничего, жарко не будет... Рада была познакомиться с вами, джентльмены. Увидимся на месте. — Я отошла от джипа и прыснула, посмотрев на Джо. — Что, удивился? Ты считал меня задавакой?

Я по-дружески ткнула его в бок и залезла на заднее сиденье, к девушкам. Одна из них спала, а другая читала журнал. Парни впереди часто упоминали слово «магазин»; по их мнению, современная мужская мода ни черта не стоила. Джо закатил глаза, криво усмехнулся мне в зеркало заднего вида, выжал сцепление, и мы тронулись с места, объехав стоявший впереди джип. Перед нами лежала Ломбард-стрит, ведущая прямиком к мосту Золотые Ворота.

— О господи, Джо, ты ведешь машину как настоящий итальянец!

Пришлось ухватиться за спинку переднего сиденья, чтобы не потревожить спящую девушку.

— Я и любовью занимаюсь как итальянец.

— Не сомневаюсь.

— А зря. Не мешало бы испытать меня для начала. Попробуй... Тебе понравится.

— Как-нибудь непременно, — улыбнулась я и погрузилась в собственные мысли, пока мы не добрались до моста Золотые Ворота. Этот мост неизменно подавлял меня мощью и величием. Каждый раз я задирала голову и, как ребенок, дрожала от удовольствия. Его оранжевые опоры четко вырисовывались на голубом небе, почему-то напоминая нитку, на которой болтается воздушный змей.

— Ну что, это тебе не Нью-Йорк? — фыркнул Джо, увидев на моем лице блаженную улыбку.

— Да уж. При виде вашего моста кто угодно почувствует себя деревенщиной.

— Погоди, сейчас ты его увидишь во всей красе!

Он откинулся на спинку сиденья, дернул

какую-то рукоятку на потолке, и крыша плавно
скользнула назад, открывая великолепную кар-
тину. Прямо над головой стоял освещенный
солнцем мост Золотые Ворота, а в лицо дул
свежий ветер Северной Калифорнии.

— Вот это да! Можно встать? — Зазор был
уже вполне приличный.

— Можно. Только не наступи на девушек.
И поглядывай, нет ли поблизости полицей-
ских, а то они живо наклеят мне на стекло кви-
танцию.

Я слегка расставила ноги и выпрямилась.
Джо следил за мной в зеркало. Все-таки в нем
действительно было много итальянского. Как
и в этом мосте! Дышалось с трудом, волосы
хлестали по лицу. А над головой был... он. Мой
мост. Мои горы, мое море. А сзади — мой город. Моя Калифорния. Изумительно...

Когда я села на место, Джо дернул меня за
куртку:

— Что, здорово?

— Ага!

— Все вы, янки, с приветом...

Но было видно, что он доволен. Вообще в
машине царила дружеская атмосфера, все думали о деле, собирались вкалывать на совесть
и не филонить. Ничего подобного в нью-йоркских агентствах и редакциях журналов я не видела. В Калифорнии все было по-другому.

— Кто снимает ролик? Шэззем или Баркли?

Я знала, что фирма Шэззема принадлежит
к «новой волне» и снимает большинство кли-

пов в городе, а Баркли — самая респектабельная здешняя кинокомпания.

— Ни тот ни другой. Вот поэтому-то и съехались все «шишки». Они рвут на себе волосы. Я нашел новую фирму. Ребята молодые, но ушлые. У них пока даже и студии нет, только команда с одним чокнутым парнем во главе. С виду они лодыри и шалопаи, но вкалывают на совесть и берут недорого. Думаю, они тебе понравятся. Работать с ними можно.

Я машинально кивнула, ломая голову над тем, понравлюсь ли я им. Едва ли «шалопаям» придется по душе стилист из Нью-Йорка, даром что я не очень на него похожа.

К тому времени мы миновали Созалито, Милл-Вэлли и выехали на продуваемую ветром горную дорогу, которая вела к Стинсон-Бич. Вдалеке уже виднелись огромные деревья. Вокруг пахло эвкалиптом, и постепенно стало казаться, что мы действительно едем отдыхать на лоно природы, а не работать.

К тому времени все статисты проснулись и пришли в хорошее расположение духа. Мы обогнули гору и онемели от восторга. Появилась глубокая перспектива, горы словно сжались, неожиданно превратившись в причудливую груду скал, о которые с грохотом разбивался пенистый прибой. Все вокруг было ярко-зеленым, серо-коричневым и ослепительно голубым. В общем, рай земной.

Мы спустились с горы, распевая во все горло, а потом на всякий случай проехали дальше, за Болинас. Черт его знает, как называлось это место. Там было еще красивее. Больше гор, больше скал, больше колорита. Я обрадовалась, что поехала с ними.

— Джилл, ты выглядишь как пацан на дне рождения...

— Умолкни, чертов даго[1]! Это на меня место действует.

— Куда до этой красоты твоему Нью-Йорку!

— Да уж...

— То-то! — Джо одарил меня улыбкой и съехал с шоссе на пыльную колею, уводившую куда-то в холмы.

— Черт побери, где мы?

Статисты крутили головами, но ничего не было видно. Казалось, здесь не ступала нога человека. И ни следа съемочной группы.

— Потерпите минутку. Ребята три недели разыскивали что-нибудь подходящее. Фантастика! Местечко принадлежит одной бабусе, которая живет на Гавайях и сюда уже несколько лет не наведывалась. Мы уговорили ее сдать нам на денек всю эту красоту.

Доехав до поворота, мы покатились вниз, к равнине на полпути между холмами и скалами. Прибой бился о берег как бешеный, деревья на скалах трепало ветром, словно флаги. Из воды выступали мрачные скалы, от них летели такие брызги, что чуть не доставали до деревьев. Может, отдельные капли и доставали.

Я снова увидела джип. Как это они ухитрились нас обогнать? В стороне стояли трейлер

---

[1] Д а г о — американское презрительное прозвище итальянца, испанца, португальца.

с лошадьми, какая-то разбитая легковушка и потрепанный грузовичок, битком набитый хиппи. Мы поодиночке вышли из пикапа и тут же сбились в кучу, словно собрались разыграть шоу прямо на дороге.

Встревоженные «шишки» из агентства Карсона стояли чуть поодаль, уставившись в свои блокноты. Статисты тут же заскочили обратно в пикап и занялись гримом и прическами, оставив меня с Джо и группкой расхристанных парней, которые выглядели так, словно день назад сбежали из дома.

Я следила за тем, как они играючи таскали свое неподъемное оборудование. Джо стоял у кабины с каким-то высоким светловолосым малым. Сильное, мускулистое тело, густая шапка волос, широко расставленные глаза и потрясающая улыбка, от которой на щеках появлялись ямочки. Он тоже рассматривал меня.

— Джилл, подойди на минутку, — окликнул Джо, и я направилась к ним, пытаясь сообразить, кем бы мог быть этот мальчишка. Он выглядел младше остальных и едва ли годился кому-нибудь в начальники.

— Джиллиан Форрестер — Крис Мэтьюз, директор этого сумасшедшего дома.

— Здравствуйте! — Улыбка стала еще шире, и я убедилась, какие у него великолепные зубы. Глаза были цвета молодой зелени. Он не протягивал руки и, казалось, вообще не интересовался тем, кто я такая. Просто стоял на месте и кивал мне, поглядывая на свою команду и продолжая беседовать с Джо. Это меня слегка задело.

— Эй, куда вы? — спросил Крис, когда я повернулась спиной.

— Я вижу, вы оба заняты. Пора и мне приняться за дело.

— Подождите секунду, я пойду с вами. Надо же взглянуть, кого я снимаю.

Он оставил Джо и вместе со мной двинулся к холмам, пиная сорняки и поглядывая на небо. Ухватки у него были совершенно мальчишеские.

Я с облегчением убедилась, что статисты выглядят вполне прилично. Они были профессионалами, и ссориться с ними не следовало. Неделю назад мне пришлось иметь дело с целым выводком хиппи, которые даже причесаться толком не умели.

Крис остановился рядом, секунду помедлил и вдруг рявкнул:

— Джо!

Тот моментально обернулся. Черт побери, вот это глотка! Видно, возникла какая-то проблема. Ладно, пусть разбираются...

— Вот он я. В чем дело? — насторожился коротышка, чувствуя, что назревают неприятности. И это на глазах у начальства!

— Слушай, мы же договаривались не вылезать из бюджета. Ты привез пятерых, а речь шла только о четверых.

— Как это? — растерялся Джо, заглядывая в машину. — Да нет же! Ты что, считать не умеешь? Раз, два, три, четыре, — для верности потыкал он пальцем в каждого. — Все верно. Четыре.

— Пять, — указал Крис, и мы с Джо разразились хохотом. Он и меня сосчитал!

— Да нет же, четыре. Успокойтесь, я всего лишь стилист. Разве вас не предупредили?

Джо по-приятельски ткнул его в бок. Крис тоже рассмеялся, показав свои прелестные ямочки на щеках.

— О боже, никто и словом не обмолвился! Откуда же мне было знать? Мое дело — картинка. Никогда бы не подумал, что вы не кинозвезда!

Он впился в меня долгим оценивающим взглядом.

— Лесть вам не поможет, мистер Мэтьюз.

— Почему же? Подружиться со стилистом никогда не мешает. Берите ноги в руки, леди. Съемка начнется через пять минут. Знаете, что случится, если статисты не будут готовы? — Он смотрел на меня недружелюбно и даже гневно. Нет, пожалуй, здешние нравы не так уж отличаются от нью-йоркских. Киношники всюду одинаковы. Поэтому я лишь молча кивнула в ответ. Пусть повыпендривается. — Мы просто умоем руки. Думаете, я стану пахать на вас весь день? Ошибаетесь!

Он недовольно потряс головой и вдруг плутовски подмигнул мне и Джо. Мы снова разразились хохотом, но вскоре Трамино опомнился и попытался сделать серьезное лицо. За нами следили из джипа.

— Слушай, ты, ленивый ублюдок, перестань

пугать моего лучшего стилиста. Живо уноси отсюда ноги. Мотай, мотай!

Джо издал воинственный клич, и Крис понесся вниз по склону. Действительно, пора было начинать.

Лошади были оседланы, статисты одеты и загримированы, камеры расставлены по местам. Один из помощников Криса разжег костер, и я подошла удостовериться, что продукты, которые мы привезли с собой, подходят для съемок пикника. Они плотно спрессовались — именно то, что нужно. Я разложила их на траве, ослабила шарф на шее одного из статистов, чуть подрумянила второго, пригладила волосы девушкам и ушла. Во время съемок работы было немногим больше.

Я с удовольствием наблюдала за работой Криса. Он шутил, снимал из самых немыслимых положений и непрерывно тормошил статистов. Через полчаса от нас валил пар, а «шишки» не знали, то ли начинать метать громы и молнии, то ли впадать в панику. Вдруг он исчез за краем холма, и у меня похолодело внутри. Я была уверена, что мы лишились оператора, и вместе с Джо бросилась к обрыву, пытаясь понять, что случилось. О боже, его нигде не было!

— Крис! — завопил Трамино. Эхо повторило его крик, но тут я увидела мистера Мэтьюза собственной персоной.

— Тсс... Что вы собираетесь делать? Подбирать мои бренные останки? Я просто решил перекурить. Спускайтесь сюда.

Он сидел в нише под обрывом, оседлав густой куст и дымя сигаретой.

— Ну ты, трепло чокнутое, какого черта... — злобно, но с видимым облегчением прорычал Джо. А меня разобрал нервный смех. Малый был не подарок, однако держался так непринужденно, что ему запросто можно было простить все прегрешения.

— У нас что, перерыв? — Я пыталась не показать виду, что испугалась. На какое-то мгновение мне почудилось, что он действительно погиб.

— Ага. Точно. Вы курите?

— Да. Но не на работе.

— Что, съел, ублюдок? Вылезай отсюда и принимайся за дело. Что я скажу этим проклятым надсмотрщикам? — занервничал Джо.

— Что ты им скажешь? — Крис с удовольствием включился в игру. — Скажи, что они могут...

Джо жестом прервал его и беспомощно развел руками.

— Скорее, Крис... Пожалуйста...

Положение было дурацкое. Мы с Джо наклонились над краем пропасти, пытаясь разговаривать с невидимым собеседником, а герой дня в это время покуривал марихуану. Остальные уже поняли, что все в порядке, но со стороны это выглядело ужасно глупо.

— О'кей, малыш Джо. Сейчас иду.

Длинное, костлявое, мускулистое тело Кристофера Мэтьюза показалось над обрывом. Он полез в карман, вынул оттуда игрушечную плетку и взмахнул ею в воздухе. Затем на свет появился водяной пистолет.

— Пошли, ребята, зададим им перцу!

Он с увлечением принялся поливать всех вокруг, не исключая и «шишек» от Карсона.

— По местам! За дело!

Из другого кармана Крис вынул солнечные очки, водрузил их на нос и начал разыгрывать из себя директора. Я вернулась к костру и проверила, как дела. За это время на месте «пикника» успела потоптаться лошадь. Минут десять ушло на то, чтобы восстановить порядок, а затем я присела на подножку машины Криса, почувствовав себя совершенно бесполезной. Эти съемки запомнятся мне надолго! В жизни не видела ничего смешнее...

— Ну как тебе, Джилл? — спросил обессилевший Джо, опускаясь рядом и раскуривая сигару.

— Трудно сказать. Одно из двух: либо это будет шедевр, либо полный провал. Поживем — увидим. Но работает он здорово. Сколько ему лет? — По моим расчетам выходило, что ему года двадцать два и что он моложе этих типов из «новой волны».

— Хотел бы я сам это знать. Должно быть, около тридцати, хотя ведет он себя, словно двенадцатилетний мальчишка. Но это настоящий мужик. Смотри, как он управляется со своей командой. Будем надеяться, все кончится удачно, иначе мне придется искать себе другое место.

Тихонько посмеиваясь, я следила за тем,

как каждый занимался своим делом. Люди Криса смотрели ему в рот, статисты чувствовали себя абсолютно непринужденно, и все шло своим чередом. Трудно было сказать, сколько прошло времени, но съемка явно подходила к концу. И когда Крис, стоя посреди толпы, вдруг зашатался и схватился за сердце, я сразу поняла: все, шабаш. Он не валял дурака. То ли болен, то ли обкурился. Крис осел наземь и потерял сознание.

В ту же секунду мы с Джо оказались рядом. Трамино бережно перевернул его на спину, я принялась нащупывать пульс. Крис открыл глаза, хихикнул и расплылся в мальчишеской улыбке.

— Ловко я вас обдурил, а?

Он недолго радовался. Джо прижал его к земле и молча указал на ведро, из которого поили лошадей.

Я сбегала за ним, отлила немного воды, чтобы легче было тащить, а остальное выплеснула на голову симулянта. Он захохотал еще громче, извернулся, и оказалось, что я лежу на земле, а Крис дергает меня за растрепавшиеся волосы. В эту минуту люди Карсона поднялись с мест, пытаясь понять, что происходит. Операторы и статисты затеяли перебранку, Джо силился перекричать шум и всех успокоить, а я продолжала бороться с Мэтьюзом. Вдруг что-то уперлось мне в ребра, и я стала вырываться из его рук, пытаясь понять, что это такое.

— Не двигаться, Форрестол. Вставайте и идите вперед.

Эта фраза и выражение лица были взяты напрокат из какого-то второразрядного вестерна.

— Во-первых, моя фамилия Форрестер, а во-вторых, что это значит? — Я пыталась говорить спокойно и в то же время грозно. Но не слишком преуспела.

— Предстоит скачка, юная леди. Так что двигайтесь поживее, но не привлекая к себе внимания. — Он продолжал нести вздор, однако к моим ребрам было прижато дуло! Черт меня дернул связаться с Джо. Польстилась на сто двадцать баксов в день, чтобы схлопотать пулю за здорово живешь... Что будет с Самантой? — Быстрее, быстрее. Это...

Он крался рядом, а я лихорадочно разыскивала взглядом Джо. Суматоха продолжалась. Руки, ноги, пролитая вода... Крис привел меня к лошадям и принялся отвязывать одну из них от задка трейлера, по-прежнему не опуская пистолета.

— Черт побери, прекратите дурачиться! Комедия окончена. — По крайней мере для меня.

— Напротив, все только начинается. — Он увидел валявшийся на земле мегафон, поддел его ногой, подбросил в воздух и поймал, умудрившись не выпустить из рук ни поводьев, ни пистолета. Казалось, Крис точно знает, что делает. С его лица не сходила ослепительная улыбка. К черту эту улыбку! С меня достаточно. — Бруно! — громыхнул мегафон. — Около восьми заедешь за мной к «Уотсону» в Болинас. — Кто-то в толпе помахал рукой, и в ту же секунду дуло больно ткнуло меня в бок. Кто такой Уотсон? Почему около восьми? Сейчас всего лишь начало второго. Что он задумал? — Садитесь. Умеете ездить верхом? — Взгляд у него стал тревожным, как у мальчишки, получившего в подарок ружье без патронов.

— Умею. Но ничего смешного в этой истории не вижу. У меня дочка, и если вы выстрелите, то многим испортите жизнь! — Это звучало ужасно мелодраматично, но ничего другого тогда мне в голову не пришло.

— Учту, — только и ответил он.

Я забралась в седло, радуясь, что не сняла ботинок. Что дальше? Он уселся позади, не отводя пистолета, и погнал лошадь сначала быстрой рысью, а затем коротким галопом. Меня вновь охватило беспокойство. Вдруг пистолет выстрелит сам собой? Вдруг лошадь сломает ногу в этих безлюдных горах?

Через минуту мы были далеко от места съемки и оказались в таком сказочно прекрасном уголке, что я охотно полюбовалась бы им, если бы ехала на машине. Но лошадь совсем другое дело. Черт с ними, с этими красотами. И тут меня затрясло от злости на ненормального мальчишку, играющего моей жизнью. Сопляк, выскочка, лезет на рожон, хиппи несчастный! Скотина, думает, ему все позволено — срывать съемки, притворяться мертвым или упавшим в обморок, стрелять в меня... Нет уж, дудки! Я собралась с силами. Сейчас как дам — и сброшу его с лошади! Но стоило повернуться, и в лицо тут же ударила струйка холодной воды. Водяной пистолет... Так вот что упиралось мне в ребра!

— Ах ты, подлый, гнусный... — зашипела я, пытаясь протереть глаза. — Дерьмо такое! Я думала...

— Молчать! — Он брызнул мне прямо в рот, и я затряслась от хохота. Нет, к Кристоферу Мэтьюзу эти эпитеты не подходили!

Лошадь давно стояла на месте, но я поняла это только тогда, когда наконец протерла глаза. Со скалы открывался вид на безбрежный Тихий океан.

— Красиво, правда?

Лицо его было безмятежным, как у отдыхающего ковбоя. Озорной ребенок куда-то исчез. Я кивнула и засмотрелась на волны. Вот она, страна, в которую я стремилась всю жизнь! Безумная скачка по горам и приставленный к спине пистолет остались позади, и я зачарованно следила за парившей над водой птицей, мечтая присоединиться к ней.

Крис медленно повернул меня лицом к себе и поцеловал. Это был долгий, нежный, крепкий поцелуй. Поцелуй не свихнувшегося мальчишки, а мужчины.

Когда наконец мы оторвались друг от друга, он довольно улыбался.

— Вы мне нравитесь, леди. Как, вы сказали, вас зовут?

— Иди к черту!

Я забрала у него поводья, велела держаться покрепче и сама стала править лошадью. Наверное, это единственное, что у меня неплохо получалось. Я научилась ездить верхом в пять лет. Дух захватывало от скачки по безлюдным горам. Красивая длинноногая кобыла, красивый парень, хоть и с большим приветом...

— Ладно, торопыга. Править ты умеешь. Но, скажи на милость, куда ты собираешься ехать?

Я хмыкнула и покачала головой. Разметавшиеся по ветру волосы хлестнули его по лицу, однако Крис не обратил на это внимания. Волосы у него были немногим короче моих.

— Итак, куда же?

Почем я знаю? Мы находились в его краях. Я здесь всего лишь гостья. Счастливая гостья.

— Тогда едем в Болинас. Сейчас назад, к дороге, а потом направо. Только, ради бога, не упади в воду. Я не умею плавать.

— Опять врешь!

Все же я последовала его совету, заставила лошадь спуститься и трусцой пробежать до нужного поворота.

— Теперь направо.

Крис дернул поводья, я попыталась в отместку шлепнуть его, но в ухо мне уже смотрел водяной пистолет.

— Знаете, кто вы такой, мистер Мэтьюз? — спросила я, пытаясь перекричать ветер. — Что-то вроде геморроя. И хулиган в придачу.

— Именно так меня и называют. Эй, теперь направо, а потом налево!

Машин на дороге почти не было, и я пустила лошадь вскачь. Мне начинал нравиться этот лохматый оболтус с водяным пистолетом. Он крепко держал меня за талию, и его бедра прижимались к моим.

— Сюда?

Мы находились в неописуемо прекрасном месте. Видно, берег был совсем рядом, но его заслоняли буйно разросшиеся деревья.

— Скачи прямо. Сейчас ты кое-что увидишь.

И я увидела. Длинная полоса песчаного пляжа, море и бухта с таким же чудесным пляжем на противоположном конце, в паре миль от нас. А дальше снова горы, спускающиеся к самому морю. Незабываемое зрелище.

— Ух ты!

— Здесь Болинас, а там — Стинсон-Бич. Плавать умеешь?

Видимо, выражение моего лица его удовлетворило. Крис спрыгнул с лошади и протянул руки. Только оказавшись с ним рядом, я поняла, как он высок. Во мне было пять футов семь дюймов, а в нем по меньшей мере шесть и три[1].

— Я-то умею, а вот ты нет. Забыл?

— Ничего, я научусь.

У меня возникло смутное подозрение. Что он задумал? Крис сбросил куртку, ботинки и принялся стаскивать с себя рубашку. Что дальше? Джинсы? А вдруг он на этом не остановится?

— Что смотришь?

— Сначала ответь, что ты делаешь!

Он прекратил раздеваться и уставился на меня.

— Я думал вместе с лошадью переплыть

---

[1] 170 и 190 см соответственно.

бухту — тут совсем недалеко — и совместить приятное с полезным. Снимай одежду, я привяжу ее к седлу.

Ага... Понятно. Приятное с полезным. С полезным, говоришь? Ну ладно...

Я завязала волосы узлом, сняла куртку, ботинки, рубашку, джинсы... и трусики. На пляже было безлюдно. Апрель стоял теплый, но днем во вторник мало кому придет в голову купаться, так что в Болинас, кроме нас, не было ни души. Мы с Кристофером Мэтьюзом стояли лицом к лицу совершенно обнаженные и блаженно улыбались. Казалось, лошадь сильно интересовало, что будет дальше. Меня, впрочем, тоже. Интересно, что предпримет Крис? Набросится на меня, изнасилует, брызнет в лицо из пистолета или придумает что-нибудь новенькое? Он человек непредсказуемый. Но все оказалось намного проще. Крис деловито привязал мою одежду к седлу и повел лошадь к воде. Когда всех троих коснулись холодные волны, он даже не охнул, только обернулся и посмотрел, что со мной. Я держалась молодцом. Вот только зад сразу отмерз, но легче было умереть, чем признаться в этом. Я нырнула, надеясь, что под водой окажется теплее, и поплыла вслед за Крисом к противоположному берегу. Оказавшись на поверхности, я улыбнулась и поглядела на хулигана через плечо. Невероятная история: я в Калифорнии, переплываю бухту наперегонки с лошадью и чокнутым молодым киношником! Неплохо, миссис Форрестер, совсем неплохо...

Мы медленно выбрались на берег, и Крис привязал лошадь к лежавшему на песке бревну. Здесь тоже не было никого. Все выглядело как в кино или во сне. Он растянулся на солнышке и закрыл глаза, даже не пытаясь подойти ко мне. В общем, делал что хотел и никак не посягал на мою свободу.

— Крис, ты всегда снимаешь так, как сегодня?

Я целомудренно распласталась на песке чуть поодаль, подперла голову руками и принялась разглядывать океан.

— Не всегда, но часто. Нет смысла работать, если все начинает валиться из рук. — Похоже, он действительно в это верил.

— Джо тебя хвалит.

— У Джо на плечах не голова, а тыква, но он хороший парень. И работу подбрасывает регулярно.

— Мне тоже. А я в ней здорово нуждаюсь. И работать с ним легко.

Тему для разговора мы нашли приятную, но я тихонько хихикала. Лежат голые мужчина и женщина, греются на солнышке и болтают о работе!

— Откуда ты, Джилл? Из Новой Англии?

— Из Нью-Йорка. Лучше не напоминай.

— Да уж, местечко не из приятных. Я бы ни за какие коврижки не согласился лететь туда. Смотреть на землю с высоты в сорок тысяч футов — бр-р! Голова закружится.

— Может, ты и прав. Я прожила здесь три месяца и наконец почувствовала себя человеком.

— Замужем? — Вообще-то он мог спросить

меня об этом пораньше, но таков, вероятно, его стиль.

— Нет. В разводе. А ты?

— Еще чего не хватало! Свободен, как вон та птица. — Он указал на парившую над водой чайку. — Это лучший способ существования.

— Иногда бывает одиноко. Не согласен?

Не похоже, чтобы он сильно страдал от одиночества. В его взгляде не чувствовалось тоски человека, пытающегося выжить.

— Да, наверное, но... У меня много работы. И я не так уж часто об этом думаю.

Я завидовала ему. Наверняка у Криса есть подружка, но спрашивать об этом не хотелось. Не желаю ничего знать. В кои-то веки мне повстречался мужчина с изюминкой и чувством юмора...

— Ты смахиваешь на «яйцеголовую»[1]. Я не ошибся?

Он перевернулся на живот и посмотрел на меня с легкой насмешкой.

— «Яйцеголовую»?

Он кивнул. Я задумалась. Да, пожалуй... А что в этом плохого?

— Ну да, я «яйцеголовая».

— Небось читаешь слишком много. — Теперь кивнула я. — Поэтому и чувствуешь себя чертовски одинокой.

Я снова кивнула, но разговор начинал действовать мне на нервы. Этот мальчишка погля-

---

[1] «Яйцеголовые» — пренебрежительное прозвище американских интеллигентов.

дывал на всех свысока, словно действительно обитал на Олимпе.

— А ты слишком много болтаешь.

Я встала, мельком поглядела на него и шагнула в воду. Крис был очень мил, но мне захотелось на минутку побыть одной. Казалось, он многое повидал и крепко стоял на ногах. И все же я бы сумела позаботиться о нем. И о его душе, и о теле. Он мне ужасно нравился... Да, Крис Мэтьюз был именно тем мужчиной, которого я ждала, но стоило ему появиться, как меня бросило в дрожь.

Внезапный всплеск заставил меня встрепенуться. Я быстро обернулась. Нет, никакого морского чудовища поблизости не было. Это всего лишь Крис. Он перевернулся и поплыл на спине. Ох, этот большой ребенок... Я подумала, он поднырнет под меня или начнет брызгаться, но ничего такого не случилось. Крис осторожно приблизился и поцеловал меня.

— Давай вернемся, — спокойно сказал он, и это меня обрадовало. Старовата я для таких игр.

Мы бок о бок доплыли до берега, и я направилась к нашему лежбищу, но Крис поймал меня за руку.

— Я хочу тебе кое-что показать, — сказал он, указывая куда-то в сторону.

Мы сделали несколько шагов и увидели крошечный грот, прятавшийся в густой траве. Он был похож на потаенный сад. И внезапно я вновь почувствовала себя юной, сильной и желанной. Я хотела его, и он знал это, а я знала, что он хочет меня... Нет, нет, слишком быстро, мы впервые видим друг друга... Это никуда не годится, это... На меня напал столбняк.

— Крис... я...

— Тсс... Все будет хорошо.

Нас скрывала высокая трава, ноги тонули в песке. Он обнял меня, земля зашаталась и остановилась лишь тогда, когда мы легли и я отдалась ему.

Глава 2

— И часто ты это делаешь, Крис?

Солнце стояло еще высоко, и мы продолжали лежать в гроте.

— Что? Пистон вставляю? Ага... Частенько.

— Я не об этом, зазнайка паршивый. Я имела в виду, часто ли ты занимаешься любовью в этом гроте. С женщинами, которых ты даже не знаешь толком.

Мне было не до шуток. Интересно, как Крис открыл этот грот?

— Ты о чем это? Тебя-то я как раз знаю. Твоя фамилия... М-мм... Подожди минутку. Твоя фамилия... — Крис почесал в затылке. Вид у него был глуповатый. Чувствовалось, что он задет за живое. Я рассмеялась.

— Ладно, все понятно. Тебе до этого нет никакого дела, правда?

— Возможно. Не будь занудой. Вы, ньюйоркцы, ужасно любопытные.

— Да неужели?

Я постаралась вложить в эти слова как

можно больше иронии, но знала, что он прав. Жители Нью-Йорка общительнее калифорнийцев. Наверное, их страшно утомляет жизнь в окружении толпы незнакомых людей, поэтому они вцепляются в каждого встречного-поперечного и засыпают его кучей вопросов.

— Джилл, не хочешь покататься верхом?

— Вдоль берега?

Он кивнул и что-то подобрал с песка.

— С удовольствием. Но на этот раз я поеду сзади.

— И без седла, согласна?

— Еще бы!

— Тогда вставай, янки, — еле слышно прошептал он, наклонился, поцеловал меня и помог подняться. Все в нем дышало чувственностью. Он наслаждался жизнью в полной мере, но выше всего на свете ценил занятие любовью. — Вот... Я нашел тебе подарок.

Пока мы шли к лошади, он что-то сунул в мою ладонь. Этот юморист мог всучить мне найденную в песке медузу или что-нибудь похлеще. Но я ошиблась. Это был «песчаный доллар», странная ископаемая ракушка с отпечатком цветка на обеих сторонах. Она была тоненькой, почти прозрачной и удивительно красивой.

— Ух ты... Спасибо, Крис, это замечательно!

Я потянулась, поцеловала его в шею и ощутила, как внутри вновь просыпается желание. Мужчины у меня не было со времен приезда в Калифорнию, даже дольше, а Крис, как ни крути, мужчина что надо.

— Кончай целоваться, а то я отделаю тебя на глазах у всех...

— Обещаешь только!

Он прекрасно понимал, что я дразнюсь, но сграбастал в охапку, и мы действительно занялись любовью прямо на пляже. А когда все кончилось, нас разобрал смех.

— Известно ли вам, мистер Мэтьюз, что вы полоумный?

— Сама напросилась, а потом обзывается...

— Чушь собачья. Не обращай внимания. Если ты думаешь, что я считаю тебя в чем-то виноватым, то ошибаешься. Я счастлива.

— И я... А теперь поехали.

Сняв с лошади седло, он опустил его на песок, похлопал кобылу по бокам, ловко прыгнул ей на спину и протянул мне руку.

— Чего ты ждешь, Джилл? Манны небесной?

— Нет, другого. Счастья. Я любуюсь тобой.

Действительно, было на что полюбоваться. На буланой лошади гордо восседал высокий всадник, светлая шерсть подчеркивала бронзовый цвет его кожи, и красота этих фигур заставляла вспомнить читанные в детстве древнегреческие стихи. От нее захватывало дух.

— Ты тоже ничего себе. А теперь прыгай сюда.

Он снова подал мне руку, я уселась позади, обхватила его за талию, и мы понеслись навстречу ветру. Никогда я не испытывала такого наслаждения. Скакать по пляжу на золотистой кобыле, прижимаясь к любимому... Любимому? Крис... Я едва знала его, но разве это имело значение? Да, я полюбила его. С первого взгляда.

Мы носились взад и вперед до самого заката, а потом немного поплавали, стремясь отсрочить отъезд.

— Ну что, поплывем обратно? — спросила я, слегка нервничая. Вода прибывала, но он и сам видел это.

— Нет, теперь поедем по дороге. Это не так весело, зато менее рискованно.

— Ах вот как? Я начинаю подозревать, что ты придумал этот заплыв только для того, чтобы заставить меня раздеться! — На самом деле ничего подобного мне и в голову не приходило.

— Ты так думаешь? — На его лице появилось обиженное выражение, и я тут же прикусила язык. — Что ж, ты угадала!

Он довольно рассмеялся, а я стояла и смотрела на большого мальчишку, ранившего меня в сердце выстрелом из водяного пистолета. Неплохо.

— И что дальше, синьор самовлюбленный бандит? Свяжете обнаженную женщину и бросите ее в телефонную будку, где она проваляется до утра? — Он был вполне способен на такое.

— Нет. Я собираюсь накормить тебя. Неплохо звучит?

— Внутривенно, что ли?

— Джиллиан, ты несносна! Мы едем в «Уотсон-хаус». Это жемчужина Болинас. Тебе не доводилось бывать там?

— Никогда.

— Значит, тебя ждет сюрприз.

Мы сели верхом, мелкой рысью проскакали до общественного пляжа, шагом провели лошадь через пустующую стоянку для машин и наконец выбрались на дорогу. До Болинас было всего пятнадцать минут езды, и мы успели попасть туда в тот момент, когда солнце скрылось за горизонтом и все небо окрасилось в золотые и багровые тона.

Остановившись перед обветшавшим викторианским[1] домиком, мы привязали лошадь, и я огляделась по сторонам. Взад и вперед сновало множество хиппи, а на домике красовалась лаконичная вывеска «Уотсон-хаус».

— Что это за место?

— Ресторан, глупышка. А ты что думала?

— Откуда мне знать? Эй, кстати, я должна позвонить соседке и предупредить, что задержусь. Она позаботится о моей малышке.

— Хорошо. Внутри есть телефон.

Он поднялся на крыльцо и без стука открыл дощатую дверь. «Уотсон-хаус» был похож на обыкновенный дом, принадлежащий большой семье, и ничем не напоминал ресторан. На веревках сушилось белье, в глазах рябило от разномастных велосипедов и мотоциклов, а на траве играли две кошки и собака. Все здесь выглядело по-домашнему уютным. Видно, Крис Мэтьюз был тут завсегдатаем.

— Привет честной компании. Как делишки? — спросил он, направившись прямо на

---

[1] Архитектурный стиль времен правления английской королевы Виктории (1837—1901).

кухню и ткнувшись носом в кастрюлю, стоявшую на девственно-чистой плите. В комнате
находились три девушки и мужчина. У мужчины были волосы до талии, заботливо перехва-
ченные кожаным шнурком, поверх джинсов
было надето что-то вроде пижамы, но больше
всего меня поразили искристые, добрые глаза, окруженные буйной растительностью. На
лице мужчины не шевельнулся ни один мус-
кул, но глаза выразили живейшую радость.

— Джиллиан, это Брюс... Анна, Пенни и
Бет. Они здесь живут.

Брюс и девушки дружно воскликнули: «Привет!» — и Крис погнал меня в маленькую комнату, которую ярко освещали лампы в стиле
королевы Виктории и Тиффани.

— Что это за место, Крис? Тут очень уютно.

— Еще бы! Вообще-то это коммуна хиппи,
но, чтобы держаться на плаву, они завели ресторан, в котором, черт побери, кормят лучше,
чем где-нибудь еще на побережье. Попробуй
здешний эскалоп — ручаюсь, пальчики обли-
жешь!

— Попробую.

Так оно и вышло. Я облизала пальцы. Пе-
тух в винном соусе, хлеб домашней выпечки,
салат, шоколадный мусс и вишневый пирог эс-
калопу не уступали. Это был королевский обед.
Крис не соврал: кормили тут отменно. Но
этого было мало. Очаровывала царившая здесь
дружеская атмосфера. Я не ошиблась: в этом
доме действительно жила большая семья со
множеством детей. В настоящий момент она

насчитывала двадцать семь человек, и каждый вносил в работу ресторана свою лепту. Они вихрем носились взад и вперед, пока мы сидели при свечах за одним из восьми столиков. Казалось, все тут знали Криса, и каждый считал своим долгом на пару минут присоединиться к нам, прежде чем бежать на кухню или на второй этаж.

— Ты часто здесь бываешь?

— Да. Особенно летом. Я снимаю в Болинас хибару и иногда захожу сюда потрепаться. Ем я здесь только по особым случаям.

Он, конечно, поддразнивал меня, но только чуть-чуть. Улыбка освещала его лицо, а взгляд говорил, что он не хочет меня обидеть. Крис был настроен по-доброму.

— Сколько лет твоей малышке? — довольно небрежно поинтересовался он, но я была благодарна и за это.

— Через месяц будет пять. Ужас что за ребенок! Цель ее жизни — стать ковбоем, и, если она узнает, что мы ездили верхом, надуется и будет молчать целую неделю. Она считает, что мы с ней только за этим сюда и приехали.

— Как-нибудь возьмем ее покататься. Она смелая?

— Да, не трусиха. Ей бы наверняка понравилось. Я начала ездить верхом как раз в ее возрасте.

— Охотно верю, но ты плохо знакома с западным седлом. Оно так натрет тебе задницу, что мало не покажется. Похоже, это уже случилось.

Я вспыхнула и открыла рот, чтобы ответить какой-нибудь гадостью, но вместо этого расхохоталась и подняла руки вверх.

— Сдаюсь. Ты прав.

Около часа мы болтали обо всем и ни о чем: о Калифорнии, о работе, о том, почему оба мы предпочитаем простую жизнь...

Вдруг в комнату вошли несколько человек, показавшихся мне смутно знакомыми.

— Ты куда смотришь? — спросил Крис.

— Никуда. Наверное, обозналась.

Трое хиппи очень напоминали Криса и обитателей дома. Все тот же облик. Видимо, поэтому мне и померещилось что-то.

— Ты их знаешь? — удивленно спросил он.

— Мне просто показалось.

— Давай разберемся. Забавно... — Он жестом велел им подойти поближе, и я чуть сквозь землю не провалилась.

— Крис... Нет, не надо... Честное слово...

Черт побери, это же помощники оператора! Все покатились со смеху. Они слышали наш разговор и сразу смекнули, что их шеф устроил очередной розыгрыш.

— Крис Мэтьюз, ублюдок паршивый... Привет, мальчики! Рада видеть вас снова. Чем закончилась съемка? Никто не утопил этих парней от Карсона?

— Нет, они уехали в джипе, как только вы оба слиняли. А потом мы славно кирнули с Джо и статистами. Мы честно отпахали целый день и подумали: какого черта? А с вами что было?

Казалось, они разговаривали не столько со

мной, сколько со своим боссом, и я охотно отдала ему инициативу. Крису тоже не терпелось узнать, что они думают о съемках. Похоже, все остались довольны, и я облегченно вздохнула. Меньше всего на свете мне хотелось, чтобы Джо Трамино пострадал из-за нашего безумия. Нашего?.. Ну да, я ускакала с Крисом, и это выглядело достаточно скверно. Никто не ожидал подобной выходки от «стилиста из Нью-Йорка», в том числе и я сама.

Мы заплатили за обед и впятером вывалились наружу. Рядом с нашей лошадью стояли автобус, машина и трейлер. Было приятно снова увидеть буланую кобылу. Она напоминала мне о том, что произошло на пляже.

— Поеду в машине. Спасибо, что пригнали ее.

Они пожелали нам спокойной ночи и взяли лошадь под уздцы, а мы с Крисом забрались в его не вызывавшую доверия колымагу. Что будет, если на полпути заглохнет мотор? Мысль о пешей прогулке мне не улыбалась, но в такой компании я решилась бы на что угодно.

Педаль газа наконец подалась, а остальное оказалось проще простого. Ночь была ясная, и луна заливала дорогу серебряным светом.

Я перепела все старые, знакомые с детства песни, и Крис иногда вторил мне. Мы посматривали друг на друга, время от времени целовались и почти ничего не говорили. Этого не требовалось. Нам и так было хорошо.

Когда впереди замаячило скоростное шоссе, я ощутила разочарование. Неужели нет дороги подлиннее? Господи, как не хотелось видеть этих людей, эти машины... Вспомнились пустынная горная тропа и наш безлюдный пляж.

— Где ты живешь, Джилл?

Мы уже проехали мост. На одной стороне залива светились огни Созалито, Тибурона и Бельведера, а на другой сиял пламенем Сан-Франциско. Это было редкое зрелище: после заката обычно все скрывал туман.

— В Марине. У самого залива.

— Понятно.

Через несколько минут мы приехали.

— Будь добр, Крис, остановись у этой двери. Меня ждет Сэм.

— Какой еще Сэм? — приподнял бровь Крис.

— Моя малышка.

Он кивнул, и я с замиранием сердца поняла, что меня ревнуют.

— Подождать тебя или отваливать?

— Нет, подожди, пожалуйста. Я сейчас.

Я позвонила к соседям и забрала полусонную дочку. Оказывается, было всего девять часов. Крис сидел на моем крыльце. Я приложила палец к губам и передала ему ключ, пытаясь не разбудить уснувшую у меня на руках Сэм.

Окинув девочку быстрым взглядом, он одобрительно кивнул и повернулся к двери. В тот же миг на всю улицу прозвучал звонкий голос пятилетнего ребенка:

— Мама, кто это?

Я только усмехнулась, а Крис громко захохотал.

— Это Крис Мэтьюз, Сэм. А это Саманта... Пора спать, юная леди. Сейчас я принесу тебе пижаму. Молока хочешь?

— Хочу.

Она уселась на стул и принялась пожирать глазами Криса. Он развалился на диване, вытянув длинные ноги. Волосы его были взлохмачены еще сильнее, чем днем на пляже. Я дала Сэм пижаму и отправилась на кухню, но остановилась, услышав хриплый шепот дочки:

— Ты ковбой, да?

В ее голосе слышалась отчаянная надежда. Интересно, что он ответит...

— Да. Имеешь что-нибудь против?

— Против? Нет... Нет... Я тоже хочу быть ковбоем! — выпалила она тоном заговорщика.

— Серьезно? Вот здорово! Может быть, мы как-нибудь выберемся покататься верхом. Но ты знаешь, что для этого нужно? — Я не видела лица Саманты, но могла представить ее широко раскрытые глаза, полные ожидания. — Нужно пить побольше молока и ложиться спать, как только скажет мама. Тогда ты вырастешь большой, сильной и станешь настоящим здоровенным ковбоем.

— А без этого нельзя? — разочарованно спросила Сэм.

— Можно. Но тогда, глупышка, тебя не возьмут в ковбои.

— Ох... Ну ладно...

Я вошла со стаканом, благодарная Крису до глубины души. Впервые в жизни Сэм залпом выдула молоко и стремглав понеслась к кровати, успев лишь помахать рукой и пробормотать:

— Спокойной ночи, мистер... мистер Криц. Как-нибудь увидимся на родео!

Я укрыла ее, поцеловала и вернулась к ужасно довольному собой Крису.

— Спасибо. Ты сильно облегчил мне жизнь.

— Славная девочка. Она мне понравилась. Настоящий пацан.

— Погоди, ты еще не видел ее во всей красе. Просто застал ее полусонной. В следующий раз она накинет на тебя лассо и сдерет шкуру. Та еще штучка! — Но я была рада, что Сэм ему понравилась.

— Ты и сама хорошая штучка. Тоже можешь кого угодно заарканить и содрать шкуру, так что лассо я бы тебе не доверил. Кто хотел столкнуть меня с лошади? Хорошо, что я держал ушки на макушке! — Было видно, что эти воспоминания сильно забавляют его.

— Твое счастье. Я собиралась вышибить из тебя дух!

— За чем же дело стало? Может, попробуешь?

Он вытянул руки, и я послушно шагнула навстречу, не в силах бороться с нахлынувшим желанием. Давно мной никто не интересовался и не хотел как женщину. А теперь нашелся мужчина, который захотел. Пахнет ли здесь любовью, это уже другой вопрос, главное, он появился как раз вовремя.

Глава 3

В девять пятнадцать утра раздался телефонный звонок. Я так и подпрыгнула. Крис? Новая работа? Это не помешало бы: деньги были на исходе.

— Алло...

— Джиллиан? Это Джо.

— Ох... Привет! Ты по поводу вчерашнего?

— Ага. Решил позвонить и проверить, не злишься ли ты, что я втравил тебя в эту дурацкую историю, а заодно узнать, не сбросил ли он тебя со скалы.

Я злюсь? Вот так клюква...

— Ничего подобного. Я прекрасно провела время да еще и сто двадцать баксов заработала за здорово живешь. Правда, он немножко напугал меня водяным пистолетом.

— Да? Я думал, ты догадалась, что пистолет ненастоящий.

— Нет, не догадалась. Чуть не столкнула его с лошади, но в конце концов все закончилось как нельзя лучше.

Да уж... Как нельзя лучше...

— И слава богу. Слушай, у меня к тебе предложение. Ты свободна в пятницу вечером? — В пятницу? Тьфу... Значит, работа тут ни при чем. Он хочет назначить мне свидание. Вообще-то я предпочла бы встретиться с Крисом, а не с Джо. — Хочу пригласить тебя на ежегодный бал художественных руководителей. — Черт возьми, почему бы и нет?

— Спасибо, Джо. С удовольствием. — А вдруг позвонит Крис?

— Вот и отлично. Можешь надеть что хочешь. Люди мы без комплексов, церемоний не признаем и собираемся на складе в деловом центре. Звучит диковато, но будет весело.

— Ужасно заманчиво, Джо. Спасибо за приглашение.

— Прего, прего[1], синьорина. Рад, что ты согласна. Я заеду за тобой в восемь. До встречи, Джилл!

— До встречи...

Я положила трубку и задумалась, правильно ли поступила. Раньше Джо никуда не приглашал меня, обижать его не хотелось, да и ссориться с работодателем не следовало. И хоть Джо не совсем в моем вкусе... А как же Крис? Тьфу, черт! Ладно, он поймет. С Крисом можно договориться. Снявши голову, по волосам не плачут. Если он позвонит, что-нибудь придумаем.

Неделя тянулась своим чередом, а Крис все не звонил. Мы с Сэм ходили на пляж, я выкрасила кухонный пол в красную, белую и голубую полоску, а на потолке нарисовала звезды, в пятницу получила заказ и два часа проработала в агентстве Фримена и Карсона, но Крис так и не дал о себе знать. Сама звонить ему я не хотела. Мы расстались в среду на рассвете, и он обещал звякнуть. Но вот когда... Может, на следующий год. Разыгрывает равнодушие? Нет, это не его стиль. Занят? Снимает кино? Но трубить от зари до зари тоже не в его духе... В пятницу вечером, когда я стала разогревать для Сэм ужин, на душе у меня было совсем кисло.

— Мама, почему ты уходишь?

---

[1] Пожалуйста, пожалуйста (*ит.*).

— Потому что хочу развлечься. Ты ляжешь спать и не будешь скучать по мне.

Я старалась говорить бодро, однако чувствовала себя паршиво.

— Ладно... А беби-ситтер[1] придет?

Я кивнула и молча указала на нетронутую тарелку.

— Я привяжу ее к стулу и подожгу веревку. Так делают индейцы. Это называется «индейский подарок».

— Нет, «индейский подарок» — это когда дарят, а потом отнимают. — Тут я вспомнила о сгинувшем Крисе, и у меня сжалось сердце. — И ни к чему ты беби-ситтер привязывать не будешь, не то так отшлепаю, что своих не узнаешь. Понятно?

— О'кей, мама...

Сэм уткнулась в чашку. Ее лицо выражало скуку и разочарование. Я пошла к себе, думая, что бы надеть на бал. Джо говорил, что они не признают церемоний... О, вот это годится! Я раскопала цветастую цыганскую юбку, о которой давно забыла, и оранжевую безрукавку, нашла ненадеванную пару замшевых туфель в тон и продела в уши золотые серьги в форме колец. Да, именно то, что надо. Приму-ка я ванну — может, настроение улучшится...

На часах было без десяти восемь, когда я вошла в комнату дочки и объявила, что пора спать.

---

[1] Беби-ситтер — няня, приходящая по вызову (буквально «сидящая с ребенком» (*англ.*).

— Сэм, собирай игрушки и надевай пижаму. Беби-ситтер явится с минуты на минуту.

— Ой, мама, как ты здорово оделась! Ты уходишь с мистером Крицем?

У меня подпрыгнуло сердце. Как бы я хотела уйти с «мистером Крицем»... А вдруг он действительно будет там?

Тут раздался звонок, и в дверь одновременно ввалились Джо Трамино и беби-ситтер.

— Сэм у себя в комнате, готовится ко сну. Привет, Джо! Спокойной ночи, Барбара. До свидания, Сэм!

Я послала в сторону комнаты дочки воздушный поцелуй и поспешила на улицу. Только комментариев Сэм мне и не хватало! К чертовой матери отсюда...

— Джилл, ты великолепна!

Глаза Джо счастливо сияли, и я почувствовала угрызения совести. Черт, а вдруг там действительно будет весело?

— Вы тоже очень элегантны, мистер Трамино. Высший класс!

На нем были замшевые джинсы табачного цвета и темно-красный свитер. Наши костюмы чудовищно не сочетались. Да ну, пустяки какие... Джо открыл дверцу машины. Забавно быть дамой мужчины, с которым вместе работаешь, но так всегда себя чувствуешь, когда появляешься на людях с коллегой.

— Слушай, может, нам пообедать по дороге? Ты бывала у «Николь»?

— Откуда? Забыл, что я здесь новенькая?

— Тебе понравится. Французская кухня. Язык проглотишь.

Он изо всех сил пытался сделать мне приятное! Бедный Джо... Самый завидный жених агентства Карсона. Красавцем его назвать было нельзя, но этот тридцатишестилетний мужчина имел хорошую работу, внушительное жалованье, обладал приятными манерами и чувством юмора. Однако он и раньше был мне безразличен, а теперь и подавно. Это не Крис.

Во время обеда мы подтрунивали друг над другом, и я изо всех сил пыталась держаться дружеского тона, а Джо всячески старался меня с этого тона сбить. Он заранее заказал самый лучший столик и не поскупился на вино и закуску. Роскошный ресторан был оформлен как большой летний шатер, разбитый посреди сада; столы покрывали красно-белые клетчатые скатерти, зал освещали свечи.

— Кто будет на этом балу, Джо? Я кого-нибудь знаю? — с деланным безразличием поинтересовалась я.

— Да все те же. Художественные руководители большинства городских агентств, статисты, фотомодели, кое-кто из актеров — ничего особенного.

Джо ничуть не насторожился, но понял, что я имею в виду Криса, и выжидающе умолк.

— Что ж, неплохая компания. У нас в Нью-Йорке тоже устраивают такой бал, но там собирается столько народу, что не встретишь ни одного знакомого лица. Огромная галдящая орда, как и весь город.

— Здесь все иначе. В сущности, Сан-Франциско невелик. Тут знают друг о друге все. Вот и я знаю, что некоторые люди не стоят любви. Я говорю о Крисе, Джилл.

Ну вот, добрались и до Криса.

— Да?

— Слушай, ты заставляешь меня чувствовать себя сводней. Я ведь подозревал, что так оно и выйдет. Даже другого стилиста нанял, но она, как на грех, заболела. Джилл, Крис отличный парень, я его обожаю, но он совершенно аморальный тип, коллекционирует женщин и заботится только о себе. Да, он веселый малый, однако упаси тебя бог влюбиться в него. Извини, что испортил тебе настроение, но я должен был сказать это. Не надейся, его там не будет. Он ненавидит такие сборища. Понимаешь, он хиппи, а ты хорошая девушка из приличной нью-йоркской семьи. И ты уже хлебнула лиха, прошла через развод... Не связывайся с ним.

Ничего себе... Целая речь!

— Ты придаешь этому слишком большое значение, Джо. У меня и в мыслях нет в него влюбляться. Я познакомилась с Крисом во вторник и с тех пор его в глаза не видела... — Увы! — Ты совершенно прав: работать с этим парнем интересно, но влюбляться в него не стоит. Однако я взрослый человек и могу постоять за себя. И я вовсе не увлечена им. Ты доволен?

— Ну ладно, поверю. Но мне будет жаль, если между вами произойдет что-нибудь серьезное. Я бы чувствовал себя чертовски виноватым... И грыз бы от ревности стены своей конторы. За тебя!

Он разлил по бокалам остатки вина и чокнулся со мной. Я выпила, молясь про себя, чтобы у Джо никогда не исчез повод ревновать меня к Крису.

Закончив обед, мы сели в машину, проехали центр, освещенный неоновой рекламой баров со стриптизом, и свернули на Бэттеристрит. Когда-то здесь был порт. Его закрыли еще в начале девятисотых годов, но освободившуюся площадь начали застраивать относительно недавно, и район моментально стал престижным. Туда толпой хлынули архитекторы, однако работы было непочатый край, и унылые складские помещения до сих пор стояли бок о бок с современными зданиями из стекла и железобетона.

Джо остановился у одного из складов, и мы вошли внутрь. Зрелище было неописуемое. Стены были от пола до потолка задрапированы полотнищами блестящей ткани, отражавшей неоновый свет. Казалось, все вокруг пылает и вот-вот взорвется. Пол был усеян конфетти. Рок-группа в серебристых джинсах и блузах вовсю наяривала что-то оглушительное. В углу соорудили бар, остроумно оформленный в виде айсберга. На девице, раздававшей напитки, не было ничего, кроме юбочки из пластмассовых льдинок. А в центре и вдоль стен толпились гости, одетые, как и предполагал Джо, весьма... нестандартно. Розовый шелк, зеленая замша, платья с большими вырезами на груди, на спине или на груди и спине сразу, волосы всех цветов и оттенков радуги. Сапоги с прибамбасами и джинсы. В общем, здесь царил кавардак, который способна устроить только артистическая молодежь большого города. Никто другой на это просто не осмелился бы. Я чувствовала себя кем-то вроде соглядатая и благодарила судьбу, что догадалась одеться цыганкой. Это давало мне право безнаказанно глазеть по сторонам и не чувствовать себя белой вороной.

В углу стояла группа людей, которые почему-то пялились на потолок. Джо дернул меня за руку.

— Глянь-ка туда!

Я подняла глаза и не удержалась от смеха. К потолку на канатах был подвешен маленький, но абсолютно настоящий каток, на котором выступала фигуристка. Она была совершенно спокойна и каталась под плавную мелодию, не имевшую ничего общего с сумасшедшим ритмом, который отбивала рок-группа. Потрясающе!

— Слушай, где они откопали такое чудо?

— Не знаю... Погоди, то ли еще будет! Вот это, к примеру...

В углу крутила фуэте балерина. Каждые несколько минут она падала на пол, словно в полном изнеможении, но тут же оживала и снова принималась проделывать пируэты. Это было еще интереснее, чем номер фигуристки. Я начала озираться по сторонам. На глаза попался чудак, одетый с иголочки, словно президент крупного банка. Он пробирался через толпу, не удостаивая никого взглядом, и выдувал чудовищные — размером с мой кулак — пузыри из жевательной резинки. С ума сойти! Как выяснилось, все фокусы и убранство зала придумала фирма по устройству зрелищ, называвшаяся «Капризы напрокат». Руководил ею молодой художник из Сан-Франциско. Он очень гордился своей выдумкой и имел на это полное право. Благодаря ему бал удался на славу.

Мы с Джо то и дело теряли и снова находили друг друга. Я встретила несколько знакомых из других агентств и танцевала с ними до упаду. Под конец мне стало казаться, что все присутствующие на одно лицо. Никто из них не напоминал Криса, никто из них не стоил его мизинца. А Криса здесь не было. Зато была я и ничуть не жалела об этом.

В начале четвертого я поняла, что нужно уходить. Бал был в самом разгаре, но я уже устала. Джо отвез меня на набережную, там мы выпили кофе и полюбовались заливом, на противоположном берегу которого уютно мерцали огоньки Созалито.

Машина остановилась у моего дома, и я с досадой увидела, что ни в одном окне не горит свет. Это означало, что беби-ситтер дрыхнет. Вот стерва!

— Спасибо, Джо, за чудесный вечер. Давно я так не веселилась.

— А у меня давно не было такой очаровательной спутницы. Может, повторим как-нибудь?

— Обязательно, Джо. Еще раз спасибо.

Я легонько чмокнула Трамино в щеку, быстро повернула ключ и с облегчением убедилась, что Джо идет к машине. Никакого беспокойства. Никаких приставаний. Тишина...

Я разбудила беби-ситтер и предложила вызвать ей такси, но у нее была своя машина. Через минуту девушка испарилась, и мы с Сэм остались одни.

Совершенно одни. Барбара сказала, что никто не звонил. Ни письма, ни записки. Скверно.

Глава 4

На следующее утро мы с Сэм проснулись поздно и отправились позагорать на пляж перед ленчем. Валяясь на песке, мы долго спорили о преимуществах и недостатках жизни ковбоев, а потом я описала ей бал. Балерина, фигуристка и человек, жевавший резинку, произвели на нее сильное впечатление. Ух ты! Вот это здорово! Самое забавное, что газета описывала это событие почти теми же словами.

В полдень мы съели по паре горячих сосисок с жареной картошкой и бросили крошки хлеба жадным крикливым чайкам.

— Мама, а что мы сегодня будем делать?

— Больше ничего. Почему ты спрашиваешь?

Никаких планов у меня не было. Поспать удалось всего три часа, а потом явилась Сэм и потребовала кукурузных хлопьев. Черта с два этот ребенок позволит мне побыть Спящей красавицей!

— Тогда пойдем к лошадям.

О боже... Может, заодно и в футбол сыграем? Ты же девочка, Сэм...

— Можно сходить в парк Золотых Ворот. Там есть лошади, — без всякого энтузиазма откликнулась я.

— Отличная мысль! — прозвучало у меня за спиной.

Я обернулась, не веря своим ушам. Крис!

— Привет, Джилл. Здравствуй, малышка. Слушайте, девочки, вы когда-нибудь бываете дома? Я дважды заезжал за вами на этой неделе, но никого не застал.

У меня словно гора с плеч свалилась.

— В самом деле? Что ж ты не оставил записку?

— И не собирался. Мне хотелось застать вас врасплох. Рано или поздно вы бы мне все равно попались!

Черт возьми, это произошло скорее поздно, чем рано! Но не будем придираться. Главное, что он вернулся.

— Я рада тебя видеть. Как дела с фильмом?

— Отлично. Трамино готов облобызать нас. — Нас? Похоже, он действительно очень доволен. — Давай не будем о работе. Кажется, вы собирались в парк. Можно мне с вами?

Опять дурачится? Конечно, можно! После трехдневной разлуки я бы взяла его с собой даже к зубному врачу. Три дня — как три года...

— Мистер Криц, пойдемте с нами, пожалуйста!

Она сказала «по-жа-а-алуйста», и у меня растаяло сердце. Я счастливо кивнула.

— Конечно, Крис. Почему бы и нет?

— Спасибо, очень приятно. Но прошу вас, юная леди, не называйте меня «мистер». Иначе я буду величать вас Самантой. Как вам это понравится?

— Ф-фу! — Она скорчила такую физиономию, что мы с Крисом покатились со смеху.

— Так я и думал. Тогда называй меня Крис. Просто Крис. Ладно?

Она готова была лопнуть от радости, но я сурово покачала головой. Крис приподнял бровь.

— Ты что, Джилл? Кончай эти церемонии! Ну ладно, пусть будет «дядя Крис». Идет?

Казалось, он от души забавляется. У меня отлегло от сердца. Наверное, строгое воспитание лишило меня чувства юмора.

— Вот так-то лучше, — величественно кивнула я.

— О'кей, Сэм. Будешь называть меня «дядя Крис»?

— Мне тоже так больше нравится. Дядя Криц. Хорошо, — задумчиво кивнула она, улыбнулась и протянула ему последний картофельный чипс.

— Спасибо, Сэм. А теперь садись ко мне на закорки. Поиграем в лошадки?

— Да, да!

Она забралась ему на спину, обняла за шею, и мы выступили в поход. Я несла купальные полотенца. На душе было радостно. Предстоял веселый день!

Мы зашли домой, угостили Криса бутербродом с тунцом, прихватили щетку для волос, плюшевого медведя, бутылку вина, а потом сели в машину и отправились в парк. Две порядком уставшие гнедые лошадки катали посетителей. Сэм залезла в тележку с Крисом, и он в красках рассказал ей, как мы скакали по пляжу в день съемок и переплывали через бухту. Сэм слушала его открыв рот. Впрочем, я тоже.

Затем мы пошли в японский «чайный домик», отведали восточных сладостей и выпили чаю. А потом до пяти часов провалялись на траве в ботаническом саду. Сэм играла с плюшевым мишкой, а мы с Крисом незаметно прикончили бутылку вина. Были и прятки, и салочки — в общем, день прошел чудесно. Смертельно не хотелось возвращаться домой, но стало холодать.

— Как вы относитесь к домашней еде, мистер Мэтьюз?

— Ты умеешь готовить? — Казалось, он взвешивал мое предложение, и я тут же вспомнила о предупреждении Джо. Может, у Криса были другие дела...

— Кое-что умею. Но если будешь издеваться, можешь убираться ко всем чертям!

— Покорнейше благодарю. Раз вы так ставите вопрос, предпочитаю принять приглашение. — Он степенно кивнул, Сэм залилась довольным смехом, а я присоединилась к ней.

По дороге мы заскочили в супермаркет, а когда приехали домой, я отправилась на кухню готовить салат и спагетти с мясным соусом. В это время Крис купал Сэм. Они вышли из ванной, взявшись за руки. Девочка была ужасно довольной, и я заподозрила, что они только сделали вид, будто помылись. А, черт с ними! Никто еще не умирал от капельки грязи.

— Эй, Джилл, а с обедом-то неладно вышло... — вполголоса сказал он, и я встрепенулась.

— В чем дело?

— Только не говори Сэм... В мясном соусе черви.

— Черви? Где? — взвизгнула я. Сэм червями не напугаешь, а вот меня сразу чуть не вывернуло наизнанку.

Он кивнул, ткнул вилкой в кастрюлю и поддел ею макароны.

— Посмотри сама. В жизни не видал таких здоровенных червяков.

— Засранец, это же спагетти! — Словно он сам этого не знал...

— Серьезно? Не врешь? — На лице Криса расплылась мальчишеская улыбка, и я чуть не огрела его сковородкой.

— Глисты — это из моей задницы! Весь аппетит испортил...

— Джиллиан! — Ледяной тон Криса был ужасно похож на тон моего отца, и я согнулась пополам от хохота.

Мы сели за стол, и началось такое веселье, что Сэм с трудом удалось отправить спать.

О да, это сильно отличалось от вчерашнего безумного вечера, проведенного с Джо на балу! Нам было чертовски хорошо втроем. И пусть Джо Трамино катится к черту со всеми предупреждениями! Разве от Криса Мэтьюза можно ждать неприятностей? Просто у него такой стиль. Он любит шутки, розыгрыши, в нем много детского, он дружит с Сэм больше, чем со мной, ну и что? Он хороший человек, и впереди у нас долгая счастливая жизнь...

— Поедем завтра на пляж? — Он развалился на кушетке, потягивая вино и дожидаясь, когда я закончу возиться с посудой.

— Конечно. Отличная мысль. Стинсон-Бич? — Наши глаза встретились, словно мы одновременно вспомнили о том, что там произошло.

— Да, Стинсон-Бич... Послушай, Джилл, наверное, тебе следует это знать. У меня есть девушка. Я с ней живу.

Глава 5

Его признание прозвучало как гром среди ясного неба. Я подозревала это с первого дня, но не желала ничего знать. А делить его с кем-то мне тоже не хотелось. Крис сказал, что не так уж привязан к этой девушке. Не надо волноваться. Он все уладит. Крис говорил об этом так легко, что сомневаться не приходилось: он сдержит слово. Я верила ему.

Крис провел ночь в моей постели, и лишь под утро я с трудом заставила его перебраться на диван. Сэм пока не следовало знать о наших отношениях. Она слишком мала.

После странного завграка, состоявшего из

гренок по-французски, яиц всмятку и бекона, мы собрали корзинку с едой и в десять часов отправились на Стинсон-Бич. Предстоял славный денек, и, когда мы прибыли на пляж, я с легкой грустью убедилась, что там полно народу... Сэм тут же улизнула играть с другими детьми, и мы с Крисом остались наедине.

— Джилл, ты переживаешь? — Едва он открыл рот, как я поняла, о чем пойдет речь. — Из-за моей подружки, да?

— И да, и нет. Эта мысль — как гвоздь в стуле, а я ревнива. Но разбирайся сам. Если она и вправду мало что для тебя значит, дело другое. Что ты намерен предпринять? — Это был пробный шар.

— О, она уйдет. Это просто хиппи-новичок. Я подобрал ее зимой. Она была совсем зеленая, осталась без денег, вот я и протянул ей руку.

— Не только руку...

На душе у меня стало кисло. Молоденькая, свеженькая...

— Эй, да ты действительно ревнивая. Остынь, беби. Она уйдет. Если хочешь знать, я вовсе не влюблен в нее.

— У нее красивое тело?

— Да, но у тебя не хуже, так что выбрось это из головы. На свете есть только одна девушка, которую я любил, но эта история давно кончилась. Можешь не беспокоиться.

— Кто она? — Мне нужно было знать все.

— Евроазиатка. Это было давно. Ее звали

Мэрлин Ли. Она теперь в Гонолулу. Очень далеко отсюда.

— Думаешь, она вернется? — У меня явно начиналась паранойя.

— Я думаю, что тебе следует помолчать. Кроме того, я влюблен в твою дочку. Так что не морочь мне голову. Ты вылитая теща. Идеальный типаж.

Я швырнула в него горстью песка, а он прижал меня к земле и поцеловал.

— Мама, ты что, играешь с дядей Крицем? Я тоже хочу! — протиснулась между нами Сэм.

— Эта игра называется «искусственное дыхание», и в нее играют только взрослые. Лучше слепи мне лошадь из песка.

Дочка отнеслась к этой идее без восторга. Наша игра показалась ей скучноватой, и Сэм вернулась к друзьям. Мы, смеясь, смотрели ей вслед.

— Ты здорово умеешь обращаться с детьми, Крис. Я начинаю подумывать, нет ли у тебя пары-тройки собственных.

— Обожаешь ты задавать коварные вопросы, Джилл. Нет у меня детей. А если бы и были, то тут же отреклись бы от такого папаши.

— Почему? — Забавно. Он так хорошо ладил с Сэм...

— Ответственность. У меня на нее аллергия. Пошли поплаваем наперегонки!

Мы так и сделали, и я обогнала его на полдюйма. В отместку он чуть не утопил меня. Аллергия на ответственность, каково, а? Напрасно я заговорила об этом.

— Кто хочет пообедать по-китайски? — спросил Крис, вписываясь в очередной головокружительный поворот. Мы возвращались со Стинсон-Бич в прекрасном настроении. Сэм весь день играла, а мы беседовали о фильме. Крис был помешан на своей работе. Когда он говорил о съемках, у него сияли глаза. И я завидовала ему. Профессия стилиста таких восторгов не предполагает. Ты всего лишь добавляешь собственные штрихи к тому, что сделано другими. Крисом, например. Он из всего делал конфетку.

Предложение было принято на «ура». Когда мы прибыли в китайский квартал, Сэм затрясло от восторга. Дома здесь смахивали на пагоды, а вдоль улицы тянулись лавочки, битком набитые прелестными вещами. В воздухе стоял густой аромат благовоний, и у каждой двери висел маленький колокольчик.

— Джилл, ты любишь китайскую кухню?

— Обожаю! — Казалось странным, что он не знает этого. У меня было такое чувство, словно мы знакомы целую вечность и успели изучить друг друга вдоль и поперек.

Мы втроем одолели цыпленка «фу йонг», свинину в кисло-сладком соусе, креветок, акульи плавники, жареный рис, а потом пили чай с потрясающе вкусным печеньем. К концу обеда я почувствовала, что вот-вот лопну. По лицу Криса было видно, что и он сыт до отвала, а Сэм готова была уснуть прямо за столом.

— Похоже, все мы тут не дураки поесть, — заметил он и бессильно опустил руки вдоль туловища. Я фыркнула. — Еще одно печенье, и от меня осталось бы мокрое место...

— От меня тоже. Поедем домой.

В глазах Криса зажегся опасный огонек, но он ничего не сказал. Я тоже предпочла промолчать. Ладно, проехали...

— До возвращения я хотел бы показать тебе кое-что любопытное. А Сэм поспит в машине. Я отнесу ее.

Мы вперевалку двинулись к стоянке. Было чуточку жалко, что Сэм не сможет напоследок полюбоваться на чудеса китайского квартала. Что ж, придем сюда еще раз.

— Куда едем? — Мы миновали центр, пересекли авеню Ван Несса и оказались в одном из самых престижных районов города.

— Увидишь.

Мы доехали до Дивизадеро, и он свернул направо. Машина остановилась на вершине холма, откуда открывался великолепный вид на залив и окрестные горы. Вокруг было потрясающе тихо. От этой красоты щемило сердце. Весь Сан-Франциско был виден как на ладони...

Наконец Крис дал газ, и мы тихонько скатились с холма. Вокруг мелькали аккуратные, ухоженные домики. Вскоре их сменили роскошные здания Ломбард-стрит, и я тихонько вздохнула. Мы приближались к дому. Чудесный день подошел к концу.

— Не грусти. Еще не все.

— Правда? — обрадовалась я.

Проехав мимо доков, он остановился у яхтклуба.

— Давай прогуляемся. Сэм спит крепко. Посидим минутку.

Мы вышли из машины и глубоко вдохнули свежий вечерний воздух. По обе стороны от нас тянулся залив. Ласково шелестел прибой. На душе было так легко, так безмятежно... Мы уселись на парапет, свесили ноги и уставились вдаль. Говорить было необязательно. Казалось, все и так ясно. Я больше не чувствовала себя одинокой.

— Джилл... — промолвил он, не отрывая глаз от залива.

— Да?

— Кажется, я люблю тебя. Звучит глупо, но это правда.

— Похоже, что и я люблю тебя, Крис. Пусть твои слова звучат как угодно, но я рада их слышать.

— Когда-нибудь ты можешь об этом пожалеть, — серьезно сказал он, глядя на меня в темноте.

— Сомневаюсь. Я знаю, что делаю. Ты тоже. Я люблю тебя, Крис.

Он наклонился, бережно обнял меня и поцеловал. А потом мы улыбнулись друг другу. Тишина. Мир. Покой. Все хорошо.

Мы молча проехали несколько кварталов и остановились у моего дома. Крис взял Сэм на руки, отнес в спальню и уложил на кровать. Потом он смерил меня долгим взглядом и вышел из комнаты.

— Тебя что-то гнетет, Крис?

Мы стояли в гостиной. Он глубоко задумался.

— Сейчас я должен вернуться к себе. Не заставляй меня чувствовать себя виноватым. Понимаешь? Никогда, Джилл, никогда... Да это тебе и не удастся...

Я хотела было что-то ответить, но его уже не было. Странный огонь горел в его глазах, когда он произносил эти бессвязные слова. А потом он исчез.

Глава 6

Понедельник — день тяжелый. Я получила заказ от рекламного агентства, с которым никогда раньше не имела дела, и провела весь день в поисках аксессуаров для назначенных на завтра съемок ролика, рекламирующего текстиль. Я с удовольствием рыскала по складам, копаясь в барахле и подбирая подходящие украшения, обувь, сумки, шляпы и прочие мелочи. Пришлось наведаться даже в антикварные магазины и лавочки. Стилисту мало хорошего вкуса и воображения, тут требуются еще и быстрые, крепкие ноги. За всем приходится бегать самой.

Художественный руководитель агентства пригласил меня на ленч в дорогой ресторан «Эрни». Ему было на вид лет сорок пять, он недавно развелся и был не в меру пылок. Он пытался пригласить меня к себе на кофе с коньяком, уговаривал съездить на Телеграфный холм, с которого якобы открывается чудесный вид на город. Мужик, хватит вешать мне лапшу на уши... У меня была еще куча работы. И Крис.

Напоследок я заскочила в меховой магазин Мэгнина и принялась рыться в соболиных шапках, горностаевых, норковых и леопардовых палантинах. Меха прекрасно сочетаются с текстилем, а здесь глаза разбегались от изобилия, красоты и роскоши...

Весь этот день Сэм пришлось опять провести у соседей, поэтому она очень разозлилась, увидев меня в черном шерстяном платье, купленном у Мэгнина. У меня было хорошее настроение, я чувствовала себя такой же богатой и преуспевающей, как посетители ресторана «Эрни».

— Это что, новое платье?

— Да. Нравится?

— Нет. Оно черное.

Упрямый ребенок. Ну и пусть. Замечательное платье. Я понимала, в чем дело: ей хотелось на пляж. Ничего, обойдется. Овчинка стоила выделки. Четыреста долларов за два дня.

— Пошли, Сэм. Я разогрею обед, а ты расскажешь мне, как прошел день.

— Отворительно...

— Ты хотела сказать «отвратительно»? Неужели действительно так плохо?

И вдруг она пулей понеслась к дому. Я проследила за ней взглядом и все поняла. У подъезда стоял Крис — только что из ванной, с чисто вымытыми взлохмаченными волосами, в новых джинсах и с букетом в руке.

— Ух ты! Замечательные цветы!

— Ты сама замечательная, Джилл. Слушай... Прошлым вечером я вел себя по-свински. Прости меня. Поверь, я искренне раскаиваюсь. Клянусь, сегодня вечером все будет по-другому, и...

— Успокойся. Вчера мне было очень хорошо и позавчера тоже. Все в порядке, Крис. Я понимаю. Честное слово.

— Эй, о чем это вы?

Я совсем забыла о Сэм. Она стояла рядом, совершенно сбитая с толку.

— Ни о чем, Сэм. Иди мыть руки. Я разогрею обед.

— Не надо, Джилл. Я увожу тебя. Вызови беби-ситтер.

— Прямо сейчас?

— Прямо сейчас. С Сэм я договорюсь.

Крис указал на телефон и вышел из комнаты вслед за девочкой.

Он пришел просить прощения. С цветами... Верно, вчера мне довелось пережить несколько неприятных минут, но я не слишком расстроилась. Он всего лишь честно сказал мне, что с кем-то живет, и не остался ночевать. Я, конечно, переживала, но ведь надо же ему когда-то и дома побыть, верно? Самое смешное, что я действительно понимала Криса и знала, что он не хотел меня обидеть.

Я позвонила беби-ситтер, и она согласилась прийти через полчаса. Но предстояла нелегкая борьба с Сэм. Я сомневалась, что Крис сумеет уговорить ее. Она — это не я. Поставив цветы в вазу, я стала ждать прихода дочки. Прошло ровно две минуты.

— Дядя Криц говорит, что тебе надо уйти, что ты весь день работала и все такое прочее. Ладно. Можешь идти, мама.

— Спасибо, Сэм...

Спрашивать разрешения у этой пигалицы было не так уж приятно, но я обрадовалась и тому, что она успокоилась. Крис принял удар на себя. Господи, как хорошо, когда в доме есть мужчина!

— А теперь одевайся. Надень что-нибудь красивое и сексуальное, чтобы я мог тобой похвастаться. И распусти волосы. Да будет вам известно, миссис Форрестер, — шепнул он, когда я пошла к двери, — что я чертовски влюблен в вас. До умопомрачения. Вы сводите меня с ума.

— Рада слышать.

Я прильнула к его губам, буквально впорхнула в спальню и принялась одеваться, прислушиваясь к возне в соседней комнате. Крис громко ржал, а Сэм с увлечением изображала ковбоя. Я была на седьмом небе.

— Куда мы едем?

— На Клэй-стрит. Коллеги-соперники дают обед. Но сначала я должен тебе кое-что сказать.

Интересно, что у него на уме? Крис остановил машину у края тротуара, с улыбкой обнял меня и крепко, до боли поцеловал.

— Ты потрясающе выглядишь. Я просил тебя одеться посексуальнее, но не до такой же степени!

— Ох, льстец...

Но его слова были мне приятны. Я надела

зеленую с золотом индейскую рубашку в стиле хиппи, черные бархатные штанишки, черные замшевые ботинки и, как было приказано, распустила волосы. Под рубашкой ничего не было. Это сработало безотказно. Во всяком случае, у Криса всю дорогу подозрительно светились глаза.

Вечеринку устраивал известный в Сан-Франциско кинорежиссер, славу которому принес клип, рекламировавший лекарства. Он пригласил знакомых и друзей отметить это событие в его новом, только что построенном доме. К нашему приезду в пустом помещении толпились две сотни человек, прислушивавшихся к звукам блюза, которые лились неизвестно откуда. Какой-то стереофокус. Казалось, это было все, что хозяева успели сюда перевезти. Ни мебели, ни обоев на стенах... Единственным украшением дома были люди — ярко одетые, молодые, красивые, в общем, похожие на Криса. Вокруг мелькали волоокие девицы в рубашках в стиле хиппи; в джинсах в обтяжку, с волосами диковинных цветов и длиннокудрые юноши, костюмы которых ничем не отличались от девичьих. Почти все курили марихуану, и в воздухе стоял тяжелый запах «травки».

Дом был выстроен в псевдовикторианском стиле. Его украшала чудовищных размеров парадная лестница; казалось, она уходила прямо в небо. Вдоль перил стояли люди, увлеченные серьезными разговорами. Кое-кто ожесточенно спорил. Насколько я знала, именно так проходило в Сан-Франциско большинство вечеринок, но видеть их своими глазами мне еще не доводилось.

— Не скучновато, Джилл?

Я почувствовала себя слегка неуютно. Неужели мое разочарование так заметно со стороны?

— Нет. Просто здесь очень... благопристойно. Я ожидала другого. Пожалуй, мне тут нравится.

— А мне нравишься ты. Пойдем, я тебя кое с кем познакомлю.

Он взял меня под руку и повел через толпу, благоухающую ароматом гашиша и марихуаны. Вокруг были расставлены огромные кувшины с красным вином. Я насчитала их около пятидесяти.

Эта вечеринка складывалась как-то странновато. Она проходила очень спокойно и не имела ничего общего с балом художественных руководителей, состоявшимся в пятницу. Я ожидала, что вот-вот случится нечто экстравагантное: каждый из окружавших нас людей мог в любой момент сбросить с себя одежду и подать сигнал к всеобщей оргии... Но ничего не происходило. Напротив, казалось, толпа начинает потихоньку редеть. Через два часа я удивленно посмотрела на Криса.

— Похоже, это всего лишь увертюра? Или я ошибаюсь?

Криса искренне позабавил мой вопрос. Он сделал паузу.

— А ты как думаешь?

— Не знаю.

Я чувствовала себя как последняя дура. Хотя почему «как»?

— Ну, малышка Джиллиан, ты не так уж далека от истины. Но чтобы все понять, нам придется присоединиться к тем, кто ждет очереди у лестницы.

Мы стояли на первом этаже. Правда, в Сан-Франциско первым называли этаж, вознесшийся над вершиной холма на головокружительную высоту.

— Значит, все происходит наверху? — Меня распирало от любопытства.

— Может быть... — У Криса был застывший взгляд.

— Я хочу посмотреть, Крис. Покажи мне.

— Увидишь.

Он подвел меня к кучке людей, сгрудившихся в углу; мы сели на пол и принялись болтать. И тут я увидела, что гости поднимаются по лестнице и не возвращаются. Мы оставались одни, словно галька на берегу после отлива. Вокруг сидело не больше дюжины человек.

— Вечеринка окончена?

— Джиллиан Форрестер, что ты пристала как банный лист? Тут... Ладно, вставай. Мы идем наверх. — Похоже, началось то, чего я ждала. — Но я не уверен, что тебе это понравится.

— От какого тайного зла вы защищаете меня, мистер Мэтьюз? Так и не скажете?

Мы поднимались по лестнице, усеянной бездыханными телами. Кто упился, кто обкурился до потери пульса. Блюз сменился тяжелым роком, от звуков которого содрогался дом и холодело в животе.

На первой лестничной площадке Крис обернулся, смерил меня взглядом и страстно поцеловал. Его рука ласкала мою грудь. Рубашка была тоненькая, и это прикосновение заставило меня почувствовать себя обнаженной. Мне немедленно захотелось уехать домой и лечь в постель...

— Джилл, тут есть два местечка... Внизу принимают ЛСД, смотреть там особенно не на что. А вот наверху занимаются... совсем другим.

— Что там? Героин? — У меня расширились глаза. Я начала жалеть, что пришла сюда.

— Нет, глупышка. Не героин. Другое. Ладно, пошли. По-моему, ты уже созрела.

Он загадочно усмехнулся, взял меня под руку и буквально потащил по лестнице. Наконец мы оказались в зале под стеклянной крышей, освещенном лишь парой огромных свеч. Прошла минута, прежде чем глаза привыкли к темноте. Я ощущала присутствие множества людей, но не могла понять, сколько их и чем они занимаются. Поразило меня только то, что они почти не шумели. И тут я увидела все.

Мы находились на широком и длинном чердаке с прозрачным потолком и несколькими окнами. Как и во всем доме, здесь не было никакой мебели. Но зато было много движения. Слишком много. Здесь были почти все, кого мы видели внизу. Без малого двести человек, сбросив рубашки и джинсы, совокуплялись в самых диковинных позах, соединяясь в цепочки по четыре, пять и шесть человек. Это была оргия.

— Джилл, ты в порядке? — Крис внимательно следил за выражением моего лица.

— Я... Ух... Да... Конечно, Крис... Но...

— Что «но», любимая? Мы вовсе не обязаны принимать в этом участие.

За его спиной разыгрывалась сцена, от которой я не могла оторвать глаз. Две девицы занимались любовью друг с дружкой, двое мужчин жадно гладили их обнаженные тела, а третья девушка в это время просовывала язык между бедрами одного из наблюдателей.

— Я... Ух... Крис... Кажется, мне это не нравится.

Я была в этом убеждена, но стеснялась признаться. Мне было двадцать восемь лет, и я давно слышала о таких вещах. Но одно дело слышать, а другое видеть... Нет, участвовать в этом мне не хотелось.

Крис взял меня за руку и медленно повел обратно. Когда мы спустились на несколько ступенек, он улыбнулся и поцеловал меня. Поцелуй был нежным, а улыбка сочувственной. Он совсем не жалел о том, что мы ушли.

— Я отвезу тебя домой. — А потом вернешься сюда один?.. У меня упало сердце. Должно быть, это было написано на моем лице, и он быстро добавил: — Да нет же, глупышка! Не кипятись. Я могу обойтись без этого. Групповой секс — это скучно.

Я подумала о том, часто ли он занимался им, пока не пришел к такому заключению, но ничего не сказала. Спасибо и на этом. Слава богу, мы едем домой. С меня достаточно. Мое образование закончено. Теперь я знаю, что такое групповой секс. Баста!

— Спасибо, Крис. Наверное, у меня ужасно мятая рубашка.

— Ничего подобного. Выглядит вполне прилично. — Поглядев на мое прозрачное одеяние, он счастливо улыбнулся, поцеловал меня в грудь, вывел на улицу, и мы поехали домой.

Дорога не заняла много времени. Мы молчали, но я чувствовала, что мы стали еще более близкими друг другу. Крис остановил машину у подъезда и помог мне выйти. Неужели он уедет и на этот раз?

Я расплатилась с беби-ситтер, и та ушла, добросовестно известив меня, что никто не звонил. Меня разобрал смех. Тот единственный, от кого я ждала весточки, был со мной, а больше мне никто не нужен.

— Хочешь выпить, Крис?

Он покачал головой и пристально посмотрел на меня.

— Не сердишься, что мы ушли?

— Нет. Мне нравится твой образ мыслей. Хватит, Джилл, уже поздно. Пора спать. Завтра у меня уйма дел.

— И у меня.

Мы погасили свет в гостиной и на цыпочках прокрались мимо спальни Сэм. Меня охватило чувство уюта и спокойствия. Я была рада, что он остался, и улыбалась от уха до уха. Как же быстро мы заговорили, словно муж с женой: «Пора спать, завтра у меня уйма дел». Я сидела на кровати и терпеливо ждала, пока он снимет джинсы, мирно поцелует меня и уснет. Господи, разве нужна еще какая-нибудь любовь?

Я расчесывала волосы и еле заметно улыбалась.

— Джилл, ты что это делаешь? — удивился Крис.

— Разве не видишь? Расчесываю волосы, дурачок.

— Какого черта? Групповой секс — дерьмо, но оргию я просто отложил до дома... Иди ко мне.

Он встретил меня посреди комнаты и принялся раздевать. Я расстегивала рубашку на нем, а он на мне. Вскоре мы стояли, прижавшись друг к другу, а потом мои слаксы упали на пол одновременно с его джинсами, и наши тела наконец слились воедино.

Глава 7

— Эй... Крис... Уже светает. А ты так и не поспал. — Я чувствовала себя слегка виноватой. Самую малость.

— Я не жалею об этом. А ты? Но пора на работу. Мы начинаем в шесть. — На часах было пять. — Одевайся и выходи. Хочу полюбоваться рассветом.

— Я тоже. — Не криви душой, старушка...

Мы влезли в одежду, все еще валявшуюся

на полу, вышли из дома и уселись на крошечный газон под моими окнами. Земля была холодной и влажной, но как хорошо было сидеть и смотреть на восходящее солнце!

— Сегодня нет тумана. Идеальные условия для съемки. Хочешь посмотреть?

— С удовольствием бы, но не могу. Надо отправить Сэм в школу, а в десять у меня самой начинается съемка. Текстиль. Сначала они гдето будут снимать сами ткани, а к десяти должны приехать статисты. Съемки будут проходить в оперном театре. Смешно, правда?

— Да уж... А как ты думаешь, кто будет снимать? — хитро спросил он и отвел с моего лица волосы, собираясь поцеловать.

— Эй... Неужели ты?

— Кто же, по-твоему, порекомендовал тебя? — Крис напыжился от гордости.

— Черта лысого! Мне уже сказали, что это работа Джо Трамино, трепло ты этакое!

— Ну да, о'кей... Но я тоже сказал им, что ты отличный стилист.

— После того как мне позвонили!

— После, ну и что? Мальчики обязаны заботиться о девочках.

— Не все мужчины так считают... Я рада, что мы будем работать вместе. Может, снова покатаемся на лошади? На этот раз переплывем оркестровую яму и поскачем по авеню Ван Несса...

— Можно попробовать. Беби, для нас нет ничего невозможного.

Он придвинулся, и мы улеглись на сырой траве, с улыбкой глядя, как встает солнце.

— Мне пора, Джилл. Увидимся на работе.

— Крис Мэтьюз, соседи отродясь не видывали такого необычного утреннего прощания. Но мне оно по душе.

— То ли еще будет! А если соседям не нравится, пусть не смотрят.

— Они меня выселят, — игриво сказала я, провожая его к машине.

— Поговорим об этом потом. Пока рановато.

Он хлопнул дверцей, нажал на газ и был таков прежде, чем я успела задуматься над этими странными словами. Меня забавляла мысль о том, что сегодня мы будем работать вместе и что предводитель банды киношников будет чувствовать себя не лучше моего. Уж я-то точно знала, чем он занимался сегодня ночью. Никто из нас и глаз не сомкнул. Ко всем чертям оргию на Клэй-стрит! Мы устроили свою собственную.

Я подошла к оперному театру ровно в десять, полюбовалась роскошным зданием и улыбнулась. Более неподходящего места для Криса нельзя было представить.

Мне объяснили, как пройти за кулисы, и я начала рыться в вещах, которые отобрала вчера. Навстречу попались люди из агентства. Казалось, они были довольны моей работой. Съемки должны были пройти удачно.

В ролике собирались снимать семь местных манекенщиц, еще троих привезли из Лос-Анджелеса. Девушки были на редкость красивые, а наряды просто потрясающие. Все — от вечерних платьев до купальников — было сшито из тканей ручной работы.

Я раздала девушкам предназначенные для них наряды и аксессуары и отправилась искать Криса. Это не заняло много времени — киношники расположились в оркестровой яме, облюбовав секцию струнных инструментов. Они лакомились тако[1] и бутербродами с салями, запивая их газировкой с вишневым сиропом.

— Привет, мальчики! Это завтрак или ленч?

— Ни то ни другое. Что-то среднее. Спускайся к нам и попробуй. — На секунду мне показалось, что Крис рассердился, но тут же раскаялся в этом. Кажется, ему не очень хотелось афишировать наши отношения. Это меня обрадовало. Сочувствие Джо Трамино мне не требовалось. По крайней мере пока.

Спрыгнув в оркестровую яму, я примостилась рядом с Крисом, отщипнула кусочек тако и сделала глоток газировки.

— Знаете что, мальчики? Это совершенно несъедобно...

— Черт побери, она права!

Все охотно согласились со мной, но аппетита это никому не испортило, и трапеза продолжалась, пока нас не известили, что все готово. Нам разрешили воспользоваться оперными декорациями, прекрасно смотревшимися на заднем плане. Стоя в кулисах, я проверяла каждую девушку и следила, чтобы между выходами

---

[1] Т а к о (от исп. taco) — свернутая лепешка с начинкой из мясного фарша или сыра.

не было перерывов. Когда манекенщицам приходилось повторять дубль, я смотрела на ложи и ярусы и вспоминала торжественные премьеры, на которых публике полагалось быть во фраках и белых галстуках. Где эти времена? Забавно. Все прошло без следа.

— О чем замечталась, Джилл?

— Да ни о чем особенном... Ты почему здесь?

— Мы закончили.

— Уже? Но ведь всего... — Я посмотрела на часы и осеклась. Они показывали четверть пятого.

— Все правильно. Мы отработали полных шесть часов. Сейчас заберем Сэм и двинем на ближайший пляж.

— Есть, босс! — отсалютовала я, и мы рука об руку вышли из театра.

Когда Крис был рядом, время летело незаметно. На этот раз обошлось без всяких выходок. Просто тяжелая работа и поцелуи украдкой в оркестровой яме.

Мы взяли Сэм и побрели на пляж. Она гонялась за чайками, а мы играли в «слова», записывая их на песке. Так продолжалось до самого заката.

— Сэм, пора домой!

Она была на другом конце пляжа и явно не торопилась возвращаться. Но Крис живо справился с ней.

— Иди сюда, пигалица, я прокачу тебя.

— Давай, дядя Криц!

Она со всех ног кинулась нам навстречу, залезла Крису на спину, и они поскакали домой.

Я смотрела им вслед. Ребенок и мужчина, которых я люблю. Саманта Форрестер и ее лошадка. Мой мужчина.

— Что ты сегодня делаешь, Джилл? У тебя есть работа?

Всю неделю Крис оставался на ночь, и у нас вошло в привычку завтракать втроем. Привычка привычкой, но я чувствовала себя словно на рождественских каникулах.

— Нет. Может, съездим в Стинсон? Только дождемся Сэм.

— Не могу. Сегодня в три у меня будет одна работенка. Новый сигаретный клип.

— Что ж, хорошо. Тогда я займусь уборкой. Вернешься к обеду?

Я впервые задавала ему подобный вопрос и затаила дыхание.

— Скорее всего нет. Посмотрим.

Я ждала, но Крис так и не пришел. Он заявился только через два дня, в четверг, как ни в чем не бывало. Внешне ничто не изменилось, но у меня в душе засела заноза. А у Сэм и подавно. Если бы Крис не показался до конца недели, мне пришлось бы привязать девчонку к стулу и заткнуть ей рот. У меня больше не было сил отвечать на ее бесконечные расспросы.

Хотелось узнать, где он пропадал, но я не осмелилась. На обед я приготовила гамбургеры и жаркое по-французски, а потом мы пошли к Свенсенам на Хай-стрит. Там было самое вкусное в городе мороженое.

— Хочешь покататься на автомобильчиках, Сэм?

Дочка в это время расправлялась с земляничным мороженым, а мы доедали шоколадное с орехами. Каждому свое.

— На автомобильчиках? Ура!

После аттракциона мы закатились в магазин Фишермена, и Крис купил Сэм воздушного змея. Ну разве можно было остаться равнодушной к такому мужчине? Он рыскал вокруг нас, словно щенок дога, успокоил меня и окончательно очаровал Сэм. К моменту возвращения домой мы снова были неразлучной троицей. И все было бы замечательно, если бы не...

— Поедем завтра в Болинас, Джилл?

Мы лежали в постели. Вокруг было темно.

— Смотря какая будет погода, — осторожно ответила я.

— Не ворчите, миссис Джиллиан. Я имею в виду уик-энд. Один человек одолжил мне свою лачугу до самого понедельника.

— Серьезно? — обрадовалась я. — Это было бы чудесно!

— Вот и я так подумал. А сейчас хватит дуться. Я вернулся, и я люблю тебя.

Он поцеловал меня в шею и приложил палец к моим губам, заставив замолчать. Настала ночь любви. К утру мы окончательно помирились.

Уик-энд в Болинас удался на славу. «Лачуга», которую кто-то одолжил Крису, представляла собой домик с двумя спальнями, стоявший посреди леса. Мы каждый день ездили на пляж, пообедали разок у Уотсона, а остальное время проводили дома. Там было спокойно и очень уютно. После Нью-Йорка Сан-Франциско казался тихим городком, но уик-энд в Болинас поколебал мою уверенность. Вокруг царила такая блаженная безмятежность, что в понедельник, когда настала пора уезжать, я чуть не заплакала.

Вся следующая неделя прошла в хлопотах. Я получила новый заказ от Карсона, но на сей раз Крис работал в другом месте. Он аккуратно являлся к обеду, проводя с нами все вечера и большинство ночей. Лишь один уик-энд прошел без него, а потом Крис не отлучался целую неделю. Куда он исчезал, осталось тайной, но лишних вопросов я не задавала, и все потихоньку успокоилось.

Нам было удивительно хорошо вдвоем, и я постепенно привыкла к его отлучкам: у меня появлялось свободное время, что было совсем нелишним.

Проходила неделя за неделей, и к концу мая я удивилась, поняв, что мы прожили вместе всего два месяца, а не два года. Я стала Крису Мэтьюзу женой, матерью, дочерью и подружкой одновременно и не могла представить себе, что было время, когда мы не знали друг друга. Он был мне и товарищем, и любимым человеком. Казалось, это его забавляло. Правда, эгоистом Крис был отчаянным: никогда не делал того, что ему не хотелось, и заставлять его было бесполезно. А я и не пыталась, просто принимала его таким, каков он есть. Я была взрослее, но такой меня сделала жизнь. Да и Сэм не позволяла забыть об ответственности. Крис же понятия не имел о подобных вещах. Он заботился лишь о себе самом, а когда это доставляло ему удовольствие, то и обо мне.

Как-то в четверг мы лежали под деревом в парке и бездельничали. Стояло чудесное утро, мы наслаждались покоем и были счастливы. Вдруг я вспомнила, что в воскресенье праздник — День поминовения. В общем-то, это дела не меняло — все дни слились бы в один сплошной уик-энд, если бы кого-нибудь из нас время от времени не вызывали в понедельник на работу.

— Что ты будешь делать на праздники, Крис?

— Уеду из города.

— Забавно...

Я сорвала травинку и принялась щекотать его за ухом. Интересно, когда же Крис наконец расстанется со своей подружкой? Он ведь так и не удосужился от нее избавиться.

— Это не шутка, Джилл. Я уезжаю в Болинас на все лето. Хочешь со мной?

— Ты серьезно? — Сначала я удивилась, но потом вспомнила, что два месяца назад он мельком обмолвился, что снимает в Болинас хижину. Но его планы так легко менялись...

— Серьезно. Я собирался переехать туда завтра или в субботу. Хотел предупредить, но ты меня опередила. Почему бы вам с Сэм не пожить у меня?

— А что дальше? Крис, она и так не отходит от тебя. Если Сэм привыкнет к тому, что ты все время рядом, что же будет, когда настанет время возвращаться? Ей уже пришлось пережить одну разлуку... Я не знаю...

— Не будь такой щепетильной. Сначала она побудет с нами, а потом... Ты ведь все равно собиралась отправить ее на Восток повидаться с отцом. Так или иначе ей придется расстаться со мной. — А со мной?.. — И надолго она уедет?

— С середины июля до конца августа. Примерно на шесть недель.

— Понятно. Так из-за чего же сыр-бор? Она проведет шесть недель с нами и шесть недель с ним. Мы сможем побыть одни... Джилл, пожалуйста... Тебе понравится, честное слово...

На меня смотрел голодный одинокий ребенок, и я не выдержала. Мне хотелось смеяться и плакать. Жить с Крисом... О лучшем и мечтать не приходилось, но что потом?

— Ладно, посмотрим. Как быть с работой? Довод был неудачный, и мы оба знали это.

— Ерунда. Я ведь тоже работаю не в Болинас. Там есть телефон, тебе позвонят, если что... Черт побери, не хочешь — не надо!

Он обиделся, и я почувствовала угрызения совести. Но ведь он ни словом не заикнулся, что уезжает. В этом был весь Крис.

— Хочу, хочу, успокойся, ради бога... Хорошо, я поеду. Я боюсь слишком сильно привыкнуть к тебе, вот и все. Неужели не понимаешь? Я люблю тебя, Крис, и хочу жить с тобой, но, когда лето кончится и мы опять переберемся в Сан-Франциско, я уеду на Восток, а ты вернешься к своей подружке... — Я слишком долго гнала от себя эту мысль.

— Ты ошибаешься, Джилл. Она переедет на следующей неделе. Я все ей сказал.

— Ты? Все сказал? О-го-го!

— Вы правы, юная леди. О-го-го... Если это случится, ничто не помешает вам с Сэм в сентябре перебраться ко мне. Мой дом достаточно велик, чтобы вместить нас всех.

Господи, что ты за человек, Крис? Риторический вопрос. Я знала, что он любит нас, но тряслась от страха при мысли о том, что эта девица никогда не уедет.

— Крис Мэтьюз, знаешь что?.. Я люблю тебя. Болинас — это здорово. Пошли домой, надо собрать вещи.

— Да, мэм. К вашим услугам.

По дороге меня осенило, что я никогда не видела его городского жилья — просто знала, что Крис обитает на Сакраменто-стрит, и все. Мне сразу ужасно захотелось взглянуть на дом, где нам предстояло жить. Нет, надо подождать. Он сказал: «Если это случится». А почему бы ему не случиться? Я не видела для этого никаких причин. Совершенно никаких.

Глава 8

— Крис!.. Сэм!.. Ленч готов!

В большой красной эмалированной миске лежала дюжина бутербродов с арахисовым маслом, рядом стоял кувшин молока. Мы собирались устроить трапезу под большим деревом, росшим на задворках «лачужки», которую Крис снимал каждое лето. Теперь этот домик стал нашей дачей. Он был прелестен. Год назад Крис расписал его яркой солнечно-желтой краской в разноцветную крапинку. Это был простой, но очень удобный деревенский домишко, от которого было рукой подать до пляжа. А больше нам ничего и не требовалось.

— Иду, мамочка! Дядя Криц сказал, что днем мы будем кататься верхом.

Саманта, шатаясь под тяжестью ковбойской кобуры, которую подарил ей Крис, сунула в рот сандвич и довольно вздохнула.

— Поедешь с нами, Джилл?

— Еще бы!

Я посмотрела на Криса поверх головы Сэм, и мы обменялись улыбками заговорщиков. Все складывалось прекрасно. Лучше не бывает. Мы уже месяц околачивались в Болинас, и жизнь казалась нам сказкой. Мы купались, ездили верхом, по вечерам сидели на крылечке и не могли наглядеться друг на друга.

Через две недели Сэм предстояло уехать к Ричарду, чтобы провести у него остаток каникул. Я привыкла к этой мысли, успокоилась и все чаще подумывала о том, что скоро мы с Крисом останемся наедине. О большей удаче и мечтать не приходилось.

— Эй, Джилл, что с тобой?

Внезапно я почувствовала дурноту. Желудок медленно подступил к горлу, а потом стремительно рухнул вниз.

— Не знаю... Наверное, съела что-нибудь.

— Арахисовое масло? Не может быть. Просто перегрелась на солнце. Иди ложись. Я присмотрю за Сэм.

Я последовала совету, и через полчаса мне полегчало.

— Дорогая, так ты едешь с нами?

— Пожалуй, лучше отложить на завтра...

— О черт, совсем забыл... Вечером я уеду в город. Назавтра есть работа.

Счастливчик... У меня не было заказов уже три недели. Лето — пора застоя. Ну и пусть! Жизнь в Болинас была дешевая.

— Когда вернешься? — Господи, какая разница? Мы никуда не торопились и не строили никаких планов.

— Завтра вечером или послезавтра. Все зависит от того, сколько мы провозимся со съемками. Это документальный фильм. Заказ от властей штата. — Он блеснул зубами. — Не волнуйся, я вернусь.

— Рада слышать.

Но он не вернулся ни завтра, ни послезавтра. Его не было три дня, и я уже начала беспокоиться, тем более что звонок на Сакраменто-стрит оказался безрезультатным.

— Черт побери, Крис, где тебя носило?

— Слушай, перестань. Ты ведь знала, что я вернусь, так из-за чего шум?

— Из-за того, что с тобой могло что-нибудь случиться.

— Займись своими делами, а о себе я сам позабочусь.

Вот и все. Конец дискуссии.

— Ладно. Завтра я сама еду в город. Звонил Джо Трамино, Заказ от Карсона.

— Здорово.

Ага... Здорово... Шлялся где-то три дня и даже позвонить не удосужился... Но спрашивать ни о чем не хотелось.

Вечером Крис вел себя так, словно ничего не случилось, и на следующее утро я оставила Сэм на его попечение, села в машину и к девяти уже была в городе. Съемки закончились довольно быстро, и Джо пригласил меня на поздний ленч в ресторан «Энрико» на Монтгомери-стрит, рядом с новым зданием финансового центра. Мы устроились под открытым небом. Было тепло, солнечно, зеленую листву трепал прохладный ветерок.

— Хорошо поработала сегодня, Джилл. Ну что, кажется, жизнь тебе улыбнулась? — поинтересовался Джо. Похоже, он все знал.

— У меня все в порядке. В полном порядке.

— Кажется, ты похудела.

— Ты говоришь в точности как моя мама!

Но он был прав. После отравления бутербродом с арахисовым маслом я так и не оправилась, хотя с тех пор прошла почти неделя. Наверное, сыграло свою роль беспокойство за Криса.

— Ладно, молчу. Но я был прав. Волосы на себе рву, что познакомил тебя с этим парнем, и от ревности грызу стены своей конторы. Разве не слышала?

Мы рассмеялись, и я покачала головой.

— Джо, хоть ты и порядочное дерьмо, но я тебе благодарна. Заруби себе на носу: мы с Крисом по-настоящему счастливы. И все из-за тебя. Спасибо.

Глупо было убеждать в этом Джо, но он искренне заботился обо мне, и промолчать было бы просто грешно. В конце концов он действительно сделал для всех нас доброе дело. В том числе и для Сэм.

Ленч прошел чудесно. Мы говорили о съемках, о куче других вещей, и, когда настала пора уходить, я немного огорчилась. Так хорошо было сидеть, болтать о всяких пустяках, смотреть, как приходят и уходят посетители... Что ни говори, а Джо отличный товарищ.

На обратном пути я заехала домой, захватила почту, всякие мелочи вроде воздушного змея и тронулась в путь. Возвращалась я немного раньше, чем думала, и предвкушала, что вот-вот переоденусь и пойду купаться. День выдался жаркий.

— Эй, люди, я приехала!

Никто мне не откликнулся, хотя шел уже шестой час. Наверное, они еще на пляже. Может, махнули в Стинсон?

— Алло, есть кто живой? — Но было ясно, что в доме пусто, иначе Сэм давно бы кинулась мне навстречу.

Я сбросила туфли и босиком прошла на кухню выпить чего-нибудь похолоднее. Вдруг до меня дошло, что дверь спальни закрыта. Странно. Отродясь у нас этого не было... Господи, уж не случилось ли чего? Во мне заговорил материнский инстинкт. Сэм!

Я осторожно подошла к двери, остановилась, глубоко вздохнула и повернула ручку. Сэм там не было, зато был Крис и еще кто-то. Они занимались любовью. На нашей с ним кровати.

— Ох-х... — Я застыла как вкопанная, губы у меня округлились, а глаза тут же наполнились слезами. Когда я открыла дверь, Крис повернул голову. Лицо его ничего не выражало. Как и смотревшие на меня голые ягодицы. Это меня доконало. Ни гнева, ни страха. Ничего. Когда я вошла, девица забилась от ужаса, что-то пробормотала, задохнулась и испуганно огляделась по сторонам, словно желая выпрыгнуть в окно. Я не могла осуждать ее, потому что чувствовала себя точно так же. Наверное, нам обеим следовало выпрыгнуть в окно и оставить Криса одного. Но мы этого не сделали. Крис крепко схватил ее за руки и удержал, а я с силой хлопнула дверью. Что я могла сказать? Во мне бушевал неистовый гнев. И тут меня осенило. Я круто развернулась, распахнула дверь настежь и обратилась к Крису:

— Мне насрать на то, чем ты занимаешься с этой шлюхой, но где моя дочь?

С кровати донесся еще один вопль ужаса, Крис обернулся и злобно посмотрел на меня, но что значил его гнев по сравнению с моей яростью?

— Мать твою, ты думаешь, что я связал ее и засунул под кровать? Несколько часов назад

Джиллмуры пригласили ее на пикник. Я сказал, что заеду за ней в шесть.

— Можешь не беспокоиться! — Девица снова закорчилась в железных объятиях Криса, и я снова ощутила всю гнусность этой отвратительной сцены. — Через час я вернусь за вещами!

Я снова хлопнула дверью, подобрала валявшиеся на полу туфли, схватила сумку и босиком побежала к машине. К черту Кристофера Мэтьюза! Если ему нравится скотская жизнь, пусть наслаждается ею, но без меня. Не хочу иметь с ним ничего общего... Нет, спасибо... Паршивый, подлый, жалкий обманщик... Я гнала машину к дому Джиллмуров, задыхаясь от рыданий. По щекам текли слезы. Заберу Сэм, и к чертовой матери отсюда! Оно и к лучшему. Как хорошо, что я не отказалась от городской квартиры! Сегодня же вечером мы вернемся и забудем о Крисе. Его нет и не было. Все кончено...

Въехав на участок Джиллмуров и спохватившись, что слезы могут выдать меня, я остановилась и вытерла глаза. Мир рухнул, но как я посмотрю в лицо Сэм?

На порог вышла босая Элинор Джиллмур и помахала мне рукой.

— Привет, Джиллиан! Как прошел день?

Как прошел день? Издеваешься, да?

— Нормально. Спасибо за то, что пригласили Сэм на пикник. Она наверняка визжала от восторга.

У Джиллмуров было пятеро детей, и двое

из них были примерно одного возраста с Сэм, так что они не скучали. Ходить к ним в гости — все равно что на детскую площадку.

— Привет, мама, можно, я останусь на обед? — тут же выскочила откуда-то Сэм.

— Нет, моя радость, пора домой... — Да уж, домой... В Сан-Франциско, в родную Марину...

— У-у-у, мама... — заканючила она, но я покачала головой.

— Не капризничай, Сэм. Мы действительно едем домой. Спасибо, Элинор. Пошли, малышка. — Я крепко взяла ее за руку и повела к машине. На крыльцо высыпал весь выводок Джиллмуров, и мы помахали им на прощание. — Хорошо провела время?

— Да. А на обед будет что-нибудь вкусненькое? Может, устроим пикник с дядей Крицем?

— Пикник уже был, а теперь тебя ждет сюрприз. Нам нужно на несколько дней вернуться в город. У мамы дела.

«Несколько дней»... Вполне разумное объяснение. А через неделю за ней приедет отец.

— Зачем? Не хочу в город! А дядя Криц тоже поедет? — Эта мысль несколько утешила ее.

— Нет, моя радость. Ему придется побыть дома.

Ты права, малышка. Черта с два он здесь останется. Когда мы вернулись, я была белее мела и даже боли не ощущала. Мне все еще хотелось прикончить его, но Сэм не следовало знать о случившемся.

— Джилл...— окликнул дожидавшийся на крыльце Крис.

— Привет, дядя Криц! Пикник был замечательный!

— Привет, Сэм. Сделай одолжение, еще раз полей за меня деревья. Они умирают от жажды, как ковбой в пустыне. Пожалуйста.

— Конечно, дядя Криц! — выпалила польщенная Сэм и с готовностью побежала выполнять поручение.

— Джилл... — Он двинулся в спальню.

— Лучше помолчи. Я не желаю тебя слушать. Я все видела и никогда этого не забуду. Мы с Сэм возвращаемся в город. Завтра утром кто-нибудь пригонит тебе машину.

— Насрать мне на нее!

— И на нее тоже? Так, это мое, это тоже мое...— Я вытаскивала из шкафа одежду и швыряла ее на неубранную кровать. Кровать, на которой он трахал эту девку. Ублюдок. Мог бы по крайней мере застелить эту проклятую постель!

— Джилл, пожалуйста...

— Нет. Никаких «пожалуйста». Я сыта по горло. Хватит.

— Слушай, все это пустяки. Она для меня ничего не значит. Между нами все остается по-прежнему. Я подобрал ее в городе. — В голосе Криса звучало отчаяние.

— Вот как? Я очень тронута. Ах, она ничего для тебя не значит? Тогда я значу еще меньше. Все эти месяцы ты продолжал спать со своей девицей. Приходил, обедал, проводил со мной ночь, а потом исчезал на три дня. А теперь трахнул новенькую. Должно быть, из любви к искусству. В нашей постели... Будь она проклята, эта постель! И зачем я только в нее легла? Это было большой ошибкой.

— Нет, Джилл, это не ошибка. Я люблю тебя, и ты этого заслуживаешь. Но я мужчина, пойми, ради бога, и мне нужно время от времени развлечься.

— Так же, как со мной? — От моего крика чуть не рухнули стропила.

— Ты не для развлечения, Джилл. Ты для жизни. Я люблю тебя, — почти прошептал он. — Пожалуйста, Джилл, не уходи. Ты мне нужна. Извини, что так вышло.

— И ты извини. Но я все равно уйду.

Однако моя решимость поколебалась. Значит, я для жизни? Что бы это значило?

— Крис, я нюхом чую, что этому конца не будет. У меня больше нет сил.

«Извини»... Какого черта? За что? И тем не менее я просила у него прощения.

— Зачем ты делаешь из мухи слона? Ведь ничего особенного не случилось. Честное слово...

— Может, для тебя в этом и нет ничего особенного. Но не для меня. Ты представляешь, что я чувствовала, когда вошла и увидела, как ты, нацелившись на меня задницей, трахаешь эту потаскуху, раскинувшую ноги на пятнадцать ярдов? — При мысли об этой картине меня затошнило.

— Да, в твоем изложении это выглядит ужасно... — Он говорил очень тихо, и мне тоже волей-неволей пришлось сбавить тон.

— Так оно и выглядело. Особенно с моего

места. Я чуть сквозь землю не провалилась. Значит, я не удовлетворяю тебя как женщина? Мог бы сказать об этом раньше. Я знаю одно: стоит нам унести отсюда ноги, как ты в ту же минуту смотаешься и трахнешь кого-нибудь еще. Джо Трамино был прав.

Едва эти слова сорвались с языка, как я тут же о них пожалела. Не надо было впутывать сюда Джо.

— И что обо мне говорил этот вонючка даго? — моментально взбеленился Крис.

— Ничего особенного. Просто он сказал, что ты сделаешь меня несчастной. Похоже, он не соврал.

— Вранье! Мы были очень счастливы. Появись ты, когда обещала, мы бы с Сэм мирно обедали на кухне и ты бы так ничего и не узнала. А если бы ты по-настоящему любила меня, то все поняла бы и не стала устраивать сцен.

Ничего себе...

— Ты что, смеешься?

— Нисколько. Это могло бы случиться и с тобой, Джилл. Но я бы не ушел. Потому что я люблю тебя и понимаю: в жизни всякое бывает.

Меня поразила не столько эта мысль, сколько его тон — спокойный, грустный, мудрый... Наверное, такие вещи случаются на каждом шагу. Но почему именно со мной? И почему я должна с этим мириться?

— Джилл, может быть, ты все-таки переночуешь и подумаешь до утра? Ведь это же глупо. Растрясешь Сэм в машине. Завтра мне так и так надо ехать на работу; если ты не передумаешь, я подброшу вас в город.

Я бы не осталась в этом доме ни минуту, но он заботился о Сэм. Меня охватили сомнения, и Крис это почувствовал.

— Ну... Ладно. Ради Сэм. Но ни на что не надейся. Я буду спать на диване. Пропади ты пропадом вместе со своей спальней! — Я поставила полупустой чемодан на пол и вышла из комнаты.

— Я приготовил обед, Джилл. Успокойся. Ты неважно выглядишь.

— Я и чувствую себя неважно. Но Сэм я накормлю. Мне есть не хочется, а ты можешь позаботиться о себе сам.

Я вышла на улицу. Сэм усердно поливала деревья и виду не показывала, что слышала нашу ссору.

— Сэм, дорогая, ты проголодалась? Будешь есть холодного цыпленка?

— Буду, мамочка.

Теперь сомнений не оставалось. Что-то она все-таки слышала. Уж больно послушный у нее вид. Но я была ей благодарна.

— Ты хорошая девочка.

— Спасибо, мамочка. А дядя Криц будет обедать с нами?

— Нет, не будет. — Слова застревали у меня в горле.

— О'кей.

Она молча съела холодного цыпленка, безропотно надела пижаму и отправилась спать. Укрывая ее, я чуть не заплакала. Господи, как я перед ней виновата! Этот человек вошел в нашу жизнь только для того, чтобы потом уйти. Или заставить уйти меня. Так нечестно! Не следовало мне переезжать в Болинас. Чувствуя угрызения совести, я поцеловала Сэм и выключила свет.

— Спокойной ночи, моя радость. Приятных снов.

Я пошла на кухню, чтобы сварить кофе. По щеке катилась одинокая слеза. Сил больше не было. Отвратительный день. И никаких надежд на то, что завтра будет лучше.

— Как чувствуешь себя, Джилл? — спросил незаметно вошедший Крис.

— Спасибо, хорошо. Ты не мог бы присмотреть за Сэм? Я хочу прогуляться.

— Да, конечно. О'кей.

Я тихо закрыла дверь и пошла к пляжу, спиной чувствуя взгляд Криса.

Стоял теплый, тихий вечер. Тумана не было и в помине. Днем я была слишком занята, чтобы обращать внимание на такие мелочи. Ярко светили звезды, но и это не могло улучшить настроения.

Волны с тихим шелестом накатывались на берег. Я легла на холодный песок и не то задумалась, не то впала в забытье. Хотелось побыть одной, подальше от Криса. И как можно дальше от его дома.

Мимо протрусил бродячий пес, понюхал воду и побежал дальше. И тут я не раздумывая разделась догола, скользнула в море и медленно поплыла к длинной косе на краю Стинсон-

Бич, вспоминая тот день, когда мы с Крисом пересекали эту бухту, держа за поводья краденую лошадь. День, когда мы познакомились. Первый день, такой непохожий на сегодняшний. Неужели прошло целых три месяца?

Добравшись до противоположного берега, я легла на песок. Ярко светила луна. Что будет дальше? Смогу ли я когда-нибудь доверять мужчинам? Казалось, прошло несколько часов... Вдруг за спиной послышались чьи-то шаги, и я испуганно обернулась...

— Джилл? — Это был Крис.

— Что ты здесь делаешь? Ты обещал присмотреть за Сэм!

Господи, даже этого нельзя ему поручить!

— Все в порядке. Она уснула, а мне нужно поговорить с тобой.

— Нам не о чем говорить. Как ты узнал, что я здесь?

— Знал, и все. Я бы все равно пришел сюда.

— Едва ли ты так уж волновался. — Стоило вымолвить эти слова, как на глаза вновь навернулись слезы.

— Я очень волновался, Джилл.

Крис сел рядом. Его мокрое тело блестело в темноте.

— Мне надо вернуться к Сэм. — У меня не было ни малейшего желания разговаривать с ним.

— Посиди минутку... Пожалуйста.

От его тона у меня сжалось сердце. Он вел себя точно так же, как Сэм, безропотно отправившаяся спать.

— Зачем, Крис? В чем дело? Мы обо всем договорились.

— Нет, не обо всем. А если и так, позволь мне просто молча посидеть рядом. Я не переживу твоего ухода.

Я закрыла глаза и едва не зарыдала.

— Не хочешь прогуляться?

Мы молча встали и пошли по пляжу. Рядом, но не вместе. Я все еще чувствовала себя безумно одинокой.

— Право, лучше бы вернуться, Крис. Сэм...

Мы остановились на середине пляжа. Чтобы возвратиться, нужно было доплыть до Болинас и добраться до дома. Минимум полчаса. Я начинала тревожиться. Сэм осталась одна. Вдруг она проснется? Конечно, ничего страшного не случится, но приятного в этом мало.

— Хорошо, Джилл. Я хотел дойти до нашего грота.

Он выглядел малышом, у которого отняли любимую игрушку, но я шарахнулась, словно от пощечины.

— Крис, как ты можешь? Неужели ты действительно ни черта не понял?

Все очарование молчаливой прогулки под луной бесследно исчезло. Я со всех ног побежала к косе, прыгнула в воду и быстро поплыла к другому берегу. Но Крис все равно добрался до него раньше. Когда я вылезла из воды, он крепко прижал меня к себе.

— Проклятие, лучше помолчи, Джиллиан Форрестер! Да, сегодня я сделал гадость, но я люблю тебя, и хуже всего то, что ты мне до сих пор не веришь. — Его губы крепко прижались к моим, и этот поцелуй потряс меня до глубины души.

— Крис...

— Молчи. Нужно вернуться к Сэм.

Он взял меня за руку и повел к тому месту, где лежала наша одежда. Я натянула платье, а Крис влез в джинсы — единственное, что на нем было.

Не говоря ни слова, мы пошли к дому. Свет в нем не горел, все было спокойно. Я заглянула в комнату и с облегчением убедилась, что Сэм спит. В нашей спальне все переменилось. Крис не терял времени даром. Кровать была застелена чистыми простынями, на столе красовалась ваза с цветами.

— Ты ложишься? — Он сидел на краю кровати и едва заметно улыбался.

— Хорошо поработал... — Ничто не напоминало о происшедшем, но мысль об этом засела у меня в мозгу как заноза.

— Ты не ответила на вопрос.

Крис погасил свет, и я стояла в темноте, не зная, как быть. Ложиться в постель мне не хотелось, но и уйти не было сил. Вспомнились его слова о том, что, вернись я вовремя, все было бы шито-крыто. Но я, как на грех, приехала слишком рано.

Он повернулся на бок... Я медленно вошла в комнату и начала раздеваться. Ладно, лягу с ним, но никакой любви! Может, она ему и не нужна. Сегодня Крис уже получил свое. Едва не застонав от воспоминания, я юркнула под простыню, повернулась к нему спиной и мгновенно уснула от изнеможения.

Я проснулась от аромата жареной свинины. Было пять утра, и за окнами стоял туман.

— Доброе утро, спящая красавица. Завтрак на столе!

Я ощущала себя не спящей красавицей, а спящей уродиной, и запах бекона вызывал у меня тошноту. Вспомнились события вчерашнего дня, и нервы дали о себе знать.

— Привет, мамочка! Мы испекли тебе вафри!

— Вафли. Как, ты уже одета? Похоже, вы оба поднялись ни свет ни заря. — Как бы я ни чувствовала себя, пришлось делать хорошую мину при плохой игре. По крайней мере при Сэм.

Я встала, почистила зубы и почувствовала себя немного лучше. Вафли оказались вкусные. Я съела две штуки, и Сэм задрожала от радости.

— Мамочка, тебе понравилось?

— Ужасно понравилось. — Я бросила взгляд на Криса, но он был занят уборкой кухни. — Чего ради вы проснулись в такую рань?

— Мне нужно быть на месте в шесть, и если ты не передумала, то пора выезжать. Я уже опаздываю. — Он в упор посмотрел на меня с другого конца комнаты.

— Ладно. Спасибо. Я пошла укладывать вещи Сэм и одеваться. Буду готова через десять минут.

Джинсы, рубашка... В городе мне делать было абсолютно нечего. Разве что поздравить Джо Трамино, который оказался прав.

Сэм выглядела расстроенной, и я попыта-

лась уговорить ее спеть, чтобы у нее поднялось настроение. Слава богу, Стинсон и Болинас тонули в тумане: их вид перевернул бы мне
душу. Мы видели лишь небольшой участок дороги и тянувшиеся вдоль него холмы.

В это время на дорогах не было ни души, и
мы добрались до города за полчаса. Крис остановился под окнами нашей квартиры, посадил
Сэм на спину и донес ее до дверей.

— Скоро увидимся, пигалица.

Девочка чуть не заплакала. Тогда Крис наклонился к ней и что-то прошептал на ухо.
Лицо Сэм тут же просияло.

— Ладно, дядя Криц. До свидания! — Она захлопнула за собой дверь, а я растерянно обернулась к Крису.

— Что ты ей сказал? — Пусть не морочит ребенку голову. — Я хочу знать.

— Не твое дело. Это касается только нас
двоих. А тебе я скажу вот что: если ты думаешь,
что все кончено, то сильно ошибаешься. И не
пытайся догадаться, о чем идет речь. Мне и
самому пока не все ясно. Просто я не позволю
тебе уйти. Ты меня слышишь?

Крис посмотрел мне в глаза, поцеловал в
лоб, сел в машину и уехал. Ах как он ошибался!
Для меня-то все было кончено.

К девяти часам я отвела Сэм на детскую
площадку. К моему удивлению, она ничуть не
капризничала. Можно было со спокойной душой возвращаться домой и распаковывать чемоданы.

Нужно было обзвонить рекламные агентства, с которыми я сотрудничала, и сообщить о моем возвращении. А что потом? Может, поплакать? Черт возьми, а почему бы и нет?

Когда приступ меланхолии прошел, я убрала квартиру, выпила кофе, встретила Сэм, и мы пошли в зоопарк. Возиться с чемоданами и звонить в агентства было выше моих сил. Мы поели неподалеку от вольера бегемота. Местное меню вызвало у нас легкую оторопь.

— Я не хочу есть гориллу, мамочка. Она страшная.

— Это обыкновенный гамбургер, Сэм... «Гориллабургером» его называют здесь в шутку.

Она заколебалась, но в конце концов согласилась попробовать, взяв с меня слово, что мы немедленно уйдем, если ей станет страшно. Все обошлось, и я с трудом скрыла улыбку, когда через минуту с тарелки исчезли и гамбургер, и французское жаркое.

Мы вернулись домой уже в сумерки. Против ожиданий, день прошел неплохо. Я искупала Сэм и отправила спать. Рано или поздно, но мне суждено было остаться наедине со своими мыслями. Криса больше нет.

— Можно войти? — Сердце подпрыгнуло. В дверях показалась взлохмаченная шапка белокурых волос. — Тебе бы следовало запирать дверь.

— А тебе бы следовало слушать, что тебе говорят. Я велела, чтобы ты не показывался на глаза.

Говорила я одно, а делала другое. Руки сами

собой обняли его. С души свалилась мучившая меня весь день стопудовая тяжесть.

— Ну до чего же говенный у тебя язык, Джилл! Как ни крути, а я был обязан вернуться. Я обещал Сэм! — И он с довольным видом развалился на диване.

— Ничего ты не был обязан...

— Завтра я увезу вас в Болинас. Пожалуй, день, проведенный в городе, пошел тебе на пользу.

— Пожалуй. Поэтому мы никуда не поедем.

— В таком случае я тоже никуда не поеду. Но было бы несусветной глупостью позволить даче пустовать.

— Вот и не делай глупостей. Возвращайся. Мне все равно, где ты будешь жить.

— Да ну? — Он встал и медленно подошел к моему креслу. Я курила сигарету, пытаясь не подать виду, что меня трясет. — А вот мне не все равно, где будете жить вы, миссис Джиллиан Форрестер! Я хочу, чтобы ты жила со мной. Ты еще не поняла этого? — Крис наклонился и стиснул ручки кресла. Его лицо медленно придвигалось к моему, и я поняла, что близится поцелуй.

— Крис, не надо! — Я уперлась ему в грудь, но тщетно: он все равно поцеловал меня. — Прекрати!

— Нет, это ты прекрати! Дело зашло слишком далеко. Я костьми лягу, но не позволю тебе уйти. Заруби это на носу! — С этими словами он вытащил меня из кресла, взял на руки, отнес в спальню и положил на кровать.

— Крис Мэтьюз, немедленно убирайся из этого дома! — вскочив, крикнула я. Вместо ответа он легонько ткнул меня ладонью, опрокинул навзничь и навалился сверху. Бунт был подавлен. Все началось снова.

— Так мы едем в Болинас или нет? Между прочим, погода паршивая. — Мы лежали в постели. Туман, опять туман...

— Не вижу смысла, Крис. У меня на этой неделе три заказа, а в пятницу за Сэм приедет Ричард. Давай останемся.

— О'кей. — Он был удивительно сговорчив.

— Но жить будем здесь. Я не хочу на Сакраменто-стрит.

— Почему?

— На это много причин. Во-первых, не нужно дразнить гусей. Не беда, если Сэм расскажет отцу, что мы жили у тебя в Болинас: дача есть дача... Но если она ляпнет про твою городскую квартиру, хлопот не оберешься.

Я кривила душой. Именно это и было главным. Мне не хотелось ехать туда, где он спал с сотней разных девок. В том числе и эти три месяца. Болинас мне тоже опротивел. Я хотела остаться у себя.

— По-моему, все это глупости. Впрочем, поступай как знаешь. У меня тоже полно работы.

Всю следующую неделю мы прожили в городе, склеивая черепки. Это оказалось на удивление легко. Конечно, благодаря Крису. Было невозможно противиться его обаянию, манерам и непринужденности шестилетнего мальчишки. И, кроме того, я любила его.

К пятнице я снова собрала вещи Сэм, выставила Криса из дома, и мы уселись ждать Ричарда. Он заранее сообщил, что приедет в Лос-Анджелес по делам, а оттуда вылетит в Сан-Франциско. Ждать его следовало пятнадцатого июля в два часа дня. Сомневаться в том, что он прибудет именно в это время, не приходилось. Ричард всегда был раздражающе пунктуален.

Он заявился в два часа десять минут, как всегда, опрятный до отвращения, в тщательно отглаженном темно-сером костюме, в бело-голубом полосатом галстуке, белой рубашке и сверкающих черных полуботинках. Было странно смотреть на него и вспоминать, что когда-то мы были женаты, что он каждый вечер приходил домой... Теперь Ричард казался мне существом из другого мира. Наверное, и он думал обо мне так же. Я перестала быть той Джиллиан, которую он знал.

— Все собрано. — Я старалась говорить уверенным тоном и даже состроила веселое лицо, чтобы не расстраивать Сэм. Но мысль о том, что мы расстаемся на целых шесть недель, повергала меня в отчаяние. Дни без нее будут такими пустыми, такими тихими...

— Хорошо выглядишь, Джиллиан. Наверное, много бываешь на свежем воздухе.

— Да. Целыми днями на пляже, — нарочито туманно ответила я. О чем мы умудрялись говорить до развода? Ей-богу, уже не помню...

— Я оставлю перечень мест, где мы с Самантой проведем эти шесть недель. Если надумаешь уехать — пожалуйста, пришли моему секретарю свой маршрут, чтобы мы при необходимости знали, где тебя найти. — Его туго обтянутое кожей лицо было абсолютно бесстрастно.

— Не беспокойся, ты и так все узнаешь. Я буду звонить Сэм.

Не похоже, чтобы он сильно обрадовался, но я уже шагнула к стоявшей в дверях дочке, схватила ее в объятия и крепко поцеловала.

— До свидания, мамочка. Пришли мне красивую открытку и передай привет дяде Крицу!

Я закашлялась. Ричард тут же навострил уши и подозрительно уставился на меня.

— Рада была видеть тебя, Ричард. Счастливого пути. До свидания, моя радость. Будь осторожна!

Лимузин тронулся. Я махала рукой и видела через заднее стекло личико машущей в ответ Сэм. Как одиноко будет без нее...

Стоило вернуться в опустевшую квартиру, как тут же зазвонил телефон. Я сняла трубку, крайне признательная этому благодетелю, кем бы он ни был.

— Ну что, можно возвращаться? Серый волк ушел?

— Ушел и унес Сэм. Мне паршиво.

— Так я и думал. Я буду через десять минут. Если хочешь, сразу же уедем в Болинас.

Внезапно я поняла, что воспоминания о девушке Криса больше не тяготят меня, и мне до слез захотелось вернуться обратно. За неделю отвращение исчезло, а задерживаться в пустой квартире не хотелось. Без Сэм она казалась мрачной и унылой...

Крис сдержал слово. Через десять минут он стоял посреди гостиной, держа в каждой руке по бутылке вина.

— Я забыл, какое вино ты предпочитаешь, и купил красного и белого. Выпьешь рюмочку?

— Спрашиваешь! И даже не одну. А потом в путь!

Мы выпили по бокалу красного вина и отправились в Болинас. На этот раз одни и в прекрасном расположении духа.

Глава 9

Следующий месяц снова прошел как в волшебном сне. Звонков из города почти не было, и мы проводили дни, валяясь на пляже и полеживая в гамаке под деревом. И любя друг друга.

За все время у меня был лишь один заказ, а у Криса — два. Это пробило брешь в наших финансах, но мы не расстраивались. Я жила на алименты, а Криса, казалось, денежные дела вообще никогда не волновали.

Славная была пора... Я понемногу рисовала, Крис тратил километры пленки, снимая меня в обнаженном виде, и часы летели незаметно. Краткие ледяные письма Ричарда сообщали, что Сэм чувствует себя нормально, но, когда удавалось поговорить по телефону, доч-ка была счастлива.

Эпизод с девицей в постели Криса больше не повторялся, а сам он был так внимателен, что о большем и мечтать не приходилось. Джо Трамино ошибся. У нас с Крисом не было ни-каких забот. Кроме одной. Четыре раза у меня было отравление и два раза — что-то вроде со-лнечного удара. И голова частенько кружи-лась. Едва ли это было что-нибудь серьезное, потому что все остальное время я чувствовала себя прекрасно. И все же Крис настоял, чтобы я показалась врачу.

— Джилл, а вдруг это язва? Когда будет ра-бота, я отвезу тебя в город. Это займет не боль-ше двух дней. Талончик можно заказать заранее.

— Я думаю, это нервы. Но раз тебе так хо-чется... Ладно, поедем.

Я позвонила в больницу за день до отъезда, записалась на прием и постаралась забыть обо всем. Ничего плохого ожидать не приходи-лось. Жизнь была щедра к нам.

— Проснись и пой!

— Который час? — Я снова чувствовала себя отвратительно, но не хотела признаваться.

— Половина восьмого. Поздновато спишь. Вставай. Кофе готов. — Похоже, Крис слегка перестарался. Я закрыла глаза и попыталась не показать виду, что меня мутит от запаха кофе.

Мы выехали из дому в девять. К тому време-ни мне слегка полегчало, но я знала, что не выдержу головокружительных поворотов горной дороги. Так оно, кстати, и вышло.

— Ты паршиво выглядишь, Джилл. Плохо тебе?

— Да нет, все нормально.

Должно быть, я позеленела.

— Значит, я был прав. Самое время обратиться к врачу. У моей сестры было что-то в этом роде, но она год не обращала на это внимания. Кончилось тем, что она попала в больницу с прободением язвы. С такими вещами не шутят.

— Да уж... А сейчас с ней все в порядке?

— Да. Ее вылечили, так что не беспокойся. Мотай на ус. — Ага... Намотаю... — Прежде чем мы вернемся в Болинас, я бы хотел показать тебе свою квартиру. Может, до вашего переезда придется что-нибудь переделать. Комнату Сэм пришлось обставить заново. Надеюсь, тебе понравится.

Он выглядел непривычно застенчивым, и я невольно улыбнулась. Все шло к тому, что мы вот-вот поженимся. Надо же, как он заботится о доме...

— Я сказал хозяину дачи, что мы уедем первого сентября. Он ответил, что в это время сдать дом с мебелью пара пустяков, и у меня отлегло от сердца. Его ведь не предупредили заранее. — Действительно, мы ждали до последнего, но все было давно решено... — Я не мог больше тянуть.

Крис наклонился и поцеловал меня. Дальнейший путь прошел нормально. Мы болтали и слегка пошучивали. Я чувствовала себя вполне сносно, и время прошло незаметно.

Он высадил меня у больницы Фицхью на Юнион-сквер. До назначенного времени оставалось еще полчаса, и я решила зайти в магазин Мэгнина, расположенный на углу.

Рядом с дверью стоял мим, забавно скопировавший мою походку. За порогом ожидала волшебная страна красивых вещей и дорогих мехов. Справа от входа была секция мужской одежды, и я чуть было не зашла туда, но вовремя одумалась. Крис бы ни за что не надел вещь от Мэгнина. Все его окружение щеголяло в парусине.

Я усмехнулась и прошла дальше, пробираясь сквозь ряды с женскими свитерами.

Через двадцать минут я вышла, облаченная в красный свитер и благоухающая новыми духами. Надо же было поднять себе настроение. Врачи никогда не говорят ничего хорошего.

Посмотрев на табло, я быстро нашла того, кто был мне нужен. Говард Хаас, доктор медицины, кабинет 312. Все здание занимали врачи, и казалось, что можно войти в любую дверь — ошибки не будет. Но у меня было направление к доктору Хаасу. Когда мы уезжали из Нью-Йорка, мой доктор рекомендовал обратиться именно к нему.

Я назвала сестре свое имя и села на скамью, рядом с шестью-семью другими посетителями. Журналы казались скучными, воздух — спертым, запах новых духов — тошнотворным. Я начинала нервничать.

— Прошу вас, миссис Форрестер... — Ожидание оказалось недолгим.

Вслед за сестрой я вошла в тяжелую дубовую дверь. Интерьер кабинета был ужасно старомодным. И я ожидала увидеть лысого старикашку в пенсне. Но все оказалось не так. Этот голубоглазый седоватый мужчина выглядел лет на сорок пять и, судя по всему, неплохо играл в теннис. Он с улыбкой пожал мне руку.

— Не присядете ли, миссис Форрестер?

Очень хотелось отказаться, но выбора не было.

— Спасибо, — ответила я, словно школьница, которую вызвали к директору.

— Для начала расскажите немного о себе, а потом изложите, в чем проблема. Если это действительно проблема. — Он снова улыбнулся, и я принялась выкладывать ему мельчайшие житейские подробности. Что в семь лет мне удалили миндалины, что в детстве у меня часто болели уши, что у меня есть дочка и тому подобное. — Что ж, все нормально. А почему вы решили обратиться к врачу?

Я рассказала ему про головокружения, тошноту, приступы рвоты. Он лишь безмолвно кивал в ответ. Казалось, эти симптомы не произвели на доктора никакого впечатления.

— Когда у вас были последние месячные?

— Месячные? — удивилась я. — Несколько недель назад... кажется... — У меня похолодело в животе.

— Кажется? Значит, вы не уверены? — Он посмотрел на меня как на набитую дуру.

— Нет, уверена, но они продолжались всего несколько часов.

— Такого раньше не случалось?

— Нет.

Его тон рассмешил бы меня, если бы я могла заставить себя улыбнуться. Доктор Хаас говорил со мной, как с умственно отсталой, выговаривая слова нарочито медленно и неторопливо.

— А как было в предыдущий раз?

— Точно так же. Но я думала, что это от переезда на новое место, от нервов или чего-нибудь еще в том же роде... — Детский лепет.

— Вы ничего не напутали?

— Нет... — Я едва не добавила «сэр», но вовремя спохватилась. Он заставил меня испытать чувство покорности судьбе. И страх.

— А грудь не пополнела?

Ничего подобного я не заметила и не преминула об этом сообщить.

— Ну что ж, давайте посмотрим. — Он снова ослепительно улыбнулся, и я начала молиться, хотя было уже поздновато. Словно студентка, пришедшая на экзамен, не зная ни одного билета, но надеясь проскочить «на авось».

Доктор Хаас посмотрел и, конечно, увидел. Два месяца беременности. Может, два с половиной.

— Поздравляю, миссис Форрестер. — Поздравляю?.. — В марте у вас будет ребенок. Мы, конечно, проделаем тест, но сомнений никаких. Вы беременны.

Поздравляю? Господи, хоть бы он не улыбался!

— Но я не... Это... Ох... Спасибо, доктор.

Я рассказала ему про удаление миндалин, но забыла сообщить, что больше не замужем. Поздравляю. Идиотка.

Он велел мне прийти через месяц. Я двинулась к лифту и рухнула вниз, как камень. Ощущение было именно такое. Что я скажу Крису? Он обещал встретить меня у входа. Наверное, уже ждет... Если не задержался. От этой мысли слегка полегчало. Может, он забыл... Может быть... Ладно, я все расскажу ему, когда мы вернемся в Болинас и сядем под деревом. В спокойной, непринужденной обстановке...

Конечно, он ждал у подъезда. У меня упало сердце. Я юркнула в машину и попыталась улыбнуться.

— Привет...

— Что сказал доктор?

— Я беременна.

— Да ты что? — Он переменился в лице, и мы чудом не врезались во встречную машину. Я прикусила язык. — Минутку, Джилл. Как это? Ведь ты же предохранялась!

— Да, предохранялась. И тем не менее это случилось. Поздравляю!

— Ты сошла с ума?

— Нет. Просто повторяю слова доктора.

— Ты сказала ему, что не замужем?

— Нет. Забыла.

— О боже!

Я истерически хихикнула и тут же пожалела об этом. Крис готов был лопнуть от злости.

— И какой срок?

— Месяца два — два с половиной. Слушай, Крис... Прости меня. Я не нарочно... Я ведь предохранялась.

— О'кей, я знаю. Но все это так неожиданно... Ты что, не следишь за месячными? Тогда какого черта молчала?

— Но у меня были месячные... или... что-то вроде этого.

— Вроде этого? Не верю!

— Слушай, куда ты меня везешь? — Мы уже четверть часа ехали по Маркет-стрит.

— Понятия не имею. — Крис растерянно поглядел в зеркало, а потом перевел взгляд на меня. И тут его лицо просветлело: — Сообразил! Мы едем в Сан-Хосе.

— В Сан-Хосе? Зачем? — Он что, решил убить меня и закопать тело?

— Затем, что в Сан-Хосе есть служба планирования семьи, где делают аборты. Там работает мой приятель.

Затем поездка проходила в полной тишине. Мы иногда посматривали друг на друга, но не произнесли ни слова. Он не хотел разговаривать, а я боялась, ощущая себя величайшей преступницей всех времен и народов.

Приятель Криса был очень любезен. Он выслушал меня и пообещал позвонить. Когда я возвращалась в машину, меня вырвало.

Обратная дорога заняла полтора часа. Мы попали в час пик, и я вздрагивала при одной мысли, что надо еще добраться до Болинас.

Об аборте не могло быть и речи. Что угодно, только не это!

По дороге в Сан-Франциско Крис пытался затеять разговор, но я его не поддержала. Казалось, у него гора с плеч свалилась. И навалилась на меня.

— Крис, останови машину.

Мы подъезжали к Сан-Франциско, но мне было все равно. Ждать я не собиралась.

— Здесь? Тебя тошнит?

— Да, но не поэтому. Пожалуйста, остановись.

Он бросил на меня тревожный взгляд, но послушался. Я посмотрела ему в глаза.

— Крис, я буду рожать.

— Прямо сейчас? — хрипло спросил он. Похоже, нервы у него совсем сдали.

— Нет, не сейчас. В марте. Я не хочу делать аборт.

— Ты что?

— Что слышал. У меня будет ребенок. Я не прошу тебя жениться на мне, но и ты не проси меня избавиться от беременности. Я этого не сделаю.

— Почему? Ради Христа, Джилл, почему? Это доконает нас обоих, не говоря уже о том, что испортит тебе жизнь. У тебя уже есть девочка, зачем тебе еще один малыш?

— Затем, что я люблю тебя и хочу от тебя ребенка. И в глубине души верю, что и ты хочешь того же. Когда двое людей любят друг друга так, как мы с тобой, избавиться от плода этой любви было бы преступлением. Я ничего не могу поделать с этим, Крис... — Мои глаза были полны слез.

— Ты серьезно?

— Да.

— О господи! Что ж, раз ты считаешь, что так лучше... Мы еще поговорим об этом. Но ты взваливаешь на себя большую обузу, Джилл.

— Я знаю. Но это лучше, чем брать грех на душу. Что бы ты ни говорил, а от ребенка я не избавлюсь. — Я бросила вызов, но Крис на него не ответил.

— О'кей, юная леди. Решать вам. — Он включил зажигание и молча погнал машину в город.

Глава 10

Мы вернулись в Болинас вечером, так и не заехав на Сакраменто-стрит, не пообедав и не проронив ни слова. Я чересчур устала, чтобы обращать на это внимание. День был слишком тяжелый. Я рухнула в постель и заснула как убитая.

Проснувшись на следующее утро, я увидела, что Крис лежит и смотрит в потолок. Выражение его лица полностью соответствовало моему самочувствию.

— Крис... Прости меня. — Вины за собой я не ощущала, но боялась в этом признаться.

— Не за что. Может быть, ты по-своему права. Я имею в виду ребенка.

— А по-твоему? — Я должна была это знать. Он повернулся, оперся на локоть и посмотрел мне в глаза.

— Нет, Джилл. Это не для меня. Но вчера ты сказала, что тебе все равно. Это верно?

— Да, — одними губами прошептала я. Все кончено. — Мы расстаемся?

— Нет. Ты возвращаешься в Нью-Йорк. — Никакой разницы. У меня упало сердце. Хотелось завыть, заплакать, умереть. Я не хотела в Нью-Йорк.

— Я не уеду, Крис. Ты можешь бросить меня, но я никуда не уеду.

— Придется, Джилл. Если ты хоть немного любишь меня. Ты делаешь то, что хочешь. Значит, и я имею на это право. — Логично. Но все внутри восставало против такой логики.

— Что изменится от моего возвращения? Кто меня там ждет? И я никогда тебя не увижу? — О боже...

— Нет. Я буду приезжать. Я все еще люблю тебя, Джилл. Но мне не выдержать, если ты будешь рядом. Ты беременна. Скоро об этом узнает весь город. Черт побери, Джилл, мы работаем вместе. Неужели ты думаешь, что можно утаить шило в мешке? Джо Трамино догадается первым. А за ним и все остальные, — горько и печально сказал он.

— Ну и что? Кого это касается? Ну да, у нас будет ребенок. Эка невидаль? Мы любим друг друга. Неужели ты так дорожишь общественным мнением, что для тебя имеет значение штамп в паспорте? Чушь собачья! И тебе это хорошо известно.

— Нет. Я буду чувствовать себя виноватым. Ты же знаешь, я привык приходить, уходить, исчезать на время. Так бывало редко, но иногда у меня возникало такое желание. Я привык чувствовать себя свободным. А если ты будешь сидеть рядом с вытянутым лицом и вздувшимся животом, я просто сойду с ума.

— Значит, я не буду сидеть с вытянутым лицом...

— Будешь... Но я не виню тебя. Наверно, ты просто сошла с ума. На твоем месте я бы согласился избавиться от ребенка. Сегодня же.

— Тогда мы с тобой разные люди, вот и все.

— Ты сама это сказала. Что ж... Я с самого начала говорил тебе, что не выношу ответственности. А что ты устроила? Для меня это хуже тюрьмы.

— Что ты хочешь этим сказать, Крис?

— Только одно. Уезжай домой. И ты сделаешь это. Не захочешь — отправлю силой. Ты уже отказалась от своей квартиры, так что тебя здесь ничто не держит. Все, что от тебя требуется, это позвонить в трансагентство, собрать барахло и сесть в самолет. Я не остановлюсь ни перед чем, даже если придется тебя связать и заткнуть рот. И не пытайся спорить, это бесполезно. У тебя есть две недели. Еще пару дней ты сможешь пожить у меня в городе, но не больше. Возвращайся в Нью-Йорк, и тогда у нас будет шанс увидеться. Но если ты останешься в Сан-Франциско, между нами все будет кончено. Никогда не прощу тебе этого. Я буду думать, что ты осталась мне назло. Поэтому сделай милость, уезжай.

Он вышел из комнаты. Я уткнулась головой в подушку и заревела. Через минуту Крис уехал.

Вечером он вернулся, но решение его осталось неизменным. Меня бросили. Через какое-то время это стало ясно, как божий день. Выхода не было. В конце концов я смирилась. И его наигранная жизнерадостность в дни перед отъездом ранила меня более жестоко, чем все остальное. Он был нежным и заботливым, как никогда прежде. А я любила его, как никогда прежде. За эти недели он разбил мне сердце, но я все равно любила его. Он был Крисом. Такой уж он уродился, его нельзя было осуждать. Честно говоря, я ведь первая начала, не согласившись избавиться от ребенка. Но у меня не было выбора. Я обязана была родить.

Когда Сэм вернулась, Крис сам объяснил ей, что мы решили расстаться, и он же собрал мои вещи. Он не оставлял мне никаких шансов. Крис Мэтьюз сумел полюбить меня, сумел и разлюбить. Он хотел, чтобы я уехала. Вот я и уезжала.

Прошло несколько дней, показавшихся мне годами, и наконец настал последний. Самый страшный. Теперь все было последним. Я не могла этого вынести. Но хуже всего была последняя ночь.

— Спокойной ночи, Крис.

— ...ночи. — А потом: — Джилл, ты все поняла? Я... я ненавижу себя, но не могу... Не могу иначе. Я надеялся, что тоже захочу этого ребенка. Не получилось. Может быть, со временем... Я чувствую себя последней скотиной.

— Не переживай. Все как-нибудь образуется.

— Ага. Как-нибудь. Мне жаль, что ты забеременела. О боже, я хотел...

— Не надо, Крис. Я ни о чем не жалею. Я все равно буду счастлива, даже если...

— Зачем он тебе понадобился, Джилл?

— Я же говорила. Хочу, чтобы ты всегда был со мной. Об этом больно говорить, но я... Я хочу его, вот и все. Я должна.

Мы лежали в темноте обнявшись, и я думала: «Последний раз. Последняя ночь. В последний раз я лежу с ним в постели. Все. Конец». Я знала, он никогда не приедет в Нью-Йорк. Он сам говорил, что ненавидит этот город. И на собственного ребенка ему наплевать...

— Джилл... Ты плачешь?

— Н-нет. — Меня трясло от рыданий.

— Не плачь, пожалуйста, не плачь. Джилл, я люблю тебя. Пожалуйста. — Мы обнимали друг друга и плакали. Последний раз. Последний. Джилл, я так виноват перед тобой...

— Все в порядке, Крис. Все будет хорошо... — Вскоре он заснул в моих объятиях. Мальчик, которого я любила, мужчина, который любил меня и пожалел об этом, который причинил мне боль, изменил и заставил испытать неведомую доселе радость. Кристофер. Большой ребенок. Прекрасный мужчина с душой мальчика. Мужчина, который в день нашей встречи скакал со мной на неоседланной лошади. Неужели я смогла бы стать для него обузой? Да, смогла бы. Нечего и думать...

Я лежала без сна, пока в комнате не начало

светлеть, а потом свернулась клубочком, прижалась к его спине и незаметно уснула, устав плакать. Ночь завершалась. Наступал конец.

Глава 11

— Черт побери, не смотри на меня такими глазами! Отвернись... Самое лучшее, что ты можешь сделать, это вернуться в Нью-Йорк. У тебя там куча друзей, да и я приеду через пару месяцев. Ты... Проклятие, Джилл, я сейчас же уйду, если ты не перестанешь строить из себя жертву... — Мы стояли в аэропорту, и он сам выглядел жертвой. Его мучил стыд. Опять моя вина?

— Ладно, хорошо, извини. Ничего не могу с собой поделать. Это... Господи, что делать? Я отдала тебе ключ от дачи?

— Да. А ты не забыла лыжные ботинки? Вчера я видел их в саду и, помню, слегка удивился. Не остались ли они там? — Хороший мальчик Крис, хозяйственный...

— Не остались. Сэм... Да. Я их положила. — Я посмотрела на него снизу вверх, и он бодро улыбнулся в ответ. — Все на месте.

Мы ломали комедию. Добрый дядя Крис провожает тетю Джиллиан до аэропорта, а тетя Джиллиан не устраивает истерик. Вот мы и старались. «Улыбайтесь, сейчас вылетит птичка!» Кого мы хотели обмануть — людей вокруг, друг друга или самих себя? Мы старались не думать о неприятном, не вспоминать о книгах, в которых описывались расставания навсегда, и убивали время, оставшееся до посадки. Но в голову лезли мысли одна другой хуже... О боже, как это было омерзительно!

Тихий голос и пустые слова Криса, сопровождавшиеся легкой улыбкой, бросали меня в дрожь. Они означали только одно: «Не заставляй меня чувствовать себя виноватым». А мое измученное лицо криком кричало в ответ: «Я тебя ненавижу».

— Я положила твой дождевик на заднее сиденье.

— Хорошо.

— Где Сэм? — всполошилась я.

— Успокойся. Вон она, играет с каким-то мальчиком. Не надо нервничать, Джилл. Все будет хорошо.

— Конечно. — Я кивнула и уставилась на носки туфель, чтобы не сказать гадость. — Вечером я позвоню и сообщу, как мы долетели.

— Можно подождать до воскресенья: по выходным дешевле. Мы ведь не сможем звонить друг другу каждый день, — сказал он, отводя глаза.

— Я и не собиралась звонить каждый день. Просто хотела сообщить, как мы добрались. — В моем голосе прозвучало раздражение.

— Ну, если самолет разобьется, я об этом услышу. Давай договоримся звонить друг другу через день. — Я снова кивнула. Лучше помалкивать.

— Хочешь жевательной резинки?

Покачав головой, я отвернулась и принялась смотреть на стоявшую рядом даму. Наверное, она подумала обо мне невесть что, но видеть Криса я больше не могла. Это было выше
моих сил.

— Объявляется посадка на рейс сорок четыре до Нью-Йорка. Пассажиров просят пройти
к воротам номер двенадцать. Объявляется посадка...

— Это ваш.

Я кивнула, проглотила комок в горле и принялась разыскивать взглядом Сэм.

— Знаю. Можно подождать. Слишком много
народу... Не имеет смысла...

— Не имеет смысла ждать, Джилл. Пора есть
пора. — Спасибо, мистер Мэтьюз, вы сукин
сын... Не смей реветь!

— Я... Ох... О господи, Крис!..

Я вцепилась в его куртку, в последний раз
погладила по щеке и отвернулась, вытирая глаза. Хотелось завыть, встать на колени, ухватиться за огромную хромированную колонну, лишь
бы остановить этот ужас. Я стремилась остаться, о господи, как стремилась... Неужели Крис
так и не обнимет меня на прощание? Нет, не
обнимет. Он знает: стоит ему только сделать
это, и я никуда не полечу.

— Сэм, возьми своего мишку и дай маме
руку.

Я чувствовала, что Крис злится на меня за
эту сцену, но не обращала внимания. Никогда
в жизни мне не было так грустно и одиноко.

Я расставалась со всем, что любила, к чему стремилась, и знала, что это навсегда. И все же, несмотря ни на что, меня неудержимо тянуло к Крису. Я одновременно и любила, и ненавидела его.

— Крис...

— До свидания, Джилл. Счастливого пути. Поговорим в воскресенье.

Я отвернулась, сжав ладошку Сэм, и устремилась в ворота. Между нами и Крисом было уже полдюжины людей, но я упорно смотрела вперед. Незачем оборачиваться.

— Джилл!.. Джилл!

Я остановилась как вкопанная. Нас с Сэм нещадно толкали, но я обязана была посмотреть на него. Просто обязана.

— Джилл!.. Я люблю тебя!

Он сказал это! Все-таки сказал! Вот за это я и любила его... Мое сердце упало и вдребезги разбилось о кафельный пол.

— До свидания, дядя Криц! До свидания! Мама, а в самолете будет кино?

— Будет, будет... — Я не отрываясь смотрела на Криса, а он на меня, и взгляды договаривали то, о чем мы не успели сказать утром. Так было легче.

— Мамочка...

— Позже, Сэм. Пожалуйста. — Пожалуйста, пожалуйста, позже, что угодно, но только позже... Нас провели в самолет, и вскоре Сан-Франциско остался внизу. А потом он исчез. Как и Крис.

Глава 12

Во время полета Сэм вела себя как ангел. Самолет был полон, кормили отвратительно, а я впала в прострацию. Шок. Сидя в кресле, я время от времени кивала стюардессе или качала головой и пыталась улыбаться Сэм, делая вид, что прислушиваюсь к ее болтовне... Но меня здесь не было. Душа моя осталась в аэропорту Сан-Франциско, а где-то в груди трепыхалось то, что раньше называлось сердцем. Теперь оно больше напоминало гнилой арбуз. Что будет, если я попробую встать? Может быть, оно развалится на куски?

Почти восемь месяцев мы пробыли в Сан-Франциско, а теперь возвращались в Нью-Йорк. Почему? Глупо. Я знала почему, однако отказывалась этому верить. Потому что я забеременела, и Крис не захотел меня видеть. Но в чем причина? Доискиваться не хотелось. Невозможно. Для этого требовались силы, которых у меня не было. Что он будет делать после моего отъезда? Встретит кого-нибудь? Влюбится? Заведет себе другую?.. А, пошел он в задницу!

Он сказал, что приедет в Нью-Йорк, но можно ли этому верить? Едва ли. В глубине души я знала, что этого не будет. Он бросил меня. Теперь я одна. Беременная. И снова в Нью-Йорке.

Полет продолжался пять часов. Из них три я копалась в себе, час спала, а к исходу пятого разозлилась. К черту его. К черту все, что с ним связано!

Я возвращаюсь в Нью-Йорк, и с этим надо смириться. Придется взять этот город за шкирку и потрясти, пока он не даст мне то, чего я хочу. На Крисе Мэтьюзе свет клином не сошелся. Когда внизу показались огни Лонг-Айленда, я воспряла духом. Сан-Франциско был прекрасным, мирным, безоблачным, но и Нью-Йорк мог кое-что предложить. Возбуждение. Оно обдавало жарким дыханием, терзало, мучило и заставляло каждого: работай, работай, работай! У этого города был свой музыкальный ритм — тяжелый, гипнотический, непреодолимый, и я почувствовала его зов сразу же, как только шасси самолета коснулось взлетной полосы.

— Мамочка, мы прилетели? — Я улыбнулась, кивнула, сжала ее маленькую теплую ручонку и выглянула в иллюминатор, в котором виднелись только голубые сигнальные огни. Но я знала, что лежит там, за рекой. Мы снова в Нью-Йорке и воспользуемся этим. Аллилуйя. Аминь.

Мы вышли из самолета и направились в багажное отделение. И вдруг мне до ужаса захотелось поскорее оказаться на мосту, увидеть, услышать и почувствовать запах родного города. Захотелось убедиться, что он ждет меня, словно оборванная цыганка на углу.

— Мамочка, а где мы будем ночевать? — Во взгляде Сэм чувствовалось беспокойство, и она крепко прижимала к себе плюшевого мишку. Тут-то меня и осенило.

— Увидишь. В одном очень интересном месте. — Я зашла в телефонную будку, порылась в справочнике и набрала номер. Саманта и Джиллиан Форрестер коренным образом меняли планы.

Перед отъездом из Нью-Йорка я сдала свою квартиру жильцам. Как обычно, они имели право выехать ровно через месяц после предупреждения, а я отправила его лишь две недели назад. Две недели нам предстояло мыкаться по гостиницам. Я заранее выбрала тихий, недорогой отель неподалеку от прежней квартиры. Чушь! Это Нью-Йорк. К черту все «тихое и недорогое»! Ладно, на две недели у меня денег хватит...

— Мама, ты куда звонила?

— Туда, где мы будем жить. Надеюсь, тебе понравится. А через две недели вернемся домой.

Надо было ее успокоить. Чтобы выбраться из пропасти, мне требовалось что-нибудь грандиозное, но она нуждалась в чем-то знакомом. Все равно. Каждый получит свое. Сначала проживем две недели так, как хочу я, а потом она снова окажется дома, в привычной уютной обстановке.

Я сняла с конвейера наши осиротевшие сумки, подозвала носильщика и велела отнести их к такси.

— Куда вам, леди? — У шофера была типичная внешность нью-йоркского таксиста: зажатый в зубах окурок сигары и щетина двухдневной давности.

— В отель «Риджэнси», пожалуйста. Угол Шестьдесят первой улицы и Парк-авеню.

С блеском в глазах я посадила Сэм на колени, откинулась на спинку сиденья, и мы двинулись в город. В наш с Сэм город. Наш общий. Ну, берегись, Нью-Йорк! Скоро ты будешь сидеть у меня на цепи!

Глава 13

В типично нью-йоркском стиле мы неслись к городу, перескакивая из одного ряда в другой и ежеминутно рискуя жизнью. Казалось, эта езда не произвела на Сэм особого впечатления, но меня она наполнила чувством бесшабашной жизнерадостности, которую испытываешь, летя на санках с горы. Все проскакивало мимо, взгляд не успевал следить за постоянно менявшимися картинами, фонари сливались в одну сплошную линию... Я ощущала лишь скорость, но не опасность. В Нью-Йорке не привыкаешь к опасности, а пропитываешься ею, ждешь ее и наконец не можешь без нее существовать. Опасность у местных в крови.

Мы пересекли мост Куинсборо, спустились вниз по Шестидесятой улице и остановились у светофора на перекрестке с Третьей авеню. Вот оно, начинается! Орды лохматых наркоманов ошивались вокруг ресторана «Йеллоуфингер», поглядывая друг на друга и задирая прохожих. На девицах были просвечивающие свитера в обтяжку, на парнях — брюки весьма непристойного вида. В общем, здесь процветал стиль, который французы деликатно называют «позвольте пройти». Я просекла это с первого взгляда. Безделушки, парики, прически «афро», разрисованные лица — все говорило о том, что мы уже не в Калифорнии, где никто на такое не осмеливался, а в самом настоящем, доподлинном Нью-Йорке. На другой стороне улицы раскинулся универсальный магазин Блумингдейла, и в узком ущелье между этими двумя гигантами туда и сюда сновали машины, гудели клаксоны, сверкали бамперы, и со всех сторон звучал голос Кона Эдисона — любимого певца и шоферов, и пешеходов. Все вокруг было залито огнями ресторанов, магазинов, уличных фонарей, светящейся рекламы. Здесь чувствовалась невероятно мощная аура, избавиться от чар которой было нелегко... Мы свернули на Третью авеню и несколько кварталов проехали в окружении множества машин, обдававших нас выхлопами и слепивших фарами. Теперь налево, на Парк-авеню... Объехав газон, мы вернулись чуть назад и остановились у подъезда отеля. Слава богу, что я догадалась позвонить сюда прямо из аэропорта! «Тихая» гостиница прикончила бы меня. Мне нужно было именно это. «Риджэнси».

Швейцар в ливрее помог нам выйти и улыбнулся Сэм. Два коридорных тут же подхватили наши сумки. Я расплатилась с шофером и не потребовала сдачи. Тут это было неприлично.

Сэм вцепилась в мою руку, мы благополучно миновали вращающуюся дверь и очутились в вестибюле, отделанном мрамором и позолотой в стиле барокко. За необъятных размеров стойкой тут же появился мужчина.

— Добрый вечер, мадам. Чем могу служить? — На нем был вечерний костюм и черный галстук-бабочка. Мужчина говорил с французским акцентом. Само совершенство.

— Добрый вечер. Меня зовут миссис Форрестер. Я звонила час назад и заказывала номер. Две комнаты с двумя кроватями. — Сэм загляделась на портье, и он ответил ей улыбкой.

— Да, действительно. Прошу прощения, мадам, но возникла небольшая проблема. Произошла накладка. — О, дерьмо! У них нет свободных номеров. И я в мгновение ока ощутила себя Золушкой, лишившейся бального платья.

— Какая накладка? По телефону мне ничего не сказали! — Я пыталась говорить безапелляционно и не показывать виду, что разочарована.

— Дело в том, что сегодня вечером все двухкомнатные номера заняты, мадам. Я надеялся, вы согласитесь до утра занять два однокомнатных номера по соседству, но теперь вижу, что для мадемуазель это неприемлемо. — Он поглядел на Сэм и вновь улыбнулся. — Вы, конечно, предпочли бы спать с мамой. — Я чуть не заикнулась, что согласна на два однокомнатных, но портье продолжал говорить: — У меня есть другое предложение. Есть один незанятый люкс. Конечно, он для вас немного великоват... — И чудовищно дорог. Я не могу позволить грабить себя. Люкс? Ни в коем случае. — Если вы согласны, мы готовы сделать соответствующую скидку. Поскольку вы сделали заказ по телефону, отель возместит вам разницу в стоимости. Надеюсь, мадам понравится. Это один из лучших наших номеров.

— Вы очень любезны. Благодарю. — Я улыбнулась светской улыбкой и с удивлением обнаружила, что портье смотрит на меня как завороженный. Что ж, старушка, оказывается, ты не утратила шарма! Какое счастье, что я догадалась надеть в дорогу маленькое черное платье, купленное этим летом в магазине Мэгнина. Оно сыграло свою роль. И когда лифт плавно понес нас на двадцать седьмой этаж, я поняла, что поступила абсолютно правильно.

— Сюда, пожалуйста. — Мы пошли за коридорным, который нес наши сумки, и дважды свернули налево. Тут даже у меня захватило дух, а о Сэм и говорить нечего. Нас окружал бесконечный светло-бежевый холл, устланный роскошным красным ковром и уставленный мраморными столиками в стиле Людовика XV. Двери были украшены золотыми цифрами и большими медными ручками.

Коридорный растворил дверь в конце холла, и та широко раскрылась. 2709. Это нам? Ух ты! Номер был угловым, и отсюда весь Нью-Йорк был виден как на ладони. Нам подмигивали небоскребы: вдали виднелся Эмпайр-стейт, чуть ближе — здания «Пан Ам Билдинг» и «Дженерал моторс». Далеко внизу лежала элегантная Парк-авеню, казавшаяся отсюда длинной серо-зеленой лентой, испещренной огнями светофоров. А в правом углу этой величественной панорамы виднелись пролив Ист-

Ривер и малюсенькие домишки, стоявшие на Восточных Шестидесятых улицах и устилавшие все пространство между рекой и подножием отеля. О таком великолепии я и не мечтала...

Коридорный удалился сразу же, как только я поблагодарила его и дала на чай. Я принялась осматривать комнату. Она была оформлена в желто-белых тонах, устлана толстыми коврами и богато задрапирована. На окнах висели роскошные шторы из дамасского шелка. Рядом с входной дверью находился бар, крошечная кухня, маленькая ниша с обеденным столом, а напротив стоял огромный письменный стол с мраморной крышкой. За таким столом можно было сотворить только что-нибудь действительно великое: например, подписать чек на четыреста тысяч долларов...

Рядом с этой комнатой располагалась спальня, обставленная ярко и жизнерадостно: мебель в провансальском стиле, обои с мелким растительным узором и огромный букет свежих цветов. Какая роскошь... А ванная-то, ванная! Это была просто мечта. Все из французского фарфора, мрамора и бронзы. Полотенца толщиной в семь дюймов, ванна глубиной в три фута. И, наконец, туалет, выглядевший словно будуар французской королевы.

— Сэм, нравится тебе здесь? — спросила я с улыбкой удовлетворенного людоеда.

— Нет. Я хочу в Сан-Франциско. — По ее щекам скатились две огромных слезы, и я застыла на месте. Бедная Сэм...

— Ох, моя радость... Я знаю... Я тоже. Мы скоро вернемся. Когда-нибудь. Это было бы просто чудесно. Там ты пойдешь в школу, и... — беспомощно залепетала я, испытывая непреодолимое желание вернуться. Сэм чувствовала, что ее предали.

— Можно мне лечь с тобой?

— Конечно, моя радость. Конечно. Давай ложиться. Поесть не хочешь? — Она покачала головой и плюхнулась на край кровати, все еще прижимая к себе плюшевого мишку. Само отчаяние. — Молока с печеньем... — Может, это отвлечет ее.

Подняв бежевый телефон обтекаемой формы, я обнаружила под ним список гостиничных телефонов, набрала нужные номера и заказала молоко с печеньем для Сэм и полбутылки шампанского для себя. Шелковое платье еще на Золушке. Бал не кончился.

Когда в номер доставили огромный поднос, накрытый розовой льняной салфеткой, Сэм сидела у меня на коленях. Она принялась потягивать молоко и грызть печенье, а я тем временем смаковала шампанское. Сцена была потрясающая.

— Пора спать, любовь моя. — Сонно кивнув, она позволила раздеть себя и юркнула под одеяло.

— Мы скоро вернемся?

— Скоро, моя дорогая... Посмотрим. — Опустившиеся было веки тут же поднялись, и Сэм бросила на меня пронизывающий взгляд.

— Завтра утром напишу письмо дяде Крицу. Обязательно!

— Хорошая мысль, Сэм. А теперь пора спать. Приятных снов.

Глаза ее вновь закрылись, на сей раз окончательно, и я улыбнулась, глядя на крохотное существо, лежащее в громадной кровати. Завтра она напишет Крису большущими, кривыми, неумелыми буквами. Только ему.

Я выключила свет и отправилась в гостиную с бокалом шампанского в руке, вспоминая спящую Саманту... и Криса.

Прощание в сан-францисском аэропорту состоялось тысячу лет назад. Калифорния была всего лишь сном... Глядя на лежащий у моих ног город-дракон, я задумалась, суждено ли мне когда-нибудь вернуться в Калифорнию? И хочу ли я этого? За какой-то час Нью-Йорк полностью околдовал меня. Я завоевала другие миры, настало время завоевать свой собственный. Захотелось посоперничать с самым могучим городом планеты и положить его на лопатки, чего бы это ни стоило.

Глава 14

— Доброе утро, мадемуазель. Как изволили почивать? — Впервые в жизни я проснулась раньше Сэм.

— Ничего, — ответила слегка сбитая с толку, полусонная Сэм.

— Мы в отеле. Вспомнила?

— Знаю. Я буду писать дяде Крицу. — Этого она тоже не забыла.

— Хорошо. Но сегодня у нас много дел в городе. Поэтому вставай поскорее.

Я взялась за телефон и первым делом поговорила со своими квартиросъемщиками, чтобы удостовериться, что они съедут вовремя, а потом обзвонила несколько школ. Учебный год только начался, но по нью-йоркским меркам мы должны были подать заявление еще год назад. Очень плохо. Однако я была уверена, что кто-нибудь обязательно нас примет, и оказалась права. Неподалеку от отеля располагалось нечто вполне подходящее, и я договорилась зайти туда вместе с Сэм после полудня.

Кроме того, я наняла для Сэм беби-ситтер. На время нашего проживания в отеле она должна была приходить сюда, а потом — к нам на квартиру.

Но главной проблемой были поиски работы. Я совсем не была уверена, что ее удастся найти. За время моего отсутствия в Нью-Йорке ввели режим жесткой экономии, и безработные среди нашего брата попадались на каждом шагу. Мой опыт ограничивался сотрудничеством с рекламными агентствами журналов, а, по слухам, как раз с этим сейчас было туго, да и связи я потеряла. До отъезда я работала в журнале «Декор», но надежды снова пробиться туда почти не было. Конечно, можно было перебиваться случайными заказами, как в Калифорнии, но я знала, что в Нью-Йорке на этот заработок прожить невозможно. Слишком дорого стоила здесь жизнь. Так что «Декор» оставался моей последней надеждой. По крайней мере хоть какой-то зацепкой. Может быть, главный редактор Энгус Олдридж что-нибудь придумает или посоветует, куда обратиться. Во всяком случае, я ничего не теряю.

— Энгуса Олдриджа, пожалуйста... Миссис Форрестер... Нет... Фор-рес-тер... Да... Нет, я подожду.

Он был очарователен, элегантен и чертовски хорошо знал свое дело. Костюмы от Билла Бласса, дружелюбная улыбка и умудренный вид производили неотразимое впечатление на провинциальных дам. Ему было тридцать девять лет, он увлекался лыжами и поэтому частенько летал в Европу. Будучи уроженцем Филадельфии, он проводил лето в штате Мэн (с семейством) или на островах Эгейского моря (один), а журналистике учился в Йельском университете. Наш редактор. Наш бог. Наш мистер Олдридж.

За теплой улыбкой скрывались стойкость и бесстрашие, без которых нельзя стать настоящим редактором. Но он нравился мне и сам по себе: с головы до ног филаделфиец, выпускник Йеля, обитатель Восточной Шестьдесят четвертой улицы, и это ему очень шло. Энгус ни в грош не ставил провинциалов из Уичито или Тусона, которым раз в месяц посылал свой журнал, но был слишком хорошо воспитан, чтобы позволить им заподозрить это. К тем же, кто играл по правилам и знал, что такое стиль, он благоволил.

— Да, я жду...

— Джиллиан? Вот это сюрприз! Как дела, дорогая?

— Нормально, Энгус. Отлично. Рада слышать тебя. Сколько лет, сколько зим! Как жизнь? И, конечно, как журнал?

— Чудесно, дорогая. Как съездила, успешно? Или вернулась из Сан-Франциско латать пробоины?

— Пожалуй, успешно. Там увидим. — Но слова «Сан-Франциско» заставили меня сжаться от боли.

— Джиллиан, дорогая, опаздываю на деловую встречу! Почему бы тебе как-нибудь не заехать в редакцию? Нет. Как насчет ленча сего... за... в четверг? Да, в четверг. Тогда и поговорим.

— Четверг подходит. Было бы замечательно. Очень хочется поболтать, Энгус. Смотри, не заработайся за это время до смерти, а то я сама умру от неудовлетворенного любопытства. — Треп, конечно, но в Нью-Йорке без этого нельзя...

— Отлично, дорогая. Значит, в четверг. В час дня. Как обычно, у «Генри»? Прекрасно. До встречи. Рад, что ты вернулась. — Черт побери, это уже не просто треп!

У «Генри». Как в добрые старые времена, когда нужно было что-то «обсудить»... Добрый день, мистер Олдридж... Сюда, пожалуйста, мистер Олдридж... Сухого мартини, мистер Олдридж?.. Вот счет, мистер Олдридж... Пошли вы в задницу, мистер Олдридж.

Но мне была нужна работа, да и Энгуса я всегда любила, что бы он ни выкинул. С чего это вдруг я ополчилась на нью-йоркские нравы? Где Крис, где Сан-Франциско, где я сама? В прошлом или в настоящем? То ли возвращение в Нью-Йорк сделало меня шизофреничкой, то ли из самолета действительно вышел совершенно другой человек.

Я собиралась попросить Энгуса взять меня на работу, а это легче всего сделать во время ленча. Или труднее? Ладно, посмотрим. Во всяком случае, попытка не пытка. Самое худшее, что мне грозит, это отказ. Подумаешь! Не больно-то мы и хотели...

Что дальше? С кем бы еще поговорить? Подождать встречи с Энгусом или обзвонить всех скопом? Ну ладно, попробуем разок. Джон Темплтон. Редактор менее элегантной, менее остроумной, более приземленной «Жизни женщины». Этот журнал был грубее, прямолинейнее и разнообразнее. Он советовал, чем кормить ребенка после удаления миндалин, как оклеить обоями «контак» стены ванной, какой диеты придерживаться, если от вас уходит муж, и как сшить юбку из старой занавески. Джон Темплтон был похож на свой журнал: довольно неглупый, хладнокровный, немногословный, деловитый и осторожный. Но мы с ним нравились друг другу, несколько раз встречались, и он должен был помнить меня. Перед тем как уйти в «Декор», я работала у них внештатно. Короче, я позвонила.

Стук кнопок, щелчки, гудки и наконец приглушенное «м-мм... ф-фф».

— Мистера Темплтона, пожалуйста.

— Кабинет мистера Темплтона... — проворковал слегка испуганный, нерешительный юный голос. Секретарша. Слыша этот голосок, можно было подумать, что сия девица, не превосходящая мистера Темплтона ни умом, ни талантом, является полновластной хозяйкой журнала. Секретарши неизменно пугали меня. Они всегда спрашивали: «А по какому вы вопросу?» Помочь они, конечно, ничем не могли, но зато удовлетворяли свое любопытство.

— Мистера Темплтона, пожалуйста. Это Джиллиан Форрестер.

— К сожалению, мисс Форрестер, у мистера Темплтона совещание. Скорее всего до вечера он будет занят, а завтра улетает в Чикаго. Может быть, я смогу заменить его? — Вот оно. Я так и знала!

— Нет, мне нужен сам мистер Темплтон. Дело в том... Я только что вернулась из Калифорнии и вспомнила, что когда-то внештатно работала в «Жизни женщин», и... — О господи, зачем я это говорю?

— Может быть, вам дать телефон отдела кадров? — Голос сразу стал ледяным и высокомерным. Он словно говорил: «У меня-то работа есть, а ты выбирайся как знаешь».

— Нет, я хотела бы договориться с мистером Темплтоном о встрече... — Сейчас она скажет, что на этой неделе шеф очень занят, на следующей они «закрывают книгу» (то есть сдают номер в набор), а через неделю он надолго уедет в Детройт... Ладно, все ясно!

— Что ж, хорошо. Вас устроит пятница, девять часов пятнадцать минут? Боюсь, весь остальной день у него расписан по минутам. Мисс Форрестер... Алло, мисс Форрестер!

— Извините, я... Ух... Девять пятнадцать? Я... Ух... Ах... Да-да, девять пятнадцать подойдет. Я подумала... Значит, в эту пятницу? Нет-нет, все в порядке... Мой телефон? О да, конечно. Отель «Ридженси», номер двадцать семь ноль девять... Или шесть? Нет, ноль девять, все правильно. Спасибо. До пятницы! — Ну, черт бы меня побрал...

Вот так все и началось. Если бы ничего не вышло ни в «Декоре», ни в «Жизни женщин», нашлось бы что-нибудь другое. У меня поднялось настроение.

— Сэм! Хочешь в зоопарк?

Мы вышли на Парк-авеню и свернули на запад, к Центральному парку. Пока Сэм каталась на пони, я глазела по сторонам. Да, тут было на что посмотреть! По обе стороны от меня, насколько хватал глаз, простиралась Пятая авеню. Слева жили богатые люди, обитатели пентхаусов[1], справа высились офисы промышленных магнатов, ворочающих миллионами долларов. Здание компании «Дженерал моторс» взмывало вверх, подавляя собой окружающие дома. Все здесь казалось мне новым и огромным.

---

[1] Пентхаус — роскошная квартира на верхнем этаже.

— Эй, Сэм, как насчет того, чтобы перекусить?

— Я не проголодалась.

— Тогда пошли дальше. Хочешь еще что-нибудь посмотреть? — Сэм покачала головой, и я наклонилась, чтобы поцеловать ее. Девочка все еще тосковала по потерянному раю, о котором я тщетно пыталась забыть. Крис. — Пойдем, Сэм.

— А куда? — В ее взгляде зажглось любопытство.

— Сейчас мы перейдем улицу, и ты кое-что увидишь. Вон там «Плаза».

Мы остановились на минутку, чтобы полюбоваться лошадьми и красивыми экипажами, а потом поднялись по лестнице и вошли в волшебную страну. Отель «Плаза» был городом в городе: элегантный, как океанский лайнер, гордый собой, полный роскоши... Ковровые дорожки толщиной не уступали матрацам, над головой раскачивались верхушки пальм, вокруг сновали толпы нарядных людей. Одни здесь жили, другие приходили на ленч. В этом здании было покоряющее величие. Да, таков Нью-Йорк.

— Это кто? — Сэм остановилась под огромным портретом круглолицей девочки, изображенной рядом с мопсом. На девочке были гольфы до колена и плиссированная юбка цвета морской волны. Ее лицо было исполнено неистовой злобы, так что с первого взгляда можно было сказать, что родители развелись и оставили ребенка на попечение няньки. Мисс

«Пятая авеню» собственной персоной. Портрет был слегка утрирован, но я знала, кто на нем изображен.

— Это Элоиза, радость моя. Про нее написан рассказ. Наверно, она жила где-то здесь, вместе со своей няней, собакой и черепахой.

— А где была ее мама?

— Не знаю. Наверно, куда-то уехала.

— Она была настоящая? — У Сэм расширились глаза. Девочка на картине ей понравилась.

— Нет, придуманная. — И тут я обратила внимание на маленькую табличку под картиной. Там было написано: «Желающих осмотреть комнату Элоизы просим обращаться к лифтеру...» — Эй, хочешь кое-что увидеть?

— Что?

— Сюрприз. Поехали. — Лифты были расположены неподалеку, я в завуалированных выражениях попросила лифтера довезти нас до места назначения. И мы медленно поднялись на нужный этаж. Лифт был полон роскошно одетых женщин и мужчин, говоривших между собой по-испански, по-французски и даже, кажется, по-шведски.

— Приехали, юная леди. Вторая дверь направо. — Я поблагодарила лифтера, и он подмигнул в ответ. Мы осторожно открыли дверь в комнату, о которой могла мечтать любая маленькая девочка, и я улыбнулась, услышав позади восторженный вздох.

— Это комната Элоизы, Сэм.

— Ух ты!.. Здорово!

Это была настоящая витрина, задрапированная розовым ситцем и льняным полотном, полная самых диковинных игрушек, раскиданных в нарочитом беспорядке — именно таком, какой оставляют после себя дети. Высокая худая женщина с английским акцентом, игравшая роль «няни», с крайне серьезным видом показала Сэм все реликвии этой святыни. Визит прошел с громадным успехом.

— Мы еще вернемся сюда? — Сэм с трудом оторвалась от этой сцены.

— Конечно. И не раз. Ну, теперь-то ты проголодалась? — Она кивнула, все еще дрожа от возбуждения, и сломя голову ринулась в «Палм-Корт», где звучали рояль и скрипки, росли деревья и мириады дам сидели за крошечными столиками, накрытыми розовыми скатертями. Все дышало викторианской элегантностью и ничуть не изменилось с тех пор, как бабушка водила меня сюда пить чай.

Сэм достался гамбургер и огромная бутылка земляничной газировки, я поковыряла порцию салата за шесть долларов, и мы пошли домой, довольные тем, как прошло утро.

По дороге мы забежали в школу. Я осталась довольна увиденным и договорилась, что Сэм начнет посещать занятия с завтрашнего дня. Забавно. То, на что в других местах уходят недели, в Нью-Йорке делается за полдня. Я договорилась о двух деловых встречах, определила Сэм в школу, позавтракала в «Плазе» и доставила дочке удовольствие. Совсем неплохо.

У меня оставалось несколько свободных

часов. Прибыла беби-ситтер, и я сдала ей Сэм с рук на руки. Мне хотелось позвонить Пег Ричардс. Все утро у меня зудело внутри. Я не могла дождаться этого момента.

Мы с Пег Ричардс вместе росли и ходили в одну школу; она была мне как сестра. Мы были совершенно разные, но понимали друг друга с полуслова. Ей-богу! И всегда заботились друг о друге. Всегда. Скорее как сестры, чем как подруги.

Пег Ричардс грубовата и задириста, говорит на чудовищном жаргоне, с виду простушка, коренастая, крепкая, веснушчатая и кареглазая. В школе она была заводилой — как в шалостях, так и в серьезных делах. Никто лучше ее не мог поставить на место неряху и задаваку или отшить девчонку, которая никому не нравилась. Она ходила в мужских полуботинках, стриглась коротко и была равнодушна к тряпкам и косметике, по которым мы с ума сходили. Мальчики ее тоже почти не интересовали. Она была просто Пег. Свой парень. Но за те два года, которые я провела в Европе, пытаясь учиться живописи, имидж «капитана хоккейной команды» у Пег бесследно исчез. Она серьезно увлеклась альпинизмом, нахваталась новых словечек, и я заподозрила, что веки у нее были накрашены. Три года спустя Пег работала продавцом в секции детской одежды, по-прежнему говорила ужасно, но определенно пользовалась косметикой и носила накладные ресницы. Она играла в теннис, жила с каким-то журналистом и выбивалась из сил, пытаясь выйти за него замуж. Тогда Пег было двадцать три. А пять лет спустя, когда я в первый раз вернулась из Калифорнии, она была одна, ни с кем не жила и работала все там же.

Пег делала для меня все: опекала в школе, не отходила от меня, когда я родила Саманту, и чувствовала себя несчастной, поддерживала во время развода и много раз вытягивала изо всяких передряг. Пег — моя испытанная подруга, верная союзница и одновременно самый придирчивый критик. Разве могут быть секреты от того, кого знаешь как облупленного?

Телефон в отделе универмага отозвался быстро, я попросила позвать Пег, и через полминуты она взяла трубку.

— Пег? Это я. — Если во время разговора с Энгусом я держалась как настоящая нью-йоркская львица, то с Пег живо превратилась в школьницу.

— Ах ты паршивка! Джиллиан! Какого черта ты делаешь в городе? Давно пришлепала?

— Недавно. Вчера вечером.

— Где бросила кости?

— Слушай, ты не поверишь, но в «Риджении».

— Кончай заливать. Неужто правда? Разбогатела, что ли, на западе? Я думала, золотая лихорадка давно кончилась.

— Хватит, Пег... Разбогатела. Только не так, как ты думаешь. — Я вспомнила о Крисе и сразу помрачнела.

— Эй, Джилл, у тебя все в порядке?

— Ага. Нормально. Как у тебя?

— Жива покуда. Когда я тебя увижу? А моя подружка Сэм с тобой?

— Куда она денется? Приезжай когда хочешь. В этом чертовом городе я чувствую себя чужой и не знаю, с чего начать. Но я на коне.

— В «Ридженси», кто бы мог подумать... Слушай, еще секунду... Скажи честно: вы насовсем или только на время?

— Кто его знает... Скорее всего насовсем.

— Значит, твой роман накрылся?

— Не знаю, Пег. Думаю, да, но толком не знаю. Это длинная история. Приедешь, расскажу.

— Ты меня чертовски расстроила. Но я ни чуточки не удивилась. После того как ты застала его с той девкой... — Я совсем забыла, что с горя обо всем написала ей.

— Ну, это пустяки...

— Значит, что-то новенькое? О боже! Мне бы и этого выше крыши... Бедная старушка Джилл, ты никогда не научишься уму-разуму! Ладно, расскажешь все при встрече. Может, сегодня вечером?

— Вечером? Конечно. Почему бы и нет?

— Не слышу энтузиазма. Ну и черт с тобой. Приду в отель после работы, тяпнем как следует. Соскучилась по твоей громадной девице. Я так рада, что ты вернулась, Джилл!

— Спасибо, Пег. Тогда до вечера.

— Ага. Кстати, не забудь одеться поприличнее. Я поведу тебя обедать в «Двадцать одно».

— Да ты что?

— Что слышала. Отпразднуем твое возвращение.

— Может, лучше у меня в номере?

— Не болтай зря. — С этими словами она повесила трубку, и я улыбнулась. А все же неплохо вернуться домой! Время, проведенное с Крисом, начало казаться мигом. Ничего особенного не случилось. Я снова в Нью-Йорке, городе своей юности. Появилась надежда на скорую работу. Вечером я буду обедать в «Двадцать одном». Похоже на то, что Нью-Йорк и вправду улыбается мне. Неужели все выйдет так, как я загадала?

Глава 15

Пег заказала столик в баре знаменитого клуба «Двадцать одно». В зал нас провел метрдотель, казалось, хорошо знакомый с Пег.

— Ну что ж, после моего отъезда ты научилась выбирать рестораны. Большой прогресс.

— За ценой не постоим. — Она таинственно улыбнулась и заказала по двойному мартини. Это тоже было что-то новенькое.

Свидание Пег с Самантой прошло так же буйно и весело, как и наша встреча. Моя дорогая подружка выглядела лучше прежнего, а язык у нее стал еще острее. Она чуть не задушила Сэм в объятиях, не забыв покрыть меня вдоль и поперек, пока мы толкались, пихались и хохотали. Как же я была рада ее видеть!

Она принялась потягивать мартини, а я в это время оглядела ресторан и поразилась количеству изысканной публики. Сливки общества. Казалось, сюда съехались обедать все нью-йоркские толстосумы. И я заодно.

В Сан-Франциско народ признавал лишь два стиля: остро-хипповый и костюм биржевого маклера 50-х годов. Женщины были консервативны и все еще носили шерстяные платья пастельных цветов без рукавов, длиной по колено, шляпы, перчатки и все прочее. Но Нью-Йорк просто ошеломлял обилием нарядов. Бросающие в дрожь, спокойно-элегантные, невыразимо шикарные — глаза разбегались от разнообразия фасонов, цветов и стилей. Когда такси по дороге из аэропорта остановилось у «Йеллоуфингера», я с первого взгляда заметила, что в Нью-Йорке одеваются вызывающе. Да еще как!

Соседний столик занимала компания «коренных ньюйоркцев» — увешанных бриллиантами, одетых в богатые шелка и атлас, с прическами только что от парикмахера и таким маникюром, при взгляде на который хотелось отрубить себе пальцы. Вокруг сидели главным образом пятидесятилетние мужчины в сопровождении поразительно красивых манекенщиц, изящных, как статуэтки, с тщательно накрашенными глазами и короткими прическами. Неужели короткие волосы снова вошли в моду? В Калифорнии по-прежнему носили длинное и прямое, но в Нью-Йорке все естественное считалось смешным и говорило о том, что человек не следит за своей внешностью.

В зале было довольно темно. Скатерти были так накрахмалены, что стояли колом. Над головой висело множество моделей самолетов и автомобилей. Стоило поднять глаза, чтобы убедиться, что вы находитесь именно в ресторане «Двадцать одно». Позвякивание серебряных приборов, прекрасного фарфора и тонкого хрусталя сливалось с приглушенным шумом голосов. В зале царило оживление.

— Эй, деревенщина, на что уставилась? — посмеиваясь, спросила наблюдавшая за мной Пег.

— Да на все сразу. Я почти забыла, как выглядит Нью-Йорк. Странное чувство. Похоже, придется взять себя в руки и учиться всему заново.

— Не прибедняйся. Ничего ты не забыла. — Я надела белое шерстяное платье, украшенное жемчугами бывшей свекрови, и собрала волосы в плотный пучок на затылке. — Парень справа не сводит с тебя глаз и ерзает, как на угольях. Так что выглядишь ты вполне пристойно.

— Спасибо... Засранка ты.

— Миссис Форрестер, как вы выражаетесь в обществе! Фу! С вами стыдно показаться в приличном месте...

— Заткнись! — Я фыркнула в бокал с «Дюбонне».

— Не раньше чем услышу, что привело тебя в Нью-Йорк. Я нюхом чую, здесь что-то не так!

— Подожди, Пег... — Я отвела глаза и посмотрела на соседние столики. Не хотелось говорить о Крисе. Слишком замечательным был этот вечер.

— Вот теперь я в этом уверена. Ну что,

мышка, расскажешь сразу или сначала поиграешь в молчанку?

— Да не о чем рассказывать.

— Так я и поверила! Разве мама не читала тебе сказку про Пиноккио? Посмотри-ка на свой нос. Он вытягивается... вытягивается... вытягивается...

— Пег Ричардс, какая ты зануда! Я просто вернулась, вот и все.

— Обижаешь. Я думала, мы подруги.

— Мы и есть подруги, — хрипло ответила я и принялась за второй бокал.

— О'кей, посмотрим. Что будешь есть?

— Что-нибудь полегче.

— Ты больна? — Взгляд Пег стал серьезным. Я приготовилась к отговоркам, но потом махнула рукой.

— Хуже. Беременна.

— Что? Твою мать! Так ты приехала, чтобы сделать аборт?

— Нет. Просто вернулась обратно.

— А как Крис? Он знает?

— Да.

— И что же?

— Я здесь.

— Он бросил тебя, Джилл? — В глазах Пег бушевал огонь. Она действительно была верной подругой.

— Нет, мы просто решили, что это лучший выход.

— Мы? Или он? На тебя это не похоже.

— Не важно, Пег. Он хочет сохранить свободу, и я его понимаю. Он не готов. Так будет лучше. — Но Пег это нисколько не убедило. Меня, впрочем, тоже.

— Ты выжила из ума. Будешь рожать, Джилл?

— Да.

— Почему?

— Потому что люблю его и хочу от него ребенка.

— Это чертовски важный шаг. Надеюсь, ты понимаешь, на что идешь. — Пег выглядела так, словно на нее вылили ушат холодной воды.

— Думаю, что да.

— Не выпить ли нам еще? Ты как хочешь, а мне это просто необходимо. — Она посмотрела на меня и грустно улыбнулась. Я покачала головой.

— Слушай, давай не будем портить себе вечер. Все отлично, я чувствую себя нормально и знаю, что делаю. Честно, Пег. Так что успокойся.

— Легко сказать... Заварила кашу, а расхлебывать мне. С матери взятки гладки. Мне же предстоит стать крестной. Знаешь, какое это ответственное дело? — Я засмеялась, и Пег торжественно приподняла бокал. — За тебя, чокнутая. Сукина дочь. Не ожидала от тебя такой прыти. Куда девалось твое пуританское воспитание?

Вволю посмеявшись, мы заказали обед. Тема эта больше не затрагивалась, но по лицу Пег было видно, что она переваривает новость и что настоящий разговор еще впереди. Подозрительно быстро она от меня отстала. Она не успокоится до тех пор, пока не почувствует, что до конца исполнила свой долг передо мной. Пег еще даст мне прикурить. Наверное, она думает, что мне еще трудно говорить об этом. Может, это и правда...

Мы просидели в баре до одиннадцати и уже собирались рассчитаться, когда около нашего столика остановился высокий симпатичный мужчина.

— Привет, Пег. Можно угостить вас обеих? — Он обращался к ней, но смотрел почему-то на меня.

— Привет, Мэт. Что ты здесь делаешь?

— Я мог бы спросить то же самое у тебя.

— Ах извини. Это Джиллиан Форрестер. Мэтью Хинтон.

— Добрый вечер. — Мы пожали друг другу руки, и Пег почему-то приняла довольный вид.

— Так как насчет выпивки, дамы? — Я хотела отказаться, но Пег свирепо посмотрела на меня и приняла предложение.

Мы проболтали с ним еще полчаса. Он оказался юристом, работал на Уолл-стрит и посещал тот же теннисный клуб, что и Пег. Мэту было тридцать с небольшим. Он был весел, приятен в общении, но, на мой вкус, немного слащав. Когда он смотрел в мою сторону, я чувствовала себя куском мяса, к которому приценяются. Это всегда приводило меня в бешенство.

— А не зайти ли нам к «Рэффлу»? Выпьем, потанцуем...

На этот раз я опередила Пег:

— Спасибо, но не могу. Я только что вернулась из Калифорнии и не успела выспаться.

— Мэт, это моя лучшая подруга, но она ужасная зануда. Обожает портить людям настроение.

— Поезжай, Пег. А я возьму такси и отправлюсь домой.

— Нет уж, тогда я тоже не поеду. Извини, Мэт.

Он трагически закатил глаза, развел руками, и мы расплатились по счетам. Вернее, платили он и Пег, а я при сем присутствовала. Конечно, Пег сама пригласила меня в ресторан, но было страшно подумать, во что ей обошелся этот обед.

Мэт предложил подвезти нас, и Пег согласилась. Через несколько минут мы были у «Риджженси». Похоже, на Мэта это произвело впечатление. Я чмокнула Пег в щеку, поблагодарила за обед и постаралась не дать ей раскрыть рта. Все равно ничего хорошего я бы не услышала. Мэт терпеливо ждал на тротуаре, как сторож.

— Он тебе нравится? — шепнула на ухо Пег, пока я высвобождалась из ее объятий.

— Побойся бога! Опять сводничаешь? Но за обед все равно спасибо, — таким же хриплым шепотом ответила я, сурово глядя на подругу. Однако она промолчала. Плохой признак. Неужели они с Мэтом будут по дороге составлять план, как завоевать мое сердце?

— Спокойной ночи, Мэт. Спасибо, что подвезли. — Я холодно пожала ему руку и, помахав Пег, направилась к вращающейся двери отеля.

— Джиллиан! — окликнул Мэт.

— Да?

Он шагнул в мою сторону.

— Я завтра позвоню вам.

— Ох... — Но он уже садился в такси. Хлопнула дверца, машина тронулась и тут же растворилась в потоке других автомобилей.

Глава 16

На следующее утро телефон зазвонил как раз в ту минуту, когда я допивала вторую чашку кофе. Я отложила газету и рассеянно сняла трубку.

— Алло...

— Ну что, понравился он тебе?

— Пег! Как ты мне надоела... Остынь, ладно? Я ответила тебе еще вчера вечером и своего мнения за ночь не изменила.

— Какая муха тебя укусила? — раздраженно спросила она.

— Дело в том, что я все еще люблю Криса.

— Ну и люби себе. Не забыла, что он тебя бросил?

— Ладно, Пег, хватит. Давай оставим этот разговор. Вчерашний вечер был замечательный.

— Похоже на то. Но... О черт! Хорошо, Джилл, отложим. Извини. Я хочу сказать только одно: не отказывайся от приглашения Мэта. Это придаст тебе уверенности. Он славный парень. Очень общительный.

— Не сомневаюсь, но остаюсь при своем мнении.

— Ладно. Что ж, придется подыскать тебе какого-нибудь хиппи, дуреха. — Пег фыркнула, и у меня отлегло от сердца. — А я-то хотела замолвить словечко за беднягу Мэта! Ладно, тут меня торопят. Позвоню позже.

— Хорошо, Пег. До встречи!

Не успела я повесить трубку, как телефон зазвонил снова. На сей раз я знала, кто звонит. И не ошиблась.

— Джиллиан?

— Да.

— Доброе утро. Это Мэтью Хинтон. — Ну и что?

— Доброе утро. — Настроение у меня испортилось.

— Я хочу пригласить вас поужинать со мной. И есть еще кое-что... — Начало странное, но я терпеливо ждала продолжения. — Один из владельцев фирмы прислал мне два билета в оперу. Сегодня открытие сезона. Не составите компанию? — Скрепя сердце пришлось признать, что упустить такую возможность было бы глупо.

— Ух ты! С удовольствием, Мэтью. Вы меня балуете.

— Пустяки. Начало в восемь, так что поужинаем после спектакля. Я заеду за вами в семь тридцать. Согласны?

— Конечно, согласна! До встречи. И спасибо.

Взглянув в зеркало, я слегка сконфузилась от мысли, что чересчур быстро приняла приглашение. Но опера... Черт побери, разве тут можно было устоять? Лучшего лекарства от тоски не придумаешь.

Мэтью появился ровно в семь тридцать и, увидев меня, испустил протяжный свист, чуть не вскруживший мне голову. Я надела кремовое атласное платье, которое выгодно подчеркивало остатки калифорнийского загара. Должна признаться, перед уходом я поглядела на себя в зеркало и осталась довольна.

Мэт тоже хорошо смотрелся. Вечерний костюм очень шел ему, а при виде маленьких сапфировых запонок мне почему-то вспомнился бывший муж. Я снова возвращалась в высшее общество, хотя бы на один вечер. И это общество отстояло от мира Криса на миллион световых лет.

Мы доехали до Линкольн-центра на такси и вышли у фонтана, струи которого взмывали высоко в небо, плавно ниспадая обратно. Небольшие группы изысканно одетых меломанов двигались в одном направлении с нами, и я почти не обращала внимания на Мэта, ослепленная яркими нарядами и лицами знаменитостей. Похоже, эта премьера была далеко не рядовым событием.

Изо всех щелей и углов выпрыгивали репортеры и, сверкая вспышками, фотографировали всех проходящих мимо. Обитателей лож узнавали безошибочно: они были одеты тщательнее прочих. В глазах рябило от бриллиантов.

— Мистер Хинтон, минутку, пожалуйста... — Мэтью обернулся налево, ища взглядом того, кто его окликнул, и я невольно посмотрела туда же. Мелькнула вспышка, и фотоаппарат запечатлел наши лица.

— Можно узнать, как зовут вашу даму? — поинтересовалась гибкая негритянка в красном платье, опуская камеру. Она достала блокнотик и с улыбкой записала мое имя. Я не верила своим глазам. Вот это цирк! Всюду царило столпотворение, зрители с трудом пробивались сквозь ряды фотографов и репортеров.

Мэтью повел меня по лестнице. Стоявший у входа в ложу пожилой капельдинер приветливо улыбнулся:

— Добрый вечер, мистер Хинтон.

Ну и дела...

— Вы часто бываете в опере, Мэт?

— Раз в год, а что? — В это верилось с трудом. Давали «Лючию ди Ламмермур» с Джоан Сазерленд. От зрелища захватывало дух, а в антрактах рекой лилось шампанское, и фотографы продолжали трудиться в поте лица.

— Я заказал столик у «Рэффла», к которому тщетно приглашал вас вчера. Надеюсь, сегодня вы возражать не будете?

— Нет, не буду. Замечательно!

В ресторане с Мэтью здоровались все проходившие мимо официанты. Пег права, он ужасно общителен. Даже чересчур.

Но вечер был прекрасный, разговор шел

непринужденно, а у собеседника оказалось неистощимое чувство юмора. Он заказал копченую семгу, жареную утку и суфле по-марнски. Пили мы в основном шампанское, а потом немного потанцевали под негромкую, но веселую музыку клубного оркестра. Интерьер, спланированный Сесилом Битеном, был слегка чопорен, однако толпу посетителей, сплошь принадлежавших к нью-йоркской элите, это ничуть не смущало.

Мы подъехали к «Ридженси» в час ночи. В вестибюле я пожала ему руку, поблагодарив за чудесно проведенный вечер. Все было именно так, как я и предполагала. Открытие оперного сезона, ничего особенного. Но утром выяснилось, что газетчики думали по-другому.

Телефон зазвонил в девять часов, но на этот раз я еще спала.

— Кажется, ты сказала, что никуда не пойдешь с ним...

— Что?

— Не прикидывайся глухой. — Это была Пег. — Как опера?

— Отличная опера, спасибо... — Я все еще боролась со сном. Вдруг до меня дошло. — Откуда ты знаешь, что я была в опере? Мэт позвонил? — Это предположение разозлило меня. Заговор у них, что ли?

— Нет. Просто я имею привычку читать по утрам газеты.

— Кончай заливать. Просто он позвонил тебе.— Мне удалось сесть.

— Да нет же! Я держу в руках «Ежедневную

женскую моду». Вот что в ней написано: «Кто стал последней любовью плейбоя Мэтью Хинтона? Конечно, миссис Джиллиан Форрестер. Вчера вечером они вдвоем присутствовали на открытии нового сезона в опере...» Так, это можно пропустить... «Они сидели в принадлежащей его отцу ложе «Q», а потом были замечены у «Рэффла», в частной дискотеке для высокопоставленных персон. Они пили шампанское и танцевали до рассвета».

— Ради бога! Какой рассвет, я вернулась в час ночи! — Я была ошеломлена. — «Последняя любовь плейбоя Мэтью Хинтона»? — О господи...

— Закрой рот, я еще не кончила: «Миссис Форрестер была в атласном платье кремового цвета, с открытыми плечами, очень напоминающем прошлогоднюю модель Диора. В высшей степени привлекательная молодая женщина. Так держать, Мэт!»

— Большое спасибо. Честно говоря, этому платью шесть лет, не меньше... Господи Иисусе, Пег! Это ужасно. Я просто убита.

— Держись, старушка! В «Таймс» напечатали только фотографии. Там ты выглядишь вполне пристойно. Так что, понравился он тебе?

— Конечно, нет. Черт побери, откуда я знаю? Я была рада, что иду в оперу, тем более на открытие сезона, а он держался так, будто для него это пустяк. Обыкновенный хорошо воспитанный человек. Честно говоря, мне не доставляет никакого удовольствия, что газеты треплют мое имя и называют «последней любовью плейбоя». Господи!

— Не переживай. Радоваться надо.

— Дерьмо...

— Теперь тебе волей-неволей придется показываться с ним на людях.

— Что? Чтобы газеты писали, что мы ели на обед? Не порти мне настроение, Пег. Но спасибо за предупреждение.

— Трусиха ты, Джилл. Хотя, может, ты и права. Он скучноват. Во всяком случае, это событие заслуживает, чтобы я отметила его в дневнике. Моя подруга Джиллиан Форрестер стала последней любовью плейбоя.

— Убью! — Я бросила трубку и расхохоталась. Действительно, смешно. Может, стоит послать Крису вырезки из газет?

Как только я заказала завтрак, мне принесли букет роз. На карточке было написано: «Прошу прощения за газеты. Надеюсь, вы выдержите эту бурю. В следующий раз обедаем у «Нидика». Подписано было «Мэт». Да уж, настоящая буря. Слишком мягко сказано... Я положила цветы на стол и сняла трубку. Наверно, снова Пег.

— Джиллиан? Вы простили меня? — Это был Мэт.

— Мне не за что вас прощать. Не прошло и двух дней, как я приехала в Нью-Йорк, а уже успела прославиться. Оказывается, вы весьма известная личность, мистер Хинтон!

— Не такая уж и известная, как это расписывает «Женская мода». Так как насчет сегодняшнего обеда?

— Будем подтверждать слухи?

— А почему бы и нет?

— Извините, Мэт, сегодня не могу. Но прошлый вечер был бесподобен.

— Не знаю, насколько это верно, но я рад, если доставил вам удовольствие. Я позвоню в конце недели, и мы вместе подумаем, как лучше морочить голову прессе. Что вы думаете о лошадях?

— В каком смысле? Как о еде или средстве передвижения?

— Как о развлечении. Предстоит конное шоу. Вам это по душе?

— Вообще-то да, но надо подумать, Мэт. У меня действительно много дел. — Я не испытывала никакого желания стать героиней романа, придуманного журналистами.

— Так и быть, деловая дама. Я позвоню вам. Желаю удачи!

— Спасибо. И я вам тоже. Благодарю за розы. — Ну и ну! Не прошло и трех дней, а мне поднесли цветы, посвятили две колонки светской хроники, угостили обедом в ресторане «Двадцать одно» и в клубе Рэффла и сводили на открытие оперы. Неплохо, миссис Форрестер! Совсем неплохо.

Глава 17

Наступил четверг, на который был назначен ленч с Энгусом. Я немного тревожилась из-за работы, но не слишком. Стоял ясный, солнечный осенний день. Я чувствовала себя неплохо и находилась в хорошем расположении духа.

Я вошла в ресторан, когда часы показывали три минуты второго. Энгус уже ждал меня в баре, как всегда, холеный, ухоженный, в костюме от Билла Бласса. Волосы на макушке начинали редеть, но умелый парикмахер ловко замаскировал намечавшуюся плешь. Едва я переступила через порог, как лицо Энгуса расплылось в улыбке.

— Джиллиан! Чудесно выглядишь! Просто божественно. Замечательный загар. И прическу сменила, не правда ли, дорогая?

После сто сорок седьмого «Джиллиан, дорогая» я набралась храбрости и спросила, нельзя ли мне вернуться под священные своды «Декора», и получила отказ. Грациозный, элегантный, очаровательный отказ, сопровождавшийся лучезарной улыбкой, которая должна была подсластить пилюлю. Он ужасно сожалеет, он был бы рад, но... Ему страшно неприятно, однако... В делах застой... Я и сама не обрадовалась бы, если бы вернулась... В чем-то он был прав, но я нуждалась в работе и обратилась к нему первому. Мне бы хотелось снова оказаться сотрудником редакции, но уж если ты уходил из «Декора», то уходил навсегда. Как из монастыря или материнского лона, куда невозможно вернуться.

Тем не менее ленч прошел не без приятности. В запасе оставался Джон Темплтон, встреча с которым была назначена на следующий день. Не в пример четвергу пятница принесла с собой проливной дождь и отвратительное настроение. Я понимала, что «Жизнь женщины» — мой последний шанс.

Втиснувшись в автобус, я мечтала о второй чашке кофе, которая помогла бы мне окончательно проснуться. Со всех сторон меня окружали деловитые люди, думавшие только о своем бизнесе. Господи, скорее бы все кончилось! Нужно собраться, сделать вид, что ты ни в чем не нуждаешься, что в твои паруса дует попутный ветер, и тогда на тебя свалится работа, словно спелое яблоко на сэра Ньютона. Стоит признаться, что в чем-то нуждаешься, как тебе конец. Взгляд сразу станет безнадежным, вид болезненным, и прости-прощай, яблоко! Нужда отпугивает людей. Кому нужен бедный, голодный нищий, просящий милостыню на углу? Ты сочувствуешь ему, но брезгуешь подойти близко, потому что боишься, как бы его «болезнь» не передалась тебе. А вдруг нужда заразнее чумы? Своя рубашка ближе к телу...

В десять минут десятого я стояла у мраморного подъезда «Жизни женщины». Рядом с дверью красовались бронзовые буквы и цифры: «353 Лексингтон». Висевшие в вестибюле люстры покрывал слой пыли. Я, волнуясь, направилась ко второму из четырех лифтов, нажала на кнопку и представила себе, что через час выйду из редакции с удостоверением сотрудника в кармане.

Девять часов двенадцать минут. Третий этаж... Привратник...

— Миссис Форрестер? Присаживайтесь, пожалуйста. Секретарь мистера Темплтона сейчас выйдет.

Семь экземпляров журнала «Лайф», два выпуска «Холидей» и все последние номера «Жизни женщины» лежали на низком столике рядом с кушеткой Ногахайда, этого эпигона Миза ван дер Роэ[1]. Седьмая сигарета за утро, второй приступ тошноты — короткое напоминание о беременности, влажные ладони... Наконец появляется улыбающаяся девица примерно моего возраста, по виду родом откуда-нибудь из Кливленда, и приглашает меня пройти к «мистеру» Темплтону. В сравнении с ней я начинаю чувствовать себя юной, глупой, невежественной и абсолютно никчемной. У нее ведь есть работа, а у меня — увы...

Ну же, Джиллиан, соберись! Эти три нескончаемых коридора — всего лишь дешевая попытка произвести впечатление на посетителя. После второго коридора я окончательно перестала ориентироваться в пространстве. Вот и приемная. Бежевое на бежевом, большая оранжевая пепельница на письменном столе «мисс Кливленд», еще одно кресло а-ля Миз ван дер Роэ и дверь. Дверь с большой буквы. В проеме стоял улыбающийся Джон — жилистый, нервный, энергичный и приветливый. Он втащил меня в кабинет, закрыл дверь, предложил кофе, раскурил трубку, задал несколько ничего не значащих вопросов, пере-

---

[1] Миз ван дер Роэ — знаменитый американский дизайнер.

числил все достопримечательности Сан-Франциско и всячески изображал начальника-
друга, радушно встречающего блудную дочь,
бывшую внештатную сотрудницу, вернувшую-
ся под родимый кров. Можно было слегка по-
дыграть ему. Я знала, как это делается. Если он
и дальше будет строить из себя Друга с большой буквы, тогда все о'кей. Я расслабилась,
посмотрела в окно, поинтересовалась здоровьем его детей, поделилась впечатлениями от
Нью-Йорка и спросила, как «Жизнь женщины» справляется с кризисом, охватившим сред-
ства массовой информации. Все это говори-
лось с ленцой, между прочим, как принято в
беседах коллеги с коллегой. Какое там интервью? Боже упаси! О поисках работы не было и
речи.

Завязался приватный разговор о делах, о
том, что одни «книжки» вот-вот закроются, а
другие хоть и держатся на плаву, но испытыва-
ют серьезные трудности, «как все мы знаем».

Когда я допивала вторую чашку кофе, Джон
вдруг умолк на полуслове, с минуту смотрел на
меня, а потом спросил:

— Джиллиан, почему ты вернулась?

Хмм-м... Джон Темплтон не был моим близ-
ким другом, которому можно рассказать всю
правду и поплакаться в жилетку. По крайней
мере такого желания у меня не возникало. Что
сказать? Пришлось вернуться? Захотелось? Соскучилась по Нью-Йорку? Единственное, что
могло сойти за правду, собственно, и было прав-
дой: я приехала искать работу и хочу вернуть-

ся в «Жизнь женщины». Ни одно из этих объяснений никуда не годилось, и последнее — меньше всего. Прошло лет восемь, прежде чем я подняла глаза и произнесла то, что пришло в голову:

— Надо было на время уехать из Сан-Франциско. Думаю, вскоре вернусь обратно.

Сию глубокомысленную фразу можно было толковать и так и сяк. В общем, причины личные, понятно? Как ни странно, Джона это удовлетворило. Он только спросил, надолго ли я приехала. Этого я и сама не знала. Месяцев на шесть, не меньше. Может, на год-другой... Все зависит от того, как сложится моя жизнь в Нью-Йорке.

— Нужна работа?

— Да... Нет. Я позвонила просто потому, что мне нравится «Жизнь женщины». Возвращаться в рекламное агентство не хочется, а все журналы, как ты сам сказал, дышат на ладан. Я подумала, что, если позвоню тебе, хуже не будет.

— А как дела в «Декоре»? Ты говорила с Энгусом Олдриджем?

— Да. Ничего не вышло, — призналась я, и Джон кивнул в ответ. Похоже, они всегда оставались соперниками, но пользоваться этим в своих целях мне и в голову не приходило. Нет, все-таки честность — лучшая политика...

— Джулия Вейнтрауб...

Какая еще Джулия Вейнтрауб? О чем это он, черт побери?

— Вейнтрауб? — переспросила я, надеясь,

что Джон повторит слова, которые я пропустила мимо ушей.

— Ты должна ее помнить. Вы вместе делали пару номеров. Рождественский и...

Конечно, я помнила Джулию, но не могла понять, какое она имеет отношение к нашему разговору.

— Я сказал, что на прошлой неделе она сломала таз и пролежит пластом месяца два, если не все три. Джин Эдвардс и еще две девушки делают все, что могут, но не справляются. Я уже подумывал над тем, чтобы взять кого-нибудь им в помощь — дня на три-четыре в неделю. Надеюсь, ты сумеешь подбросить им пару идей? Может, это и не совсем то, что тебе надо, но мне бы не хотелось, чтобы ты трудилась с утра до ночи. Рабочая неделя неполная, и у тебя останется время, чтобы побыть с дочкой. Что ты об этом думаешь?

Что я думаю? Что думаю? Вот что: видно, кто-то где-то молится за меня. Аллилуйя! Ах, Крис!

— Джиллиан, прекрати улыбаться и скажи что-нибудь! — Джон не выдержал и рассмеялся. Ответ был написан у меня на лице.

— Дорогой мистер Темплтон, на меня таки свалилось яблоко! Я принимаю предложение, и с превеликим удовольствием. Хочу сказать... Нет, это потрясающе! Как во сне!

— Сможешь выйти в понедельник? — Язык у меня отнялся, и я лишь кивнула в ответ. — Отлично. Значит, по крайней мере на два месяца ты работой обеспечена. Но тебе надо будет потолковать с Джулией и выяснить ее замысел. Мы сейчас работаем над мартовским номером. Вот пока и все, что тебе нужно знать. Об остальном, в том числе и о деньгах, поговорим в понедельник.

Я продолжала улыбаться, благословляя таз Джулии Вейнтрауб.

— Отлично, Джон. Просто отлично! — Казалось, улыбка навсегда приклеилась к моему лицу.

Джон встал, мы пожали друг другу руки, я подхватила пальто и вылетела из кабинета как на крыльях. Секретарша в бежевой прихожей больше не имела предо мной никаких преимуществ, лифты пели победную песню, а бронзовые цифры 353 делали это неприветливое здание похожим на дом родной. Итак, со следующего понедельника я выхожу на работу.

Вернувшись в отель, я подумала, стоит ли звонить Крису. Вдруг он не поймет, вдруг остудит мой энтузиазм, останется равнодушным и безразличным? А мне хотелось сочувствия. Половину удовольствия от нового платья может испортить то, что скажет о нем твой принц. Ты с трудом дожидаешься его прихода и с придыханием говоришь, что никогда в жизни не видела ничего более прекрасного. А он отвечает, что платье замечательное, но, чтобы его надеть, тебе придется похудеть фунтов на десять, или что оно бы великолепно смотрелось на девушке с более пышным бюстом, или что у тебя для этого фасона слишком короткие ноги... Ты мигом спускаешься с небес на землю и чувствуешь себя мокрой курицей. Так же и с работой... Я не желала, чтобы мне вылили на голову ушат холодной воды, но поговорить с Крисом хотелось отчаянно. Колебания кончились тем, что в четыре часа я не выдержала и набрала номер. Послышались длинные гудки. Я затаила дыхание и ждала целую минуту, ощущая растущее разочарование.

— Да? — Фу, это он... Я переживала, как четырнадцатилетняя дуреха, звонящая своему кумиру.

— Крис? Это я. Я нашла работу. Стилистом в «Жизни женщины». Выхожу в понедельник. Месяца на два — два с половиной. Заменяю редактора, который попал в больницу. Разве это не здорово?

Я выпалила все новости одним духом. Почему нельзя было произнести то же самое взрослым, рассудительным и спокойным тоном? От возбуждения и смущения я говорила с Крисом словно глупая девчонка. А почему «словно»? Может, я и на самом деле была такой?

— Очень хорошо, Джилл. Какое-то время ты будешь занята. А почему бы тебе не поискать что-нибудь более постоянное? Ведь через два месяца все придется начинать снова.

Вот так. Не с твоими ногами носить мини. Что ж, прекрасно...

— Слушай, Джилл... Я думаю, тебе больше не следует сюда звонить. Не волнуйся, ничего особенного не случилось. Это только на время. У меня появилась квартирантка. Она будет платить свою долю за жилье, а это совсем не **лишнее**.

— Квартирантка? Что? Давно? И с какой это стати она будет запрещать мне звонить? Ты что, сдурел? — О господи, зачем я это говорю, какое мне дело? Почему меня всю трясет, а в глазах становится темно? Третья сигарета... Кого интересует мое возвращение в журнал, когда у нас с Крисом все кончено? Королева умерла, да здравствует королева...

— Слушай, Джилл, какая разница? Ты ее все равно не знаешь. Да это и ненадолго. — Подлый ублюдок... Сукин сын...

— Похоже, я ее знаю. По твоему голосу слышу. Кто это? Ты сам сказал, что ничего особенного не случилось, так назови ее. Просто ради любопытства. Кто она? — Я была близка к истерике.

— Мэрлин Ли. — Проклятие! Именно о ней он говорил на пляже. Та самая единственная, которая для него что-то значила. Но он же сказал, что с ней покончено. А оказывается, ничего подобного. Она вернулась.

— Эй, Джилл, остынь, успокойся. Я же говорю, это ненадолго. Она позвонила вчера и сказала, что поживет здесь пару недель. Может быть, месяц, но не больше. Так что все пустяки.

— Будь добр, перестань долдонить: «Пустяки, пустяки!» — В моем голосе снова зазвучала истерическая нотка. — Если это пустяки, то почему мне нельзя звонить? Боишься разозлить ее, Крис? Думаешь, она будет волноваться из-за моих звонков? Она что, ревнивая? С чего бы это? Она ведь знает тебя несколько лет, так что должна была успеть привыкнуть.

— Я прошу тебя, успокойся. Если будешь волноваться, это повредит ребенку. — Ребенку? Ах, ребенку... С каких это пор он стал таким заботливым?

— Ладно, Крис, забудем обо всем. Живи как знаешь. Я только хотела сказать, что нашла работу. Сейчас я повешу трубку. Не переживай. Крис... Я больше не буду звонить. Желаю счастья. — Дура, идиотка, разговариваешь как второкурсница... Ну почему ты не можешь говорить спокойно и разумно, как взрослая женщина? Он ведь слышит твой плач, старая задница!

— Джиллиан... Малышка, я люблю тебя, ты ведь знаешь...

— Скажи это своей Мэрлин. Крис... — И тут я разрыдалась от унижения. Зачем выпрашивать любовь?

Почему я такая? Почему? Я ненавидела себя, но не могла остановиться.

— Джилл, я позвоню тебе на следующей неделе.

— Можешь не трудиться. Не стоит. Мэрлин это не понравится. Крис, ради бога, хоть раз в жизни, хоть один раз доведи дело до конца. Хочешь быть с ней — будь. Хочешь быть со мной — приезжай в Нью-Йорк. Но не погань жизнь ни ей, ни мне, ни себе самому. Не веди двойную игру. Для разнообразия попробуй побыть честным.

— Если ты не прекратишь учить меня жить, звонка можешь не ждать.

— Прекрасно. Не забудь успокоить Мэрлин.

— Я думал, ты поймешь, Джилл. Ты одна знаешь меня. Чего ты добиваешься? Чтобы я стал другим? Я на это не способен. Какой есть, такой есть. — Боже правый, он хочет, чтобы я чувствовала себя во всем виноватой. Никем не понятый ребенок топает ногами. Бедный малыш Крис, большая бяка Мэрлин и старушка Джиллиан. Дерьмо. — Поговорим в другой раз. Я люблю тебя, Джилл.

Итак, Крис жил с другой. Утреннее хорошее настроение рассеялось как дым. Казалось, я посетила кабинет Джона Темплтона месяц назад. Господи, да кому какое дело до этой проклятой «Жизни женщины»?

Глава 18

И все же понедельник оказался счастливым. У меня есть работа. Можно на целый день забыть о своих горестях.

Без двадцати девять я вышла из отеля и, смешавшись с толпой, направилась к автобусной остановке. Меня охватило какое-то пьянящее чувство. Увидев бронзовые цифры 353, я обрадовалась им, словно родным. Работяги драили ручки и протирали люстры. Я обменялась с ними улыбкой, поздоровалась и почувствовала себя как дома. Да, Нью-Йорк — моя родина. Ведь и дом, в котором я появилась на свет, был украшен такими же бронзовыми цифрами. В лифте звучала негромкая музыка, где-то на третьем этаже тарахтела кофеварка, вовсю торговал буфет, и я храбро открыла дверь. Добро пожаловать домой.

Я поискала кабинет Джона Темплтона и после нескольких неудачных попыток нашла его. Секретарша сидела на прежнем месте, и платье на ней было бежевое, в тон стенам приемной.

— У мистера Темплтона совещание, миссис Форрестер. Он велел вам подойти к миссис Джин Эдвардс и просил передать, что ждет группу декораторов к одиннадцати часам. — Еще один обмен улыбками, и... — Ах да, миссис Форрестер, миссис Эдвардс покажет вам ваше рабочее место. И зайдите к миссис Порселли насчет пропуска. Отдел кадров на четвертом этаже. — Магические слова. Значит, это не сон.

Пришлось долго искать в этом лабиринте кабинет Джин Эдвардс. Зажатый двумя кабинетами побольше, он был мал, беспорядочно завален образцами тканей, подушечками для иголок, увешан огромными плакатами, уставлен немытыми кофейными чашками и усеян листами бумаги с восемью или девятью посланиями, написанными разным почерком. Комната была светлая, уютная, со множеством цветов в горшках. Стрелка, на которой горели красные буквы «Вверх», указывала вниз, а огромный плакат с надписью «Улыбайтесь» изображал маленькую плачущую девочку, которая смотрит на лежащее у ее ног мороженое.

Пока я ждала Джин, в кабинет постоянно заглядывали какие-то ужасно занятые люди, ворчали и закрывали дверь. Я ощущала себя гостьей.

В конце концов я занервничала. Хотелось поскорее взяться за работу. Где эта Джин? Где все остальные? Казалось, у всех, кроме меня, было дело. Похоже, здесь шла большая игра, и меня распирало желание вступить в нее. В дверь регулярно просовывались незнакомые лица, а потом исчезали. Пока я просматривала три последних номера журнала, прошло еще полчаса.

— Вы ждете Джин? — Я подняла глаза и увидела высокого мужчину лет сорока пяти, черноволосого, с ярко-голубыми глазами и тщательно ухоженной холеной бородой.

— Да.

— Друг или враг? — Его глаза блеснули.

— Пока не знаю. Вообще-то я здесь работаю.

— Ах вы новая секретарша. Отлично. — Он потерял ко мне всякий интерес и стремительно вышел из комнаты, не дав времени возразить. Я почувствовала раздражение. Нашел секретаршу!

Джин появилась лишь после десяти часов, нагруженная брошюрами, образцами тканей и копиркой. Ее улыбка напоминала утреннее солнце, и долгое ожидание сразу стало казаться мелочью.

— Хай! А мне сказали, что в кабинете ждет новая секретарша. — Ее глаза искрились смехом. Я не выдержала и расхохоталась. — Не давайте ему потачки. Он немного грубоват. Стиль такой. Когда я сказала ему, что вы новая жена французского посла и согласились прийти сюда, чтобы обсудить возможность сфотографировать ваш дом, его чуть кондрашка не хватил.

— Здорово! А кто он такой? Важная шишка? — Я это почуяла. У него был очень начальственный вид.

— Более-менее. Это Гордон Харт. Художественный директор и заместитель главного редактора.

— Значит, скорее «более», чем «менее». Трудно с ним ладить?

— Иногда. Но чаще всего он держит себя в руках. Все мы начинаем склочничать, когда сдаем очередной номер. Еще увидите.

— Тысячу раз видела...

— Хорошо. Тогда слушайте. У нас мало времени. Через пять минут отдел декораторов собирается на совещание в кабинете Темплтона, а мне еще нужно убрать все это барахло. На столе у Джулии лежит перечень дел на эту неделю. Вам нужно будет подыскать для съемок какую-нибудь необычную столовую, а мы тем временем займемся детскими спальнями, и... Черт возьми, что же еще?.. Господи!.. А, вспомнила! Завтра вам надо будет поговорить с редактором отдела кулинарии, а еще Джон хочет, чтобы на следующей неделе вы взяли у кого-нибудь интервью. Через неделю-другую здесь станет поспокойнее, а пока впрягайтесь в лямку, если можно так выразиться. О'кей? Готовы? Пошли на совещание. По дороге заскочим к фотографам и глянем, что они там наснимали в пятницу. Глаз да глаз! Поговорим позже.

Располагайтесь в кабинете Джулии, вторая дверь налево отсюда. — Все это время она сортировала бумаги, распихивала их по папкам, перебирала фотографии, делала записи, но ни на секунду не отклонялась от темы. Джин была одной из тех неутомимых, подвижных женщин лет под сорок, которые созданы для карьеры. Энергичная, знающая, красивая... Редкое сочетание. И я, последив за Джин, безошибочно догадалась, что она тоже в разводе.

Совещание в кабинете Джона Темплтона было кратким и деловым. Сотрудники передавали друг другу размноженные листы, из которых впоследствии должен был сложиться журнал, а я внимательно слушала, чувствуя себя новичком в этой школе и изо всех сил пытаясь понять, что к чему.

В полдень, когда все разошлись, я направилась следом за Джин. Она проскользнула в свой кабинет, а я отсчитала две двери налево и робко нажала на ручку. Интересно, что там?

Комната мне понравилась. Две стены были голубыми, третья оранжевой, а четвертая кирпичной. На полу лежал толстый коричневый ковер, стены были увешаны фотографиями, плакатами и забавными маленькими тарелочками. На одной из них красовалось изречение Мэй Уэст[1]: «Лучшее — друг хорошего», две другие гласили: «Дерьмо» и «Отвага», а около стола висела четвертая с надписью: «Не сегодня, Джонни-бой!» На письменном столе было целых две крышки, а в углу торчало великое

---

[1] Мэй Уэст — голливудская кинозвезда.

множество расписанных разными красками бумажных цветов. Кабинет был маленький, но выглядел симпатично. Я плюхнулась в кресло «мадам директора» и почувствовала себя королевой. Первый день в новой школе оказался утомительным.

— Говорят, я должен принести вам свои извинения. Кстати, как поживает господин посол? — Гордон Харт торжественно наблюдал за моими попытками освоить кабинет.

— Думаю, неплохо, мистер Харт. А как поживаете вы?

— Спасибо. Ужасно занят. А вы почему не заняты? — Я насторожилась и приготовилась было ответить какой-нибудь колкостью, но увидела его лицо и тут же успокоилась.

— Я чувствую себя ребенком, попавшим на фабрику с потогонной системой труда.

— Так оно и есть. Не дай бог, Элоиза увидит, что вы сидите с пустыми руками. Держите в них хотя бы ложку. В случае чего всегда можно будет сказать, что вы отбираете образец для фотосъемки.

— Ужасно, правда? Но, говорят, художественный редактор у вас тоже не подарок. — Я подняла бровь и попыталась сдержать улыбку. Один — один. Впрочем, насчет Элоизы он был прав. Элоиза Фрэнк, ответственный секретарь, считалась бичом здешних мест. Я хорошо помнила ее со времен внештатной работы. Прежде она сотрудничала в газетах, ей уже перевалило за шестьдесят, но выглядела она на сорок, и сердце у нее было из кремня и цемента. Но она была настоящим профессионалом. Профессионалом с головы до ног. Подчиненные ее ненавидели, коллеги боялись, и лишь один Джон Темплтон знал ей цену. Она руководила редакцией железной рукой, ничего не забывала, за всем следила и безошибочно знала, что журналу на пользу, а что нет.

— Кстати, миссис Форрестер, завтра ровно в девять состоится общее собрание всех сотрудников. Будем ждать и вас. — Погрузившись в воспоминания о кошмарной Элоизе Фрэнк, я совсем забыла, что Гордон еще не ушел.

— Хорошо. Я приду, мистер Харт.

— Да уж, сделайте милость. А сейчас за работу! — С этими словами он исчез, оставив меня в некотором недоумении. Трудно было сказать, когда он шутит, а когда говорит серьезно. Может, он вообще все время шутил. Во всем, что говорил Харт, чувствовался привкус сарказма. Его глаза смотрели пристально, пронизывающе, видели человека насквозь, а когда ты начинал к этому привыкать, он тут же отводил их в сторону. Похоже, жизнь для него была постоянной игрой.

Высокий рост и стройность подчеркивали худобу его лица, напоминавшего какой-то из портретов Эль Греко... Только какой именно? Странно. Что это со мной сегодня? Похоже, юмор был для него маской, за которой таилось что-то другое. Может быть, боль?

— Ладно, мистер Харт. Делайте свое дело, а я буду делать свое. Надеюсь, мы не будем портить друг другу нервы, — пробормотала я и начала разбирать оставленные на столе инструкции. Да, работы хватало. Времени на раскачку не оставалось.

Куча скопилась большая, и я трудилась не поднимая головы почти до пяти часов, начисто забыв обо всем, включая Гордона Харта.

Едва я успела нацедить чашечку кофе из стоявшей в холле кофеварки, как зазвонил телефон.

— Как дела? — Это была Джин Эдвардс.

— О'кей. Но я чувствую себя как выжатый лимон. Целый день разбирала скопившиеся бумаги. Похоже, начинаю кое-что понимать.

— За один день? Неплохо. Вам сказали про завтрашнее совещание?

— Да, спасибо. Гордон Харт специально зашел, чтобы меня предупредить.

— Это большая честь. Как правило, он разговаривает только с Джоном Темплтоном и господом. Насчет господа я не уверена.

— Это меня не удивляет. Он настоящий...

— Не продолжайте, Джиллиан. Вы правы. Только не наступайте ему на мозоли, и все будет в порядке. Он педант, конечно, никуда не денешься, но к себе относится куда требовательнее, чем к остальным. Взвалил на плечи тяжелую ношу и тащит ее много лет.

— Вы хотите сказать, что он пережил какую-то трагедию?

— Пока достаточно с вас. Мне пора бежать. Жду гостей.

— Хорошо, Джин. До завтра, и спасибо за помощь.— Я положила трубку, раздумывая над странными словами Джин. Ладно, пережил Гордон трагедию или нет, с уверенностью можно было сказать только одно: мужчина он видный.

Я поглядела на часы и решила, что на сегодня хватит. Я обещала Сэм пиццу на ужин; кроме того, мне хотелось провести с ней несколько часов перед сном.

Я не торопясь вышла из кабинета и свернула в лабиринт. Направо, еще раз направо, а потом налево. Вот и лифт. А рядом — озабоченный Гордон Харт с папкой в одной руке и огромным портфелем в другой.

— Домашнее задание? — спросила я.

— И да и нет. По понедельникам я веду класс рисования. В портфеле мои старые этюды обнаженной натуры. Я использую их как наглядное пособие.

Подошел лифт, и мы поехали вниз, окруженные толпой людей с других этажей. Гордон встретил знакомых, заговорил с ними, и я было решила, что уйду спокойно. Но у вращающихся дверей он догнал меня, и мы выкатились на Лексингтон-авеню один за другим, словно две детали с конвейера.

— В какую вам сторону, миссис Форрестер? Мне надо зайти на стоянку за велосипедом. Нам не по пути? — Я не была в этом уверена, однако возражать не стала, и мы побрели по многолюдной Лексингтон-авеню.

— Вы ездите на работу на велосипеде?

— Иногда. Но дело обстоит не совсем так,

как вы думаете. У меня мопед. Я купил его прошлым летом в Испании.

— Но ведь в Нью-Йорке такое движение... Не страшно?

— Да нет. Вообще-то меня трудно напугать. Я не слишком над этим задумываюсь. — Неужели ему наплевать на собственную жизнь?

— У вас есть дети? — Надо же о чем-то разговаривать...

— Сын. Изучает архитектуру в Йельском университете. А у вас?

— Дочка. Ей пять лет, а в этом возрасте еще радуются каждому прожитому дню. — Он засмеялся, и я заметила, что у него приятная улыбка. Когда он забывал напускать на себя суровость, то становился вполне нормальным человеком. Действительно, при упоминании о сыне у него в глазах зажегся странный огонек, или это мне только показалось?

По дороге мы беседовали о Нью-Йорке, и я пожаловалась, что после Калифорнии никак не могу привыкнуть к здешнему ритму. Город я любила, но своей в нем еще не стала. Пока что он напоминал мне зоопарк.

— Давно вы вернулись?

— С неделю назад.

— Ничего, скоро привыкнете, да так, что уже не захотите уезжать. А потом станете ссылаться на судьбу. Все мы так поступаем.

— Может быть, в один прекрасный день я все же вернусь в Калифорнию... — Стоило выговорить эти слова, как мне полегчало.

— То же самое я говорил про Испанию. Но такого не бывает. Ничто не возвращается.

— Почему? — Вопрос был наивный, но Харт ответил на него очень серьезно.

— Потому что мы уезжаем не по своей воле, а в силу необходимости. Ты покидаешь место, где тебе было хорошо, при этом часть твоей души умирает и остается там. А освободившееся пространство занимает что-то другое.

Жестокая правда. Когда я уехала из Сан-Франциско, одна часть моей души умерла, а вторая осталась с Крисом.

— Не хочется признаваться, но вы абсолютно правы, мистер Харт... А почему вы решили поехать именно в Испанию?

— Припадок безумия, надо полагать. Брак мой к тому времени распался, мне все надоело, работа валилась из рук... Тогда мне было тридцать два года. Я решил, что если не настою на своем, то уже ни на что не буду годен. И оказался прав. Я никогда не жалел, что уехал. Я провел десять лет в маленьком городке под Малагой, и это были лучшие годы моей жизни. Люди нашей профессии называют их «потерянными», но я так не считаю. Они мне дороги.

— И вы собирались вернуться?

— Да. Но в тридцать два, а не в сорок девять. Староват я для таких перемен. Все позади. Нравится, не нравится, а придется довольствоваться тем, что есть, до самой смерти. — Его рука описала полукруг. Господи, уж не болен ли он?

— Но это же абсурд! Вы можете вернуться туда когда угодно! — Мне почему-то не хотелось, чтобы он так просто отказывался от своей мечты. Похоже, он охладел ко всему.

— Спасибо, что вы принимаете это так близко к сердцу, но, уверяю вас, я слишком стар, чтобы питать иллюзии относительно Испании и своего призвания. — Он подкрепил свои слова язвительным смешком, и только тут я сообразила, что мы стоим на углу Шестидесятой улицы. До отеля было рукой подать. Пока мы прощались, в его глазах не гасли довольные искорки.

Как ни странно, но приходилось признать, что беседовать с ним было приятно, несмотря на привкус сарказма в его словах, и что после работы Харт становился очень обаятельным.

Он откланялся. Я повернула направо, вышла на Парк-авеню и оказалась у «Ридженси». Как-то там Сэм? Гордон Харт тут же вылетел у меня из головы.

— Привет, радость моя! Как прошел день?

— Никак. Я не люблю Джейн. Хочу обратно к дяде Крицу. Мне здесь не нравится. — Сэм выглядела несчастной, заплаканной и обиженной. Беби-ситтер Джейн и Сэм, мягко говоря, не пылали друг к другу любовью. Девица у меня была с характером и при желании могла отравить жизнь кому угодно.

— Эй, подожди немножко. Мы же с тобой дома, скоро вернемся в свою квартиру. Все будет хорошо, дядя Крис прилетит в Нью-Йорк и придет к нам в гости, в школе появятся новые друзья, и...

— Не хочу. В парке бегает большая злая собака. — Боже, ее взгляд разрывает мне сердце... — Где ты была весь день? Я скучала. — Ох-х... Опять этот вопрос, вечный кошмар работающей матери, и самый убедительный аргумент на свете: «Я скучала...» Увы! Сэм, радость моя, я должна работать... Нам нужны деньги, и я... Я должна, Сэм, честное слово, должна, вот и все...

— Я тоже скучала без тебя. Но я работала. Мы ведь уже говорили об этом, правда? Я думала, ты все поняла. Интересно, с чем будет наша пицца? С грибами или с сосисками?

— Гмм... С грибами или с сосисками? — При мысли о пицце девочка слегка оживилась.

— Скоро узнаем. Расковыряем и посмотрим. — Я улыбнулась. Сэм пришла домой как раз вовремя.

— О'кей. С грибами. — Я снова поймала на себе взгляд дочки и поняла, что она хочет о чем-то спросить. — Мама...

— Что, моя радость?

— Когда приедет дядя Криц?

— Не знаю. Посмотрим. — Проклятие... Лучше не спрашивай... Пожалуйста...

Пиццу принесли через полчаса, и мы с Сэм склонились над ней, на время забыв обо всем остальном. Я не знала, когда приедет Крис и приедет ли он вообще, и не желала об этом думать. Много чести. У меня есть Сэм, у нее — я, и больше нам никто не нужен. Огромная, пышная пицца с сыром и грибами занимала почти весь стол в стиле Людовика XV, красу и гордость отеля «Риджженси». Много ли надо человеку для счастья? Тем более когда речь идет всего о нескольких днях? Совсем немного. При взгляде на Сэм хотелось улыбнуться. Я чувствовала себя неплохо, день сложился удачно. Сэм тоже улыбнулась в ответ. Похоже, настроение у нее тоже улучшилось...

— Мама...

— Угу? — с полным ртом промычала я.

— Можно тебя о чем-то попросить?

— Конечно. О чем угодно, но только не проси у меня еще одну пиццу. — Уф-ф... Лопнуть можно.

— Нет, мама, я не про пиццу. — Моя тупость привела Сэм в негодование.

— А про что?

— Я хочу сестренку.

Глава 19

Второй рабочий день прошел еще лучше, чем первый. Я почувствовала себя своей. Собрание не представляло собой ничего особенного, но оно позволило мне познакомиться с коллегами и окончательно понять, что к чему.

Я сидела рядом с Джин. Джон Темплтон держался как президент компании из картины начала пятидесятых годов, а Гордон Харт стоял у стенки, следя за происходящим. Когда собрание закончилось и мы потянулись к выходу, я ожидала, что Гордон заговорит со мной, но этого не произошло. Он был увлечен беседой с одним из младших редакторов и даже не взглянул на меня.

За два часа я услышала одну-единственную вещь, имевшую ко мне прямое отношение. Негритянский певец Милт Хаули согласился дать журналу интервью, и Джон Темплтон поручил это задание мне.

Стоило вернуться в кабинет, как позвонил Мэтью Хинтон и пригласил на ипподром. И я снова не сумела отказаться.

А перед ленчем я наконец дозвонилась до Хилари Прайс. Несколько дней назад ее секретарша ответила, что Хилари улетела в командировку. В Париж.

Я познакомилась с Хилари Прайс в самом начале своей карьеры. Какое-то время мы вместе работали в одной редакции, но с тех пор она достигла высокого положения в самом престижном журнале мод, не имевшем ничего общего с «Жизнью женщины». В этом сверхмодном журнале занимались тем, что раскрашивали лица моделей в зеленый цвет, а потом наклеивали на них павлиньи перья.

Мы понравились друг другу с первого взгляда. Нет, это была не та шумная, непосредственная, искренняя дружба, которая связывала нас с Пег. Тут все было тише и спокойнее. Я знала, что до уровня Хилари мне еще расти и расти, и это меня сдерживало. Но не слишком. Я могла позволить себе распустить волосы и сбросить туфли, она – никогда... Хилари. Всегда спокойная, опрятная, без единой складки на одежде, благоразумная, элегантная, остроумная. Частенько строгая, но еще чаще добрая. Очень шикарная, очень столичная, очень интеллигентная женщина, которой хотелось подражать. Она вызывала всеобщее восхищение, потому что у нее были бездна вкуса и тот взгляд, который обычно называют «искушенным». И в то же время ей не было чуждо ничто человеческое. Ее подлинный возраст всегда покрывала таинственная завеса. Тридцать пять, что-то вроде этого... Сама она об этом никогда не говорила. Хилари успела развестись и пожить в Милане, Париже и Токио. Ее первым мужем был пожилой итальянский граф, которого она называла Чекко (я только потом догадалась, что это сокращенное «Франческо»). Когда Хилари выходила за него замуж, он стоял на краю могилы. Видно, это ей только казалось, потому что он прожил достаточно долго, чтобы успеть жениться на семнадцатилетней девушке через три недели после развода.

Трубку сняли после второго гудка.

— Алло?

— Хилари? Это Джиллиан.

— С возвращением, дорогая. Фелиция передала мне, что ты звонила. Каким ветром нашу голубку занесло обратно в Мекку? — пошутила она.

— Кто его знает? Боже, как я рада тебя слышать! Как прошла поездка в Париж?

— Превосходно. Только все время шел дождь. Коллекции демонстрировали отвратительные. В Риме намного лучше. Заезжала к бывшему мужу, Чекко. У него новая любовница. Очаровательная девушка. Похожа на жеребенка.

— Как он поживает?

— Сносно, а если учитывать его возраст, то лучше не бывает. У меня мурашки бегут по коже, когда я вспоминаю, сколько ему лет. Должно быть, он подкупил Фортуну, и та регулярно исправляет в паспорте дату его рождения... Бумага все стерпит. — И тут мы рассмеялись. Временами она любила позлословить. Я никогда не встречалась с Чекко, но частенько видела его во сне в образе кошмарного чудовища. — А ты, Джиллиан... Что с тобой, дорогая? Ты не ответила на мое последнее письмо, и я начала волноваться.

У нее были те же хрипловатый голос и иронический тон, что и прежде. Но за иронией таилось сердечное тепло, безошибочно передававшееся собеседнику. Конечно, тут сказывалась и привычка, однако я была уверена в ее искренности. Хилари умела говорить кратко и приучала к этому других. Стиль у нее был как у дикторов, читающих сводку новостей.

— Итак, Джиллиан, отвечай по существу. Когда приехала? На сколько? Чем занимаешься?

Я кратко ответила на первые два вопроса, а затем принялась рассказывать о «Жизни женщины», о Джоне Темплтоне, о чудом свалившейся на меня двухмесячной работе, о сломанном тазе Джулии Вейнтрауб и даже о поисках подходящей столовой. Нет ли у нее каких-нибудь мыслей на этот счет?

До меня снова донесся смех и приказ повторить все сначала, только помедленнее.

— Что там с Джулией Вейнтрауб и столовой? Если я правильно поняла, тебе не то нужно разыскать сломанный таз и купить Джулии Вейнтрауб столовую, не то купить ее таз и сломать твою столовую... И чего там у меня нет? Таза или столовой? У меня есть и то и другое, но оно не продается, моя дорогая. Боюсь, жизнь в Нью-Йорке не пошла тебе впрок.

Тут я захохотала в голос. Она все прекрасно поняла, но не могла отказать себе в удовольствии прикинуться дурочкой.

— Что ж, Джиллиан, я никогда не встречалась с Джулией Вейнтрауб, но очень рада, что у тебя есть работа. Значит, на какое-то время ты пристроена. Кстати, в вашем журнале работает мой старый друг, человек по имени Гордон Харт. Ты еще не познакомилась с ним? Впрочем, когда тебе, ведь прошло всего два дня...

— Конечно, познакомилась. Он довольно симпатичный, хотя и изрядный зануда. Я не знала, что вы друзья. Ты никогда об этом не говорила.

— Друзья, но совсем не в том смысле, как ты подумала. Я дружила с его женой. Тогда я только что приехала в Нью-Йорк, а она работала фотомоделью. Они с Гордоном собирались разводиться, и он хотел отправиться в Испанию, возомнив себя Эрнестом Хемингуэем от живописи или кем-то в этом роде. Там я и столкнулась с ним через несколько лет. Впоследствии мы часто встречались по журнальным делам. Он один из самых уважаемых людей в этом бизнесе. Очень талантливый человек. Да и симпатичный. А занудство... Каждый защищается от окружающего мира как может. Он огородил себя стеной высотой в милю... Господи, при чем тут Гордон? Скажи лучше, как продвигается твой «роман века» с Кристофером? — Я писала из Калифорнии не только Пег.

Я умолкла. Паралич не то языка, не то сердца.

— Хилари, не знаю толком, что тебе ответить. Не телефонный разговор.

— Понятно. Тогда отложим. Если понадоблюсь, ты знаешь, где меня искать. А почему бы тебе не приехать в четверг после работы? Выпьем, поболтаем, и ты мне все расскажешь. Я подумаю, кого пригласить. Наверное, Гордона и еще четверых-пятерых. Компания будет тесная, все свои. Может, у тебя есть какие-нибудь пожелания?

— Нет, предоставляю все тебе. Идея замечательная. Но все же подумай о столовой, ладно? На тебя вся надежда. Хилари, ты гений! Большое спасибо. К какому часу приезжать?

— В шесть устроит?

— Вполне. Обязательно буду!

Это приглашение дорогого стоило. Черт побери, обеды у Хилари славились на весь Нью-Йорк. Да и закоулки города она знала не хуже старого мусорщика. Днем раздался звонок, и Хилари сообщила, что видела подходящую столовую в доме, принадлежащем одной актерской чете. Жена когда-то изучала сценографию и страстно накинулась на столовую с красками и кистью. Она называла это «созданием адекватной окружающей среды». Описание Хилари было более конкретным:

— Черт побери, ты ешь, а у тебя за спиной настоящие джунгли!

Похоже, игра стоила свеч. Я позвонила и получила приглашение заглянуть к ним по дороге домой.

Это было нечто. Столовая напоминала кадр из «Маугли»: всюду были намалеваны деревья, фрукты, цветы, над головой нависали облака, под ногами расстилалось озеро, а из кустов выглядывали разные дикие звери. Вся мебель была в стиле «сафари», за исключением красивого стеклянного стола и громадных подсвечников. Да, ничего себе...

Я удалилась с гордо поднятой головой. По крайней мере одно задание выполнено. Приду в «Риджэнси» и до возвращения Сэм выпью бокал холодного белого вина...

Едва я открыла дверь люкса, как задребезжал телефон. Мысль о том, что это звонит Крис, не успела прийти мне в голову. И слава Богу. Потому что это был Гордон Харт.

— Хелло. Хилари сказала, что послезавтра вечером мы обедаем у нее. Подождать вас у лифта? — Его голос звучал куда добродушнее, чем на работе. Примерно так он разговаривал во время вчерашней прогулки.

— Спасибо, но в четверг я уйду пораньше. Мы не виделись с Хилари со времени моего отъезда из Нью-Йорка.

— Что ж, не буду навязываться. Как вам работается?

— Вообще-то замечательно, но я немного отвыкла от такого ритма. Сказывается отсутствие практики.

— Ничего, привыкнете. Куда вы исчезли утром? Я хотел пригласить вас на ленч. Но в следующий раз вам не улизнуть!

— С удовольствием...

— Значит, договорились. Желаю вам приятно провести вечер, Джиллиан. До завтра.

— До свидания... — Странный звонок. И человек странный. Казалось, бездонная пропасть отделяет его от остального мира. Он оставался бесстрастным даже тогда, когда его слова звучали дружелюбно, и это слегка сбивало с толку. Но Мэтью Хинтон не шел с ним ни в какое сравнение. У Гордона были душа и сердце. С первого взгляда было видно, что ему пришлось пережить трагедию. Но кто или что заставило его страдать? Я рухнула на кровать и уснула, так и не успев обдумать это.

Меня разбудил телефонный звонок. Ничего не соображая, я потянулась к трубке. На сей раз это действительно был Крис. На душе сразу потеплело, на язык просились ласковые любовные слова... Я сонно улыбалась, чмокала в трубку, вслушивалась в звуки его голоса. А потом повернулась на бок и посмотрела на часы. Четыре пятнадцать... Значит, в Сан-Франциско час пятнадцать... И тут мне почему-то вспомнилась Мэрлин. Прежде чем я сообразила, что делаю, у меня издевательски вырвалось:

— А где Мэрлин? Разве она не пришла ночевать?

«Ух-х...» — выдохнула я. Крис отпрянул от трубки, словно получив пощечину. После этого мы говорили о моей работе, о погоде, о планах Криса, о его фильмах и старались не упоминать ни о Мэрлин, ни о чем-нибудь действительно важном. Паршивый получился разговор. Мы играли, а Мэрлин пряталась за углом, подсматривала и подслушивала. Нам обоим было не по себе, я злилась и мучилась, а Кристофер чувствовал себя неуютно. Другой на его месте чувствовал бы себя куда хуже. Но от Криса ничего иного ждать не приходилось.

Глава 20

С точки зрения светского общества открытие сезона на ипподроме ничем не отличалось от открытия сезона в опере. Можно и на людей посмотреть, и себя показать. Мэт, как всегда, был очарователен, но с него постепенно сползала позолота. Он начинал меня раздражать. Потом мы обедали в «Каравелле», и опять кто-то склонялся над блокнотом и царапал в нем «мистер Хинтон». Теперь газеты были к нам добрее, чем в прошлый раз, хотя и не обошли вниманием. Они просто отметили наше присутствие, опубликовав фотографии почетных посетителей. Наутро звонка Пег не последовало.

В четверг я отправилась брать интервью у Милта Хаули. Он жил в пентхаусе на площади Объединенных Наций. Я стояла на тротуаре, собиралась с мыслями и смотрела вверх, не уставая поражаться высоте нью-йоркских небоскребов. Все здесь было огромное и высоченное. От этого города перехватывало дыхание и кружилась голова. Он лез вон из кожи, пытаясь доказать каждому свое главенство. Это была Мекка, Содом, ад и рай одновременно, и любое человеческое существо, попав сюда, чувствовало себя и подавленным, и очарованным. Даже если я завтра уеду и никогда не вернусь, у меня на всю жизнь останется воспоминание о том, что мы с Нью-Йорком пришли к соглашению. Оно было подписано в тот момент, когда я сошла с самолета и поклялась посадить этот город на цепь. Но и он взял меня за глотку.

В апартаменты Милта Хаули меня провела миниатюрная белокурая девушка, которую Милт называл «своей старушкой». Его любовница. А потом все завертелось. Он ринулся в Рокфеллер-центр, оттуда — в «Даблдей», где ставил автографы на собственных пластинках, потом понесся к своему агенту подписывать контракты; в три часа у него был ленч в ресторане «Мама Леоне», где в перерыве между салатом и экзотическим блюдом под названием «спумони» я ухитрилась задать ему несколько вопросов. Милт оказался интересным человеком. Десять лет назад он начинал петь блюзы в Чаттануге, штат Теннесси, потом успешно снялся в одном голливудском хите и вдруг с головой ушел в движение протеста. За это его тридцать семь раз сажали в тюрьму. Он так увлекся, что чуть не забросил карьеру певца. И все же он добился своего, стал мистером Сверхзвездой. Три альбома за год, проданные миллионными тиражами, два контракта на съемки в кино, приглашения в Лас-Вегас, Голливуд и Нью-Йорк. Целый бум!

После ленча я поехала с ним в аэропорт на взятом напрокат лимузине. Он летел обедать в Белый дом. Все устали, но в машине было весело. Милт нравился мне. Он был настоящий мужчина, отвечал на вопросы честно, прямо и обладал неистощимым чувством юмора, помогавшим переносить все тяготы этого сверхплотного графика.

Слуга еще днем положил его чемодан в машину, и Милт, спокойно отвечая на мои вопросы, порылся в его содержимом, вынул оттуда бутылку, приготовил себе двойной бурбон и, не обращая никакого внимания на то, что сидит в мчащейся во весь опор машине, выдул его одним махом. По пути к президенту. Да, у этого парня был стиль!

Прежде чем пройти в ворота и сесть в самолет, он чмокнул меня в щеку и прошептал:

— Джиллиан, вы потрясная женщина... Жаль только, что такая худенькая.

Я засмеялась и помахала ему рукой. До встречи с Хилари оставалась ровно семьдесят одна минута.

Дверь открыла сама Хилари. Она выглядела великолепно. Гибрид Генри Бендела, Парижа и самой Хилари. Это совершенство вызывало у других женщин зависть, а у мужчин боязнь: грех было портить такую прическу. Она относилась к типу женщин, которые постоянно вращаются среди гомосексуалистов, других женщин и старых друзей. Часто ее любовники были неприлично молоды; но неизменно хороши собой, и большинство их со временем переходило в разряд друзей. Иногда Хилари бывало нелегко. Я бы пожалела ее, если бы осмелилась. Жалеть ее не приходилось. Уважение не позволяло. Примерно такое же чувство вызывала во мне бабушка. При виде этих стойких, собранных женщин инстинктивно хочется выпрямиться. Они заставляют вспомнить о чувстве долга. Подруги обычно боготворят их. До этих дурочек не доходит, что подобная «помощь» постепенно заставляет их возненавидеть собственных мужей и сыновей...

У Хилари было невероятное чувство стиля. Все, к чему она прикасалась, становилось совершенством: ее маникюр, ее дом, ее обеды, работа и дружеские связи. Она могла быть бессердечной и даже жестокой, но приберегала эти качества для тех, кто осмеливался встать у нее на пути. Слава тебе господи, мне никогда не доводилось испытать на себе ее гнев. Пару раз я слышала, как она разговаривает с такими людьми. Это было ужасно. Наверное, мужчины это чувствуют, потому и стараются держаться от нее подальше или быстрее унести ноги.

Между мной и Хилари никогда не было тех непринужденных отношений, которые связывали меня с Пег и другими подругами. Я бы не рискнула произнести в ее присутствии некоторые привычные слова или показаться ей на глаза в джинсах и промокшей от пота рубашке. Но было в этой дружбе что-то особенное, отличавшее ее от остальных. Все подруги знали меня с детства, и в наших отношениях неизменно сохранялся неистребимый школьный дух. С Хилари же мы подружились уже взрослыми и ждали друг от друга большего. Да ее и невозможно было представить себе школьницей — разве что она ходила в школу в костюмах от Шанели и по дороге забегала в парикмахерскую. Уж легче было вообразить ее на хоккейной площадке с клюшкой в руках. Единственное место, которое ей подошло бы, это кабинет мадам де Севинье[1].

До прихода гостей оставалось полтора часа, и мы успели рассказать друг другу все, что хотели. Хилари кратко и без особых восторгов сообщила, что у нее появился новый лю-

---

[1] Маркиза Мари де Севинье (1626—1696) — французская писательница, автор многочисленных писем, являющихся классическим образцом эпистолярного жанра.

бовник. Молодой немец по имени Рольф. Он поэт, намного младше ее — в общем, «прекрасный ребенок», как выразилась Хилари. Мне предстояло увидеть его вечером. Она по-прежнему жила одна, и это ее вполне устраивало. Я завидовала ей. Меня бы такое никогда не устроило. Если для Хилари и существовали сказочные принцы, они все умерли или остались в далеком прошлом. Мой же принц все еще ждал меня. Я очень любила Криса, однако прекрасно понимала, насколько он далек от этого идеала.

Я не собиралась говорить о Крисе, но после второго бокала Хилари сама подняла эту тему.

— Джиллиан, если дело идет к разрыву, надо рвать. И лучше сделать это самой. А если нет — наберись мужества и заставь себя поверить, что это не вопрос жизни и смерти. Я уверена, что Крис милый мальчик, но он не для тебя. Думаю, ты заслуживаешь лучшего. Крис никогда не даст тебе того, в чем ты нуждаешься. Он слишком похож на меня. Он не верит в то, во что веришь ты, а я сомневаюсь, что ради него ты сможешь поступиться принципами. Но какое бы решение ты ни приняла, знай, я всегда готова помочь или хотя бы выслушать тебя. Больше мне нечего добавить.

Слова Хилари тронули меня, но ее мнение о Крисе было явно несправедливо. Он... Он... Я по-прежнему хотела жить с ним, готова была на любые страдания и стремилась вернуть прошлое. Разрыв не входил в мои планы.

Пока я собиралась с мыслями, Хилари вышла в библиотеку и вскоре вернулась, держа в руках какую-то книгу. Судя по потрепанному кожаному переплету, она была очень старая и могла принадлежать нашим бабушкам.

— Может быть, эти слова покажутся тебе банальными, но в них много правды, — сказала она и протянула мне книгу, раскрыв ее на странице, где бурыми чернилами чей-то уверенный почерк вывел:

Кто душой стремится к наслажденью,
Обречен на вечное забвенье;
Только тот не предает мечту,
Кто целует радость на лету.

Под этими строчками стояла латинская буква Л и дата.

— Это был мой первый мужчина, Джиллиан. Он был старше меня на тридцать лет. В то время мне едва исполнилось семнадцать. Он был величайшим скрипачом Европы. Я любила его так, что чуть не умерла, когда он сказал, что я «стала большой девочкой» и он мне больше не нужен. Мне хотелось покончить с собой, но я этого не сделала. Это было бы недостойно. Со временем я поняла, насколько верны эти строки. Они стали моим девизом.

Тут в дверь позвонили, и я вздрогнула. Хилари открыла, и в комнату вошел высокий красивый юноша, светловолосый и зеленоглазый. Он был года на три младше меня и еще сохранял мальчишескую грацию, в которой не было ни следа угловатости. Я искренне любовалась им, но чуточку смущалась, глядя, с каким обожанием он смотрит на Хилари. Это и был Рольф. Он поцеловал мне руку и назвал «мадам», отчего я почувствовала себя на тысячу лет старше. А вот Хилари это не смущало и даже входило в ее планы. И тут меня осенило. Я поняла, что Хилари сама стала тем скрипачом, которого любила двадцать лет назад. Она расставалась с «маленькими мальчиками», когда те вырастали и переставали нуждаться в ее помощи, как перестают нуждаться в помощи учителя танцев после окончания школы. Не награждает ли она каждого выпускника бронзовой пластинкой, на которой выгравированы эти стихи? Мысль была забавная, и я тихонько хихикнула. Хилари испытующе посмотрела на меня, а Рольф густо покраснел, приняв это на свой счет. Бедный Рольф!

Остальные гости не заставили себя ждать. Первой пришла одна из редакторов журнала Хилари, чрезвычайно элегантная итальянка по имени Паола ди Сан-Фраскино, дочь какого-то знатного вельможи. Она прекрасно говорила по-английски: очевидно, сказывалось хорошее воспитание. Затем явилась жизнерадостная девушка, похожая на жокея. Она была автором двух книг, но совсем не походила на писательницу. Искрометное чувство юмора делало ее душой общества. Ее муж работал музыкальным критиком в одной английской газете, и оба они сильно напоминали сельских помещиков. Она носила что-то вроде кафтана, украшенного марокканскими самоцветами, и хотя ей было далеко до Паолы или Хилари, но тем не менее вкусом она обладала. Иное дело ее муж, который не мог похвастать ни одним из достоинств, украшавших Рольфа. Правда, этот юный поэт тоже начинал утомлять меня. Я с трудом подыскивала темы для разговора. После этого звонок прозвенел еще дважды. Сначала на пороге возник ужасно тщеславный, но довольно симпатичный француз, владелец картинной галереи на Мэдисон-авеню, и последним появился Гордон Харт, казалось, хорошо знакомый с Паолой и Рольфом. Он обнял Хилари, прошел к бару и смешал коктейль, чувствуя себя как дома. Не в пример Рольфу, который боялся лишний раз прикоснуться к чему-нибудь без разрешения Хилари. Перед тем как открыть рот, юноша бросал на нее вопрошающий взгляд. Это слегка раздражало. Именно так я вела себя после замужества, и мне было неприятно вспоминать об этом.

Вечеринка была восхитительная. Разговоры напоминали акробатические упражнения на раскачивающейся взад и вперед трапеции. Мы перескакивали от японской литературы к французским гобеленам, от новейших парижских мод к последней передовице Рассела Бейкера, от американской и русской литературы середины века к гомосексуализму в Италии, от средневекового католицизма к восточным культам, йоге и дзэн-буддизму... Все это было очень весело, но страшно изматывало. Такое можно было позволить себе не чаще чем раз в полгода. Подобные беседы быстро выворачивали тебя наизнанку, однако заставляли постоянно поддерживать форму. Тем и славились вечеринки у Хилари, где собирались художники, издатели и пишущая братия.

Наибольшее впечатление произвели на меня писательница и Гордон. Казалось, они знают не меньше остальных, но их знания были ближе к жизни. Я стала особенно ценить этот «реализм» после нескольких месяцев, проведенных с Крисом. Мне перестали доставлять наслаждение теоретические построения. С недавних пор я привыкла ценить обычный здравый смысл.

Гордон проводил меня до гостиницы. По дороге мы говорили о всяких пустяках. Когда гости начали расходиться по домам, от рвущегося наружу интеллектуализма не осталось и следа. Я думала, что Гордон угостит меня коктейлем, но этого не случилось. Он посмотрел на меня сверху вниз и неожиданно спросил:

— Что вы скажете, если я приглашу вас завтра пообедать со мной?

Чувствовалось, что он волнуется, но предложение было сделано от души. Грех было не принять его.

— С удовольствием.

— Очень хорошо. Тогда я позвоню утром и сообщу, в котором часу буду вас ждать. В пять у меня встреча с Джоном, так что едва ли это случится раньше восьми.

— Это меня устраивает. Спасибо, Гордон.

И спасибо за то, что проводили меня домой. Спокойной ночи.

Господи, лишь бы дожить до завтрашнего вечера... Поднимаясь в лифте, я твердо решила купить себе новое платье.

Глава 21

— Мама, куда ты уходишь?

— На обед, любовь моя.

— Опять? — Черт побери... Ох, Сэм...

— Да. Но зато я останусь дома на все выходные. — Вынужденный компромисс.

— У тебя новое платье?

— Что это? Допрос в инквизиции?

— Что такое «инквизиция»?

— Это место, где задают слишком много вопросов.

— Значит, у тебя новое платье?

— Да.

— Оно мне нравится.

— Что ж, уже легче. Спасибо.

Сэм придирчиво рассматривала меня, развалившись на диване.

— Знаешь, мама, ты потолстела в середине. Ты уже не такая худенькая, как раньше.

— Потолстела, говоришь? — У меня упало сердце. Я не думала, что это так заметно.

— Немножко. Не беспокойся.

В это время зазвонил телефон, и я поцеловала Сэм в макушку.

— Не буду. Иди в ванную, а я возьму трубку. Беги.

Она умчалась, а я с грустью подумала, что обед отменяется. Гордон задерживается на работе, отравился во время ленча, сломал лодыжку, промочил ноги или что-нибудь в этом роде... Ладно, Гордон... Я понимаю... Но как быть с моим новым платьем?

— Алло... Да, мисс, это я... Здравствуй, Крис... Да... Что случилось? Нет, я не занята... Нет. Я одна... Хорошо, ладно... Просто я собираюсь на обед... Какого черта ты говоришь, что не станешь отнимать у меня время?.. Обыкновенный обед с одним из друзей Хилари... — Почему я должна перед ним оправдываться? — Нет, никакой он не итальянский граф, он работает в журнале «Жизнь женщины»... Знаешь, на твоем месте я бы удержалась от подобных замечаний. Для полуженатого человека ты слишком придирчив, дорогой... Правда? А почему это совсем другое дело?.. Хочешь, чтобы я сказала почему?.. С удовольствием. Я все еще беременна, ты забыл о таком пустяке?.. Не слишком поздно для чего?.. Забудь об этом. Это не разговор... Как поживает Мэрлин? О'кей, я не хочу об этом слышать... Можешь ничего не объяснять, Кристофер. Все и так ясно... Уезжает?.. Когда?.. Я поверю только тогда, когда увижу это собственными глазами... Слушай, Крис, сделай одолжение, не высказывай своего мнения относительно моих планов на вечер... Я здесь, потому что ты сам так захотел, это не моя прихоть... Ладно, поговорим о чем-нибудь другом... Мы ведь не станем расстраивать дядю Криса, правда?.. Она поживает хорошо... Да, еще спрашивает о тебе... Как, разве мы не одна семья?.. Почему?.. Мэрлин устраивает тебе скандалы?!! Слушай, Крис, по-моему, тебе лучше пока не звонить. Мне это не нужно. От этого мне только хуже. У тебя есть Мэрлин, я тебе не нужна и не могу ничего изменить... Я позвоню тебе... О да, прекрасно... Слушай, иди к черту, оставайся с ней, но отстань от меня, пожалуйста... Тогда напиши... Нет, к врачу схожу на следующей неделе. Кажется, все о'кей, а там не знаю... Немного устала, вот и все... Крис, правда, как ты?.. Чертовски тоскую по тебе, прямо невмоготу... Нет, вовсе не поэтому. Друг Хилари здесь совершенно ни при чем... — Тут позвонили в дверь, и я занервничала. — Слушай, Крис, мне пора. Я позвоню... о'кей, о'кей, хорошо... Нет, не звони... Ладно, позвони... Как до понедельника?.. Ах, да, уик-энд, я забыла... Слушай, пора кончать разговор. Я люблю тебя... Крис?.. Да, малыш, я знаю...

Обыкновенный телефонный разговор. А Гордон в это время ждал, пока ему откроют дверь.

Мы с Гордоном провели чудесный вечер. Он повел меня в крошечный итальянский ресторан в районе Восточных Двадцатых улиц, а затем мы зашли выпить коктейль в ресторан Центрального парка. Он располагался на верхнем этаже безликого конторского здания. Но стоило выйти из лифта, как мы сразу очутились в другом мире. Интерьер был оформлен в индийском стиле. Нас встретила девушка, одетая в золотистое сари. Она раздвинула богато вышитые занавески, закрывавшие вход в зал. В воздухе стоял густой аромат благовоний, столы были длинные и низкие, а зал пульсировал в такт непонятной, но завораживающей музыке. Хотелось закрыть глаза и начать тихонько покачиваться. На каждом столе стояло по одной-единственной розе. Официанты были высокими и смуглыми, многие из них носили бороду, а кое-кто и тюрбан.

Мы выпили по экзотическому коктейлю, и я молча стала любоваться панорамой. Отсюда знакомый город казался совершенно чужим. Все зависело от ракурса. Передо мной открывался вид на северную часть Нью-Йорка. Далеко внизу светился Центральный парк, напоминавший рождественскую игрушку. С трех сторон его обрамляли высокие дома. Я чувствовала себя унесшейся далеко-далеко и с трудом верила, что за окнами ресторана виднеется все тот же Нью-Йорк, только искусно украшенный и подсвеченный прожекторами...

Гордон велел принести изысканное белое вино и розовое печенье. Когда официант доставил заказ и неслышно исчез, Харт вернул меня к реальности. Казалось, ему было незачем задавать вопросы. Он заранее знал, что услышит в ответ.

— Джиллиан, почему вы не остались на Западе? — Его взгляд гипнотизировал меня.

— Захотелось вернуться домой.

— Это неправда. Ладно, допустим, но тогда зачем вам понадобилось бежать оттуда? Могу представить, как нелегко далось вам это решение.

— Я не совсем понимаю, что вы имеете в виду. Но нет, я не бежала. Просто вернулась.

— Из-за мужчины?

Я долго колебалась, но потом кивнула.

— А вы? Почему вы бросили Испанию? — Око за око...

— Я там голодал.

— Теперь вы говорите неправду. — Я улыбнулась, вынула розу из вазочки и потрогала лепестки.

— Просто настало время уезжать.

— Вы сами бежали оттуда или этого потребовала она? — Заданный им вопрос позволял мне отплатить ему той же монетой.

— И то и другое. Она совершила самоубийство, а потом я бежал. — Его лицо выражало глубокую печаль, но на нем не было ни следа удивления. Его прямота сразила меня.

— Простите, Гордон. — Я отвернулась, жалея, что мы начали этот разговор. Завязалась рискованная игра. У нас обоих было слишком тяжелое прошлое.

Лицо Гордона оставалось грустным и серьезным. И я не могла заставить себя посмотреть ему в глаза.

— Что ж, все это случилось давным-давно. Ее звали Хуанита. Она была самой прекрасной девушкой на свете. Доброй и чистой. Как ребенок. Я узнал, что она была малагской проституткой. И она покончила с собой. Самое забавное заключалось в том, что меня ее прошлое нисколько не волновало. Мне было совершенно все равно, это ничего не меняло. Я ожидал чего-то в этом роде. Но она этого не знала. Человек, поставивший меня в известность, сообщил об этом ей, и она умерла прежде, чем я успел вернуться домой. После этого я и уехал. Просто больше не мог там находиться. Хоть я и любил этот город, но всегда оставался в нем чужим. — Я снова кивнула. К сказанному добавить было нечего. — А ваш любимый, Джиллиан? Кем он был?

— Ничего особенного. — Мне не хотелось говорить о Крисе. Нужно было отвечать честностью на честность, но Крис еще не стал для меня таким же давним воспоминанием, каким была Хуанита для Гордона. Его рассказ был эпосом, мой превратился бы в исповедь.

— Значит, роман продолжается?

— Нет... То есть мы общаемся, но мне кажется, что все кончено. — В глубине сердца я знала, что лгу. Я не думала, что все кончено. Наверное, еще не все. Я не могла в это поверить.

— На кого он похож?

— На моего отца.

— А ваш отец на кого?

— Как бы это помягче выразиться... На ублюдка. — Я подняла глаза и с облегчением улыбнулась.

— О чем это говорит, Джиллиан?

— Ни о чем хорошем. Но я поняла это совсем недавно.

— Вы были счастливы с ним?

— Какое-то время. Да, очень. В нем было много хорошего, иначе я бы не смогла прожить с ним ни дня. И все же на поверку он оказался ублюдком, как и мой отец. Я не считаю его плохим человеком. Просто он оказался неспособен дать мне то, в чем я нуждалась. Я все знала, но закрывала на это глаза. — Странно. Мы говорили о Крисе в прошедшем времени.

— И все же почему вы решились уехать? Слово «ублюдок» само по себе ничего не объясняет. Оно означает только одно: вы любили его. — Ух-х... Гордон был прав. Совершенно прав.

— Верно... Я уехала, потому что он заставил меня сделать это. А жила я с ним так долго, потому что... потому что любила, нуждалась в нем и не хотела, чтобы это кончилось. Пока я соблюдала правила игры, все было о'кей. А потом... все усложнилось. Появилось многое другое.

— Значит, это не кончилось... Я прав, Джиллиан?

— И да и нет. О черт, Гордон! Тут столько всего... — Я посмотрела ему в глаза. — Кончилось, потому что я больше не верю в его любовь. И не кончилось, потому что у меня будет ребенок. А это не кончится никогда. — И тут меня затрясло.

— Кто-нибудь знает об этом? — невозмутимо спросил Харт.

— Только одна подруга. И он, конечно. Но это неважно.

— Вы не подумывали об аборте? Наверняка подумывали.

— Да. Я думала об этом. Но я хочу ребенка. Понимаю, что это ужасно осложнит мне жизнь, но все равно хочу. И рожу.

— И правильно сделаете. Будь я на вашем месте, я бы не решился признаться в этом. Меня восхищает ваша решимость, но у нас откровенность не в моде.

— Знаю. Я и не собиралась никому говорить об этом. И что на меня нашло сегодня? Просто сорвалось с языка. — Я отвернулась, попыталась улыбнуться и почувствовала бережное прикосновение к своей руке.

— Не грустите, Джиллиан. Вы справитесь.

— Спасибо за доверие. Иногда это бывает очень нужно. — Слабая улыбка коснулась моих губ. Как странно... Цепь взаимных признаний.

Меньше чем за час мы узнали больные места друг друга, изучили все шрамы и отметины. Что заставляло нас рассказывать о своем прошлом? Неужели судьба? И тогда я снова бросила камень в его огород:

— А как же ваша семья?

— Откровенно говоря, ее никогда не было, Джиллиан.

— Но вы сказали... — Я удивилась. Он был слишком честен, чтобы шутить такими вещами.

— Ради бога, девочка, не смотрите на меня такими глазами! Да, я был женат. Но настоящей семейной жизни у меня не было. Было что-то краткое, болезненное и начисто лишенное положительных эмоций.

— Тогда зачем же вы женились? — Это было совсем не в его стиле.

— Все очень просто. Я должен был это сделать. Или считал, что должен. С тех пор прошло двадцать пять лет. Я мельком увидел одну юную леди и... ну...

— Она забеременела.

— Верно. Аборт делать она отказалась, я решил сделать благородный жест и женился на ней. Но брак оказался недолгим. Вскоре после рождения Грега мы развелись. Вот и все.

— Ну что ж, по крайней мере у вас остался Грег. Вы с ним ладите?

Он с горечью покачал головой.

— Не слишком, моя дорогая. Грег очень милый мальчик. Умный, веселый, независимый. Но чужой. Когда я уходил, то попытался забыть о его существовании, вычеркнуть из памяти. Мне не довелось видеть его маленьким. А потом я уехал в Испанию, разве вы забыли? Когда я вернулся, ему было пятнадцать. Трудно стать настоящим отцом пятнадцатилетнему сыну, которого ты никогда не знал.

— Может быть, в один прекрасный день это все же произойдет...

— Может быть. Но едва ли. Он считает меня неисправимым материалистом и, пожалуй, совершенно прав. Чтобы заслужить его уважение, я должен был бы сделать что-то грандиозное. Например, стать художником в воюющем Афганистане или что-нибудь в этом роде. А это не входит в мои планы. Однако, леди, мы с вами засиделись, рассказывая друг другу о своем ужасном прошлом. Давайте-ка я провожу вас домой, уже поздно. — Он подозвал к себе официанта в тюрбане, и стало ясно, что излияния души закончены. Гордон Харт умел держать себя в руках. Он посмотрел на меня и вдруг улыбнулся. — Должно быть, вы имеете странную власть надо мной. Давно я не позволял себе такой откровенности. — Произнеся этот комплимент, он помог мне встать. Его прикосновение было нежным, но твердым. Держась за руки, мы спустились вниз и вышли наружу. Стояла чудесная ночь. Дул теплый ветерок, по мостовой звонко цокали копыта лошадей, запряженных в нарядные экипажи.

— Этот город ненастоящий, он из кино... — Я оглянулась и увидела, что Гордон следит за мной.

— Пойдемте, Джиллиан. Пора возвращаться в отель.

От «Риджженси» нас отделяло всего лишь три квартала. Он обнял меня за плечи так, словно имел на это полное право. Всю дорогу мы молчали и вскоре остановились у вращающейся двери. Гордон слегка улыбнулся.

— Как вы относитесь к трапезам на лоне природы? Завтра я собираюсь съездить к друзьям в Бедфорд. Деревенский воздух пошел бы вам на пользу. — Не «я был бы рад, если бы вы поехали со мной», а «деревенский воздух вам на пользу»... Я хотела было пошутить на эту тему, но вовремя заметила, с каким нетерпением он ждет ответа.

— С удовольствием, Гордон.

— Не хотите прихватить с собой дочку?

— Спасибо за приглашение, но у нее другие планы. Она идет в гости к однокласснице.

— Ну что ж. Тогда я заеду за вами в одиннадцать. И не жалейте о том, что понапрасну потеряли вечер. Вам надо было выговориться. Да и мне тоже. — Он не сделал попытки поцеловать меня, только ласково прикоснулся к плечу и шагнул в сторону.

Мы еще раз помахали друг другу, и я птицей впорхнула в номер. Меня пугало только одно: что это волшебство завтра кончится.

— Джиллиан, вы не подадите мне карту? Она в ящичке перед вами. — Мы ехали по набережной Ист-Ривер. На лице Гордона не было и тени улыбки. Ничто не напоминало о сделанных вчера признаниях.

— Конечно. — Я щелкнула дверцей, вынула карту и подала ему.

— Откройте, пожалуйста. — Меня слегка удивил его тон, но я послушно разложила карту... и прыснула со смеху. Это была карикатура, в сильно шаржированном виде изображавшая нас с мистером Гордоном Хартом, поглощающих сосиски под уличным фонарем у здания «Жизни женщины». На фонарь мочились чихуахуа и сенбернар, а из окон выглядывали все сотрудники редакции. Подпись гласила: «Пора уносить отсюда ноги». Я подняла глаза и увидела довольное лицо Гордона.

— Раз так, за мной ленч. Просто здорово, Гордон! У вас настоящий талант!

— У вас тоже.

Ленч в Бедфорде прошел очень мило, друзья Гордона мне понравились, и день пролетел незаметно.

К пяти часам я вернулась в отель — как раз вовремя, чтобы встретить Саманту.

В воскресенье мы с помощью Пег перебрались на старую квартиру. Я успела привыкнуть к «Ридженси» и на первых порах чувствовала себя не в своей тарелке. Сэм была на седьмом небе от радости, что наконец-то оказалась дома. Мне же пришлось весь вечер мыть полы, драить уборные, и под конец я так устала, что с трудом доползла до кровати.

— Саманта! Завтракать!.. Поскорее, а то опоздаешь в школу! — А я на работу. Теперь самое главное — восстановить утраченную сноровку. Без этого успеть собраться к восьми часам было нечего и думать. Все равно что пытаться в роликовых коньках залезть на айсберг. В Сан-Франциско было куда проще. Наверно, все дело в одежде.

— Сэм, где ты?

— Иду, мамочка! — Она влетела в комнату по-ковбойски. Школа Криса. — Я здесь!

— О'кей, любовь моя, ешь овсянку. Мы торопимся.

— Ковбои не едят овсянку, — оскорбленно заявила она.

— Едят, едят. Давай, Сэм, не капризничай. — Я пыталась пить кофе и одновременно читать газету, но думала при этом, что неплохо бы почистить туфли.

На работе предстояло сделать кучу телефонных звонков, договориться о съемке детской, закончить возню с актерской столовой и выполнить кучу мелких поручений Джона Темплтона.

Во вторник Гордон угощал меня обещанным ленчем, во время которого пригласил на торжественную встречу журналистов в Музее современного искусства, назначенную на следующий вечер.

В среду днем я забежала домой, надела черное бархатное платье и атласную накидку малинового цвета и стала ждать. Гордон обещал подъехать к семи часам. Приподнятое настроение постепенно угасало, сменяясь унынием. Крис не звонил целую неделю. Как обычно, это причиняло мне боль. Я тосковала по Крису Мэтьюзу, по его рукам, спокойному голосу и, как ни странно, даже по его отчужденности.

— Мамочка! Звонят в дверь! — на всю квартиру крикнула Сэм.

— О'кей. Иду. — Я так задумалась, что даже не услышала звонка. Это Гордон.

— Все в порядке? О нет, не извиняйтесь! Великолепно выглядите, Джиллиан. — Он придирчиво осмотрел меня и поцеловал в лоб.

— Спасибо, сэр. Как прошел день?

— Как обычно. Джиллиан, что-нибудь случилось?

— Нет. Почему вы так решили?

— Либо у вас был трудный день, либо вы расстроены. — Вы слишком проницательны, мистер Харт...

— Нет. Честное слово. Может быть, немного устала, только и всего. Не хотите выпить на дорожку?

— Не стоит задерживаться.

— Кто это? — В дверях возникла Саманта и с любопытством уставилась на гостя.

— Гордон, это Саманта. Это мистер Харт, Сэм.

— А кто он такой?

— Мы вместе работаем. Кроме того, он друг тети Хилари. — Я тревожно следила за обоими. Сэм могла сказать какую-нибудь грубость и хлопнуть дверью, а Гордон не умел обращаться с детьми.

— Можно потрогать вашу бороду? Она настоящая? — Саманта осторожно приблизилась, и Гордону пришлось нагнуться, чтобы заговорить с ней.

— Да, настоящая. Смелей, Саманта. — Ох... Вдруг ей придет в голову дернуть изо всех сил? Но она провела по бороде рукой, и я перевела дух.

— Знаешь, она похожа на лошадиную гриву...

— Это комплимент, — пояснила я.

— Ты любишь лошадей, Саманта?

— Ага! Еще как! — Завязалась оживленная беседа, и я поразилась, как много Гордон знает о лошадях. Еще больше меня удивило, когда он потянулся к лежавшему на столе бювару и сделал для Сэм несколько набросков. Дочка была очарована. Кажется, они нашли общий язык.

— Джиллиан, нам пора. Саманта, надеюсь, мы еще увидимся.

— Конечно. Приходите в гости, мистер Гордон.

— Мистер Харт, Сэм. Спокойной ночи, радость моя. Не ссорься с Джейн, будь хорошей девочкой. — Мы крепко обнялись и горячо расцеловались.

Тем временем Гордон вызвал лифт.

— Очень трогательно, Гордон. Спасибо. — Пока мы ловили такси, у меня поднялось настроение. Слава богу, Саманта обрадовалась ему.

— Она мне нравится. Живая и очень откровенная.

— О, этого добра у нас хоть отбавляй! — засмеялась я и покачала головой. Тут подъехало такси, и мы отправились в музей.

Вечер удался. Было очень приятно, что все смотрят мне вслед и наперебой спешат представиться. Оказывается, Гордон входил в правление музея, но не удосужился упомянуть об этом. Мы встретили Хилари, на сей раз без Рольфа. На ней было длинное черное трикотажное платье и такой же длины тонкая белая накидка. Гордон пригласил ее пообедать с нами. Это было бы замечательно, но она отказалась.

На сей раз Гордон повел меня в «Лютецию», где его принимали так, словно он был владельцем ресторана или по крайней мере арендовал в нем стол.

В музее мы столкнулись с Мэтью Хинтоном. Его сопровождала какая-то ярко-рыжая красотка, о голову которой можно было зажигать спички. Она судорожно цеплялась за его руку и сгорала от благодарности. Мы с Мэтом сдержанно поздоровались, и стало окончательно ясно, что он испытывает ко мне такое же прохладное чувство, как и я к нему. Боже, как ошиблась «Женская мода», всего лишь неделю назад назвавшая меня «его последней любовью»! Он был очень мил, но не более того.

В компании с Гордоном Хартом мне не угрожала опасность быть отмеченной светской хроникой, но я об этом ничуть не жалела.

Глава 22

Пятница стала для меня сущим адом. Актеры, хозяева эксцентричной столовой, стояли посреди толпы людей, готовых к съемкам. Но первый кадр сделали лишь четыре часа спустя. Супружеская чета умудрилась напиться, поссориться, устроить в комнате полнейший бедлам и довести фотографов до белого каления. Съемки закончились только в полночь, и я сомневалась, что хотя бы одна фотография окажется удачной. Но это было не все: в качестве вознаграждения за терпение всех пришлось угостить обедом. Я ввалилась домой в два часа ночи, полумертвая от усталости, и рухнула на кровать.

Через час пришлось встать. Меня рвало, бил озноб и сводили судороги. Я пришла в ужас, решив, что это выкидыш. Следовало позвонить Пег, доктору или даже Гордону. Кому-то в здравом уме и твердой памяти. Но сама я в здравом уме не была, ощущая лишь животное чувство страха перед внезапной болезнью. Повинуясь эмоциям, я инстинктивно набрала номер Криса.

— Алло...

— Крис?.. Кажется, у меня выкидыш. Мне очень страшно. Мы работали до часу ночи... Нет, ради бога, я понимаю. Нет, я не пьяна... Мне плохо. Что делать?

— Ради Христа, Джиллиан, перестань плакать. Почему ты звонишь мне? Я ничего не могу сделать. Звони доктору... Слушай, я не могу сейчас говорить. Позвоню в понедельник.

В понедельник? В понедельник? Какой еще, к черту, понедельник? Сукин сын... Я кое-как оделась и отправилась в больницу «Ленокс-Хилл», где провела всю ночь, лечась от усталости и истерии.

Наутро я отправилась домой, чувствуя себя набитой дурой. От изнеможения подгибались ноги. Как только я вошла, позвонил Гордон.

— Где это вы гуляете в такую рань? Я звонил в девять. Правда, что вчерашняя съемка оказалась форменным сумасшедшим домом?

— О да... — И тут я рассказала ему о ночи в больнице, благоразумно опустив эпизод со звонком Крису.

Гордон посочувствовал мне, пообещал позвонить в воскресенье и разрешил не выходить на работу в понедельник.

Я проспала весь день, а когда проснулась, от него принесли цветы: маленькую корзинку в виде гнездышка, полную мелких голубых и оранжевых цветов. Внутри лежала карточка: «Работа — опиум для народа. Не следует увлекаться. Отдыхайте как следует. Примите извинения от вашего художественного директора, Гордона Харта». Забавно. Умно. Изящно. И никаких пошлостей вроде подписи в виде буквы Г...

Гордон позвонил в воскресенье. Я чувствовала себя лучше, однако все еще ощущала слабость, и он согласился дать мне отдохнуть, но пригласил пообедать с ним в четверг.

Днем я лежала в постели, с удовольствием думая о том, как заботится обо мне Гордон, и даже слегка задаваясь. Впервые в жизни мужчину волновало мое здоровье. Вдруг раздался звонок в дверь. Кого еще черт несет? Я открыла. Это был Гордон.

— Извините, я передумал. Хилари сказала, что вы любите, когда вас навещают в воскресенье. Мы встретились во время ленча, и она просила передать вам привет. Можно войти?

— Конечно, — сухо сказала я, разрываясь от злости. Я выглядела чучело чучелом, он согласился не приходить, мне было скверно, а визиты без предупреждения во всех учебниках хорошего тона считаются преступлением...

— Я вижу, вы мне не рады, миссис Форрестер.

— Просто удивлена. Чаю выпьете?

— Да. Но я сам займусь чаем, а вы ляжете в постель.

— Ну что вы. Все в порядке. Я встану. Мне уже лучше. — Я совсем не собиралась разыгрывать из себя больную и позволять ему сидеть у моей кровати.

— Мне тоже так показалось, но я в этом плохо разбираюсь. Пойду ставить чайник.

Он ушел на кухню, долго громыхал там посудой, однако вернулся довольный и принялся пошучивать и оглядываться по сторонам. Саманта отсутствовала, и в квартире было ужасно тихо.

Я впала в прострацию, отделывалась пустыми фразами и смотрела в чашку, пытаясь не показать виду, что чувствую себя неуютно. Вдруг Гордон встал, обошел кофейный столик, сел рядом и поцеловал меня. У него была колючая борода и неожиданно мягкие губы. От смущения я машинально ответила ему. После поцелуя он слегка отодвинулся, посмотрел мне в глаза и обнял.

Это были те самые объятия, о которых я мечтала, когда была восьмилетней девочкой. С тех пор прошло двадцать лет, а мечта по-прежнему оставалась мечтой. И осуществить ее суждено было именно Гордону Харту. Я сидела в кольце его рук и чувствовала, как на глаза набегают слезы.

Нужно было встать и зажечь свет, но я боялась пошевелиться. Это могло подстегнуть его к более решительным действиям, к чему я совсем не стремилась.

— Вы хотите, чтобы за вами поухаживали, да?

— Что? — Это было так неожиданно, что я не выдержала и рассмеялась.

— Миссис Форрестер, мы могли бы провести еще несколько недель, обедая друг с другом дважды в неделю и наслаждаясь прелюдией. Потом я бы «поухаживал» за вами, мы бы достигли согласия, и недели через три вы легли бы со мной в постель. Вместо этого мы можем сделать это сейчас, и у нас будет три лишние недели счастья. Что вы об этом думаете?

— Я не могу. Мне очень жаль, но не могу. Я бы расстроилась и не сумела скрыть этого. Я себя знаю, — прошептала я, потупившись и уставившись на свои колени.

— Ладно... — Меня слегка огорчила готовность, с которой он согласился с моими доводами, но все же я испытала большое облегчение.

Мы тихонько переговаривались, сидя на диване в гостиной, прислушиваясь к шуму дождя и время от времени целуясь. С каждым новым поцелуем во мне разгоралось желание, и мы все крепче сжимали друг друга в объятиях, пока он не поцеловал мою грудь. Я всем телом рванулась к нему, мы взялись за руки и двинулись в спальню, торопливо лаская друг друга на ходу и чуть не опрокинув торшер. Он стал раздеваться, и я с изумлением заметила, что на нем нет белья.

— Черт побери, Гордон Харт, такой серьезный человек, целый день разгуливает по редакции без трусов! А если «молния» сломается? — рассмеялась я. Забавная была бы картина...

— Такого ни разу не бывало.

— А вдруг несчастный случай? Моя бабушка говорила...

Он громко захохотал, подошел ко мне и стал помогать раздеваться.

— Джиллиан, ты прекрасна... — убежденно произнес Гордон. Вскоре наши тела сблизились, переплелись, соприкоснулись, слегка отпрянули и соединились вновь. Мы лежали, крепко обнявшись, и нам было так легко, так просто... Мы стали приятелями. Это не было настоящей любовью, мы лишь очень нравились друг другу. Впервые в жизни мне не хотелось крикнуть: «Я люблю тебя!» Это было ни к чему. Мы просто обнимались, смеялись, и я чувствовала себя в ладу с миром.

С Гордоном было даже лучше, чем с Крисом. Мне это казалось странным: я ведь не любила Гордона. Но в этот день я прекратила сердиться на Криса. Я легла с Гордоном в постель вовсе не потому, что стремилась отомстить Крису за Мэрлин. Я отдалась Харту, потому что хотела этого и он мне нравился. Только и всего.

Я лежала в объятиях Гордона, смеялась, когда он рисовал на мне восьмерки, обводя пальцем груди, и вспоминала строчки из книги Хилари: «Только тот не предает мечту, кто целует радость на лету...»

Глава 23

Что ни говори, а октябрь выдался удачным: теплым, богатым на встречи и полным дел. Саманте повезло со школой, а я хоть и не сумела полюбить Нью-Йорк, но была близка к этому. Во всяком случае, не просто привыкла. Город благоволил ко мне и всячески старался угодить. Пора листопада всегда приходит в Нью-Йорк неожиданно и длится недолго, но это заставляет относиться к ней с особенной нежностью. Тот, кто в это время уезжает из города, навсегда запоминает его в золотистых тонах; тот же, кто остается, видит грязь, слякоть, а потом, летом, мирится с вонью и ужасающей духотой. Но в пору листопада Нью-Йорк прекрасен — красный, золотой, бурый, ясный, ветреный, бодрый; улицы становятся чище, люди ступают по ним, как будто маршируя; всюду царит запах жареных каштанов; в уик-энд город заполняют толпы молодых людей (хотя здесь хватает и своей красивой молодежи), которым некуда податься, поскольку лето уже кончилось, а кататься на лыжах еще рано. Это мое любимое время года, и если в моем сердце есть уголок и для Нью-Йорка, то только благодаря листопаду: двум-трем, от силы четырем неделям в конце осени.

На этот раз город расщедрился вдвойне. Эти волшебные недели были живее, бодрее и прекраснее, чем когда-либо. Нью-Йорк всегда напоминал мне потрепанную потаскушку, не слишком привлекательной внешности, которая время от времени бывает в хорошей форме. Именно такой порой был для Нью-Йорка октябрь.

Мы с Гордоном виделись два-три раза в неделю, частенько заходили в какое-нибудь «приличное место», иногда встречались после работы и обедали либо у него, либо у меня дома. В середине месяца мы сложились, порылись в записных книжках и устроили вечеринку. Было шумно и весело, собралась куча людей, среди которых попадалось множество прелюбопытных типов. Впрочем, так проходит в Нью-Йорке большинство вечеринок.

День Гордона был расписан по минутам, да и у меня хватало дел, поэтому нам не грозило наскучить друг другу.

Все это было не слишком обременительно и постепенно входило в свою колею, как и погода. Жизнь продолжалась.

Прошел День Всех Святых[1], принесший Саманте богатую добычу. Подарки ждали ее и дома, и у Гордона. Он пригласил ее к себе, чтобы подразнить соседей, и это доставило Сэм огромное удовольствие. С тех пор они с Гордоном стали закадычными друзьями.

День благодарения мы договорились скромно отметить у меня дома, и я уже собиралась уходить с работы жарить индейку, когда в кабинете раздался звонок. Это была Джулия Вейнтрауб.

— Хай! Я поговорила с доктором. Похоже, вы обеспечены работой по крайней мере еще

---

[1] Празднуется 1 ноября.

на месяц. Вот свинство! Впрочем, я не жалуюсь. Неплохо в кои-то веки отдохнуть, а здесь к тому же есть парочка симпатичных молодых врачей. Старому хрычу Джону Темплтону до них далеко. — Несмотря на шутливый тон, чувствовалось, что она расстроена. Не так уж весело лежать на спине со всеми этими скобками и вытяжками, и никакие молодые врачи тебе не помогут. Я бы охотно променяла их даже на общество Элоизы Фрэнк. Бедная Джулия.

— Вы еще не разговаривали с Джоном?

— Да, я звонила ему. С минуты на минуту он вызовет вас на ковер и сообщит приятную весть.

— Бросьте, вы прекрасно знаете, как здесь ждут вашего возвращения. Нет проходу от расспросов, когда вернется Джулия. — Я несколько преувеличивала, но решила, что это пойдет на пользу.

— Вранье. Но слышать приятно. Я видела гранки последнего номера. Ваши материалы мне понравились. Так что, когда меня отсюда выпустят, я могу остаться без работы... — Похоже, это ее всерьез беспокоило.

— Теперь вы сами врете, леди. Я здесь девочка на побегушках, и то временно. Если это успокоит вас, могу умыть руки и надеть белые перчатки. — Тут она рассмеялась и стала похожа сама на себя. — Слушайте, серьезно, что говорят врачи? Есть улучшение?

— Не знаю. Они мало что сообщают. Насколько мне известно, им придется кое-что перештопать. Это означает хирурга-ортопеда и новую операцию, что мне совсем не по душе. Как минимум четыре недели коту под хвост. Полная депрессуха. — Именно так она и выразилась.

— Ну, выше нос! Может, лучше отмучиться разом, чем вернуться в больницу через полгода. Так что не расстраивайтесь. Вы ведь не хотите, чтобы я из-за вас заработала геморрой? — Джулия фыркнула снова. — Я зайду к вам в конце недели и расскажу все новости... Кстати, вы помните симпатичное кресло в приемной у Джона?

— Ага...

— Так вот, я слышала, что вчера днем Люциус Баркли трахнул на нем Элоизу. — Люциусом звали младшего редактора отдела косметики. Однако это не вызвало бы гнева даже у сторонниц борьбы за женское равноправие. В Люциусе не было ничего мужского. Абсолютно ничего.

Шутка возымела действие. Джулия зашлась от хохота.

— Ой, перестаньте!.. Мне больно смеяться... — В трубке раздались фырканье и отрывистый смешок. — Вы все перепутали. Мне уже рассказывали эту историю: не Люциус трахнул Элоизу, а она его. — Тут мы обе покатились со смеху.

— О'кей, Джулия, как хотите, а в уик-энд я вас навещу. Что-нибудь принести вам?

— Да. Мужика поздоровее.

— А на что же вам тогда молодые врачи? Слушайте, оставьте хоть одного на мою долю! Не залеживайтесь, Джулия, мы соскучились по вас. Я жду не дождусь, когда наконец сбагрю вам эту работу. Мечтаю пополнить собой ряды безработных.

— Не прибедняйтесь. Ишь, размечталась: шесть месяцев! Если вы рассчитываете, что я проваляюсь здесь полгода, то сильно ошибаетесь. Поэтому не вздумайте бить баклуши... Ладно, до встречи... Эй, Джиллиан... Спасибо.

— Не глупите. Спасибо вам. И давайте обойдемся без сантиментов, а то я сгорю со стыда. До встречи... Берегите себя.

Бедная Джулия. Все это звучало не слишком весело, и я начала подумывать, что мой прогноз похож на правду. Тут опять зазвонил телефон, и я услышала, что «мистер Темплтон будет счастлив увидеть миссис Форрестер через пять минут».

Полчаса спустя, когда я вышла из кабинета Джона, мне было не до смеха.

Оказывается, Джон разговаривал не только с Джулией, но и с ее лечащим врачом. Джулии не становилось легче, у нее был низкий гемоглобин. Врачи подозревали худшее, они не были в этом уверены, просто «подозревали» и собирались поставить точный диагноз после операции. Скорее всего у нее был рак кости. Джулия об этом не знала.

Когда Джон закончил свой рассказ, я почувствовала слабость, тошноту и холод под ложечкой. Он попросил меня никому об этом не говорить. Слава богу, у него хватило такта не намекать на то, что моя работа из временной может превратиться в постоянную. Я гнала от себя эту мысль, иначе у меня началась бы истерика.

Когда все кончилось, я пошла к себе в кабинет, закрыла дверь, прислонилась к ней и дала волю слезам. Как я посмотрю в лицо Джулии в День благодарения? Такие вещи бывают не только в «мыльных операх»; они на каждом шагу случаются в жизни, в том числе и с твоими знакомыми...

На следующий день у нас с Сэм и Гордоном был праздничный обед. Все было бы хорошо, если бы не мысли о Джулии.

С другой стороны, я была уже на шестом месяце и не видела Криса десять недель. Я все еще тосковала по нему, но уже не так, как прежде. У меня были работа и Гордон, и жилось мне неплохо. Ребенок был только моим, а мужчины на улице перестали напоминать Кристофера. Пожалуй, теперь они чаще напоминали мне Гордона, если вообще кого-то напоминали.

Гордон ушел вскоре после полуночи, и, когда в два часа зазвонил телефон, от голоса Криса у меня отнялись ноги.

— Джилл, я звоню из аэропорта. Получил заказ из Нью-Йорка на съемки фильма. Прилетаю на месяц. Через шесть часов буду у вас. «Американ эйрлайнс». Встречай меня.

Глава 24

Самолет остановился прямо перед окном, и из него стали выходить изрядно помятые пассажиры. Главным образом мужчины с чемоданами в пластиковых чехлах или «дипломатами». И всего несколько женщин, в том числе одна с двумя маленькими детьми. Люди. Еще люди. А Криса все не было. Где же он? Опоздал на рейс? Или я перепутала аэропорт? Может, он прилетит следующим самолетом?.. И вдруг он вырос как из-под земли, улыбающийся, слегка заспанный и ужасно красивый. Если бы он остановился, я бы не выдержала и бросилась к нему навстречу. Но Крис, не сбавляя шагу, двинулся прямо ко мне.

— Хай, Джилли, как дела? — Как дела?.. Это после трехмесячной разлуки?.. Ну, дерьмо...

— Нормально.

— Я не заслужил поцелуя? — спросил он, подставляя щеку, когда мы добрались до багажного отделения.

— Подожди до дому.

— Молодая леди строит из себя недотрогу? — развеселился Крис.

Он смеялся надо всем и главным образом надо мной, а я чувствовала себя дура дурой и пыталась выдавить пару слов, которые могли бы сойти за беседу.

Крис полностью погрузился в пересчитывание своих сумок. Все оказалось в целости и сохранности. Я смотрела на него, гадая, что же связывает меня с этим человеком. Как я могла думать, что эта связь еще существует, что все осталось по-прежнему, как могла верить в сказочного принца, если все было ясно с первого взгляда? И все же я продолжала на что-то надеяться.

Я хмуро разглядывала Криса. Казалось, за это время он вырос, раздался в плечах, загорел и поздоровел. Боже, какая разница по сравнению с бледными, усталыми жителями Нью-Йорка!

Он забрал с конвейера последнюю сумку, и мы двинулись к выходу ловить такси. По дороге мы оба напряженно молчали. Я еще не забыла про последнюю ссору и разговаривала отчужденно, избегая смотреть в глаза этому высокому загорелому мужчине. Он обратил внимание на мою меховую шляпу, похвалил ее и мельком отметил, что я совсем не похожа на беременную.

— Ты что, избавилась от него?

— Это пальто, Крис. Одежда пока скрывает все.

— Ага. Я бы побился об заклад, что ты не беременна. — Я знала, что он вовсе так не думает, но реплика была в его стиле и разозлила меня до такой степени, что я еле сдержалась.

Когда мы добрались до дому, Крис бросил сумки в холле и устремился на кухню, откуда доносился голос Саманты, певшей дифирамбы своей учительнице.

— Дядя Криц!

Визги, крики, объятия, подбрасывание в воздух и снова визги. Нет, смотреть на них было одно удовольствие! Два человека, которых я любила больше всех на свете, вцепились друг в друга, обнимались и хохотали. Я тоже засмеялась и сразу перенеслась в Калифорнию, с ее ярким солнцем, пляжами и любовью.

— Дядя Криц, я покажу тебе мою комнату! А ты, мама, не входи.

— Ладно, я пошла готовить завтрак.

Они ушли, взявшись за руки. По дороге Саманта рассказывала ему о школе, а Крис спрашивал, как она себя вела и следовала ли его совету добавлять в кукурузные хлопья мед.

Бедная Сэм, она нуждалась в Крисе не меньше, чем я. Он был ей настоящим отцом, а время, проведенное в Калифорнии, больше всего походило на нормальную семейную жизнь...

— Завтрак готов! Вылезайте!

— Сейчас... — глухо донеслось из холла. А затем появился Крис, запряженный в скакалку, и Саманта, вопившая: «Н-но, лошадка!»

— Лошадки не завтракают за столом, мистер Мэтьюз.

— Это было давно. За последние два месяца многое изменилось. — Тут мы рассмеялись и принялись уплетать яйца, вафли, тосты и бекон. Мы ели, болтали, подтрунивали друг над другом, и только тут я поняла, как ужасно истосковалась по Крису. Все, что мне приходило в голову раньше, нужно было помножить на двадцать.

Когда завтрак закончился, Саманта заупрямилась. Она ни за что не хотела идти гулять и, казалось, вот-вот заревет.

— Не хочу в парк. Хочу остаться с дядей Крицем...

— Не упрямься, пигалица. Нам с мамой нужно поговорить. Сходи в парк и погляди, не найдется ли там сена для лошадей. Я буду ждать твоего возвращения. А теперь — н-но, лошадка!

Сэм послушно направилась к двери и помахала рукой.

— До свидания, дядя Криц, до встречи! Пока, мама.

— Пока, моя радость.

— Ты ее по-прежнему балуешь, Джиллиан. Ничто не изменилось.

— Что ж, она нуждается в любви.

— Любви ей как раз хватает, ей общения недостает. Если бы ты не работала, а жила на алименты, тебе не пришлось бы отправлять ребенка в парк. Вам же обеим было бы лучше.

— Я должна работать.

— Ну, это не разговор... Слушай, я хочу принять ванну. Где можно переодеться?

— Пойдем покажу. — Я здорово разозлилась на Криса. Что он смыслит в детях?

— Ты не пустишь воду, Джилл? Мне надо кое-что взять из сумки.

Я круто развернулась. Интересно, какие еще будут приказания?.. Да, сэр, мистер Крис, сэр... Ванна готова, ваша честь, сэр... Сам напускай воду в свою проклятую ванну...

Он вернулся в ванную абсолютно голый. Кожа под плавками была заметно белее остального тела, хотя лето давно кончилось.

— Погляди-ка на меня.

— Крис, без глупостей...

— Живей, раздевайся и полезай в ванну.

— Я мылась перед тем, как ехать в аэропорт. Пойду распакую вещи.

— Я сам их распакую. Раздевайся и быстро в ванну! Я хочу полюбоваться на твой животик.

— Крис, я не хочу мыться.

— Нет, хочешь. Пошевеливайся, детка... — Он залез в воду и посмотрел на меня снизу вверх. Взгляд у него при этом был весьма откровенный. — Так и быть, можешь снять шляпу, хоть она мне нравится.

— Спасибо. Ладно, о'кей... — Я стала раздеваться, чувствуя себя до крайности глупо.

Крис придирчиво осмотрел меня и протянул руку, помогая залезть в ванну.

— А ты действительно беременна.

— Да неужели?

— Джилл, потрешь мне спину?

— Конечно, — ответила я и принялась намыливать его, улыбаясь при виде знакомых родинок и веснушек. Можно было на память составить их карту. Я знала и его душу, и его тело. Каждый дюйм. Каким счастьем было изучать это... Если бы кто-нибудь неделю назад сказал мне, что на следующий день после Дня благодарения я буду тереть спину Крису Мэтьюзу, это вызвало бы у меня гомерический смех. Но тем не менее это случилось, и я улыбалась от уха до уха.

— Чему улыбаешься, маленькая толстушка?

— Какая я тебе толстушка?

— Толстушка, толстушка. Так чему ты улыбаешься?

— Ничему. Нам. Тебе. Как хорошо, что ты вернулся, Крис... Телефонные разговоры — это совсем другое, никакого сравнения. Я цеплялась к словам и забывала про взгляд, про выражение лица, с которым эти слова говорились, а ты ведь не мог передать это по телефону. Я ужасно соскучилась по тебе.

— Ага, я знаю. — И тут в ванной неслышно возникла тень Мэрлин. Я знала, что Крис думает и о ней тоже. Она примостилась на краю и выдувала мыльные пузыри...

— О'кей. А теперь потри мне грудь.

— Хватит, Крис. Это ты и сам можешь.

— Нет, не могу. Я хочу, чтобы это сделала ты. Потри грудь. Слушай, не могла бы ты в понедельник купить мне другое мыло? Не переношу запаха орхидей.

— Это не орхидея, а гардения. От Мэгнина.

— Все равно. Купи что-нибудь в обыкновенной бакалейной лавке.

— Ты плебей.

— Может, я и плебей, но не гомик. Не хочу я благоухать гарденией. А теперь потри мне грудь.

Я послушно намылила Криса и незаметно прильнула к его губам. Он улыбался.

— Иди сюда, маленькая толстушка... Иди сюда, ты...

Мы вымазались мылом с головы до ног, как в какой-то смешной французской комедии, пытались заниматься любовью, чуть не захлебнулись, залили водой весь пол и смеялись, как дети.

— Давай... — Крис вытолкнул меня из ванны всю в мыльной пене, мы улеглись на пол и овладели друг другом.

А потом мы долго лежали и блаженно улыбались...

— Крис...

— Да, малышка?

— Я люблю тебя.

— Знаю. Я тоже люблю тебя. — Он легонько стиснул меня и поднялся. — Я хочу принять душ и наконец смыть с себя это проклятое мыло. Стакан молока найдется?

— Конечно. — Жизнь снова вошла в нормальное русло. Крис пел, стоя под душем, а я, вся в мыле, со вздувшимся животом, стояла на кухне обнаженная и наливала в стакан молоко. И тут мне вспомнился Гордон. Нет, наши отношения с ним не шли ни в какое сравнение с тем, что связывало меня и Криса. С меня словно сошла старая кожа и наросла новая. Казалось, все мечты были утрачены безвозвратно, но они все-таки вернулись...

Поставив стакан с молоком на раковину, я прошла в спальню, а Крис продолжал нежиться под душем. Вдруг зазвонил телефон.

— Джиллиан? Как насчет ленча?

О господи, Гордон! Что ему сказать? А, ладно, Крис все равно в ванной, он ничего не услышит...

— Не могу. Кое-что произошло. Похоже, наш уик-энд накрылся.

— Что-нибудь скверное?

— Нет, но я не смогу выйти из дома. Встретимся в понедельник.

— Правда, ничего серьезного?

— Правда, правда. Не беспокойся. Извини, Гордон, мне действительно очень жаль.

— Ну что ж... Мне тоже есть чем заняться. Увидимся в понедельник. Но я все же позвоню тебе попозже. До свидания.

— Кто это был? — донеслось из ванной. Крис пил молоко. Я не слышала, когда он выключил душ.

— Подруга из редакции.

— Ох-х... Неужели у маленькой толстушки завелся любовник?

— Нет. Слушай, перестань называть меня маленькой толстушкой.

— О'кей. — И он наградил меня поцелуем.

Интересно, почему Крис всюду чувствует себя как дома? Впрочем, это вполне в его стиле. Недовольно бормоча себе под нос, я отправилась в ванную смывать мыло. Меня одолевали мысли о Гордоне и Крисе. Нет, Гордон не был моим любовником. Это определение к нему не подходило. Так же, как не подходили к ситуации слова «ничего серьезного». Я солгала обоим, и это мне не нравилось. Похоже, этот месяц скучным не будет...

Вернувшись в спальню, я получила от Криса шлепок.

— Натягивай тряпье, Джилл. Я хочу прогуляться.

— Хорошо, любимый...

Тут хлопнула входная дверь, и на всю квартиру раздался вопль Саманты.

— Дядя Криц! Дядя Криц!.. Хай, мамочка. Угадай, кого я видела по дороге домой? Гор-р-р-дона... — Она перекатывала «р-р-р» так, словно во рту у нее были мраморные шарики. — Я сказала ему, что приехал дядя Криц, а он ответил: «Очень хорошо» — и велел передать привет.

О черт... Ничего себе День благодарения... В эту минуту я чувствовала себя... нет, не индейкой. Мокрой курицей.

Глава 25

Я в нерешительности стояла под дверью кабинета Гордона, понятия не имея, что ему сказать.

— Вам помочь, миссис Форрестер?

Поймав на себе любопытный взгляд секретарши, я осторожно взялась за ручку двери, легонько постучала, переступила порог... и застыла на месте. Там шло совещание. От взгляда Гордона меня бросило в дрожь.

— Да, Джиллиан? — Его бородатое лицо было строгим, а глаза — холодными и бесстрастными.

— Извините. Я не знала, что вы заняты. Зайду попозже.

— Я позвоню вам, когда закончится совещание.

Он отвел глаза, и в комнате запахло грозой.

Я тихонько закрыла дверь и поплелась к себе в кабинет, готовая провалиться сквозь землю.

С расстройства я купила в буфете чашку кофе, датскую булочку и уселась на стол. Как ни крути, ничего хорошего меня не ожидало. И винить его не приходилось. Я знала, как бы сама чувствовала себя на его месте. Паршиво. И хреново.

Телефон зазвонил через час, когда я безуспешно пыталась заняться делом.

— Джиллиан, встретимся внизу через десять минут.

— Гордон, я...

— Ничего не хочу слышать. Поговорим внизу.

— Ладно. — Но он уже бросил трубку. Я закрыла глаза, попыталась сосредоточиться и вышла из кабинета. Не хватало только, чтобы мы встретились в лифте, но этого не случилось. Гордон ждал внизу. Стоило мне подойти, как он стремительно пошел вверх по Лексингтон-авеню. Я с трудом поспевала следом.

— Почему ты не сказала, что он приезжает? Думала, я не узнаю?

— Конечно, нет. Я ничего не знала заранее. Он позвонил после твоего ухода, а через несколько часов приземлился в Нью-Йорке.

— По какому праву? — Это был самый трудный вопрос. Мы переходили улицы на красный свет, плевали на правила и неслись вперед как сумасшедшие. Гордон был просто вне себя.

— Не в этом дело, Гордон. Он прилетел снимать фильм и еще не знает, как обстоят дела.

— А как они обстоят? Похоже, я и сам не понимаю. Кто твой любовник, он или я?

— Он отец моего ребенка. Я жила с ним. И мы расстались при весьма сложных обстоятельствах.

— Ужасно трагично. Напомню, твои «сложные обстоятельства» означают только одно: он тебя выгнал. Что, забыла? Или это неважно? Но стоило ему сесть в самолет и прилететь в Нью-Йорк, как все стало чудесно. Наверняка он и остановился у тебя. — Слово «да» застряло в горле. Гордон схватил меня за руку и повернул лицом к себе. — Верно?

— Да! Остановился! Ну и что тут такого?

— Очень много. Я не хочу, чтобы этот сукин сын оставался рядом с тобой, Джиллиан! Ни на минуту! — На нас стали оглядываться прохожие. Гордон так стиснул мне руку, что на глаза навернулись слезы.

— Гордон, пойми, это совсем другое дело. Пожалуйста.

— Ради бога, стань наконец взрослой и взгляни правде в глаза. Какое другое дело? Ты ему не нужна, неужели это не понятно?

— А может, нужна, — выпалила я и похолодела от собственных слов.

— Ах вот как? Ну, наконец-то все встало на свои места! Когда его нет поблизости, сгожусь и я. Сука ты! — Казалось, Гордон вот-вот ударит меня, но он сдержался. — А теперь послушай меня. Хочешь знать, почему мужчины обходятся с тобой скверно? Потому что ты сама толкаешь их на это. Ты бы не смогла жить с порядочным человеком. Тебе обязательно нужно чувствовать себя страдалицей. Я первый, кто обращался с тобой прилично. А теперь посмотри на меня и подумай, что ты наделала. Смотри внимательно, потому что ты видишь меня в последний раз. — Он уперся в меня горящими глазами, и я пришла в ужас от этого взгляда и этих слов.

— Гордон, я не знаю, как объяснить... Мне не хочется обманывать тебя. Я любила этого человека. Но ты тоже очень много значишь для меня. Я люблю тебя. Ты мне нужен.

— Чтобы использовать меня? Я для этого не гожусь. Черт побери, слишком поздно! Я стар для этой мерзости. Не собираюсь играть в любовь с каким-то хиппарем-киношником и его подружкой-шлюхой. Вот именно. Самое подходящее для тебя слово. Шлюха поганая! — Он схватил меня за обе руки и затряс так, что застучали зубы. Тут я застыла, потому что к нам приближался полицейский.

— Гордон! Давай поговорим об этом где-нибудь в другом месте... Здесь...

— Не о чем тут говорить! — Гордон в последний раз встряхнул меня, а потом оттолкнул. — Пошла к чертовой матери! — Он завернул за угол как раз в тот момент, когда ко мне подошел полисмен.

— Леди, с вами все в порядке?

— Да, офицер. Спасибо, все нормально.

— Похоже, этот парень обижал вас. Надо было проверить.

— Всего лишь небольшое недоразумение...

Разбитая, я потащилась обратно на работу. Это ужасно. Я потеряла Гордона. Все кончено. А ради чего? Через несколько недель Крис уедет. И на этот раз навсегда. Черт возьми, что я наделала?

У меня не было желания возвращаться в редакцию. Все равно день пошел коту под хвост. Хотелось уйти домой и забиться под одеяло. Но видеть Криса я тоже не могла, и пришлось из двух зол выбрать меньшее.

Время шло еле-еле, и на душе у меня было тошно. Наконец я не выдержала, уронила голову на руки и заревела. Звонил телефон, но я не обращала на это внимания. Подождут. Слезы текли в три ручья. Будь ты проклят, Крис Мэтьюз, ты всегда портил мне жизнь...

— Джиллиан... — Я услышала голос, но не успела поднять головы, как вокруг сомкнулись чьи-то руки. — Милая... Прости. — Меня бережно подняли, и я продолжала плакать уже в мужских объятиях.

— Ох, Гордон... Я... я... — У меня не было слов.

— Тсс...

— Я скажу ему, чтобы он ушел, я велю ему...

— Тише. Ничего ты ему не скажешь. Подождем, пока он уедет, а там посмотрим.

Я изумленно поглядела на него снизу вверх.

— Ты не сможешь...

— Я смогу все, что захочу. Но ты права, надо попробовать избавиться от него. Если ты согласна потерпеть мою кислую физиономию, давай сделаем вид, что ничего не случилось. Пусть все идет своим чередом. Как тебе эта мысль? — Он нежно поцеловал меня в оба глаза, отчего из них опять хлынули слезы. Гордон, добрее тебя нет никого на свете...

— Мысль превосходная, но хватит ли у тебя сил?

— Хватит. — И он крепко обнял меня.

Через полчаса Гордон проводил меня домой.

Я повернула ключ в замке и помертвела, увидев Криса. В доме стоял хаос, игрушки Саманты были раскиданы по всей гостиной.

— Хай, Сэм. Хай, Крис. Как дела?

— О'кей. Забавные ребята. Ужасные снобы. Задирают нос и думают, что делают настоящее кино. Хреновина это все.

— Детский сад, да?

— Да, мэм. А как у тебя?

— Нормально. Ничего особенного. Хотя похоже, что в ближайшие недели будет много работы. Придется задерживаться сверхурочно. — Я втайне надеялась выкроить время для Гордона.

— Не беспокойся. Когда начнутся съемки, я тоже буду приходить домой не раньше одиннадцати-двенадцати ночи.

— Тогда все о'кей.

— Может, и о'кей. Для тебя. Я задерживаться не собирался. Но жизнь есть жизнь, и лишние деньги не помешают. — О том, чтобы оплатить счет из бакалейной лавки, он даже не заикнулся...

— Эй, а что же ты не распаковал маленький чемодан, Крис? Хочешь, это сделаю я? — Надо было чем-то заполнить паузу.

— Ладно, свали все в какой-нибудь ящик. — В ожидании его приезда я освободила двенадцать ящиков. Кто знал, сколько барахла привезет с собой Крис. Насколько я могла судить, в этом плане он был непредсказуем.

Я прошла в спальню, развернула купленную в аптеке упаковку мыла, мысленно попрощалась с гардениями от Мэгнина и минуту собиралась с духом, прежде чем открыть чемодан. Там лежало несколько свитеров, немного нижнего белья и какие-то желтые листки бумаги. «Я люблю тебя. М.»... «Кто-то теперь целует тебя? М.»... «Больше, чем вчера, и меньше, чем завтра. М.»... «Возвращайся поскорее. М.»... Я собрала их в стопку и положила на тумбочку. Опять она. Мэрлин в моей спальне, в моей ванне, на моей кухне. Тут вошел Крис.

— Что это?

— Взгляни сам. Послания от твоей дамы. — Все выглядело так, словно Крис нарочно подсунул мне свой чемодан.

— Эй, уж не думаешь ли ты?.. — У него сорвался голос.

— Ничего я не думаю. Но восторга по этому поводу не испытываю. Тут их около дюжины. Я видела только четыре или пять. Извини.

Он ничего не ответил, прочитал все записки, скомкал и выбросил в унитаз. Все же сначала прочитал. Все до единой, черт побери...

Первая наша неделя с Крисом прошла как-то странно. Мы то прямо говорили о Мэрлин, то пытались стыдливо избегать этой темы. Но, что бы мы ни делали, избавиться от ее незримого присутствия не удавалось. Мне, во всяком случае. Однако я научилась чувствовать себя более независимой. Мне нравилось думать о Крисе, но физическая близость уже не играла такой роли, как раньше. Теперь я знала и его слабые стороны. Это Гордон разбаловал меня. С ним было легко, он волновался и заботился обо мне, залечивал мои старые раны и не наносил новых. Но я все равно светилась от счастья, улыбалась и продолжала любить Криса, хоть и ругала себя последними словами. Знать, что он близко, иметь возможность прикоснуться к нему... Мои чувства к Гордону были здесь ни при чем. Крис оставался Крисом.

В четверг Джулии сделали операцию. В справочной отвечали скупо: самочувствие удовлетворительное, больная находится в палате интенсивной терапии, куда посетителям вход воспрещен. Я не слишком разбиралась в больничной терминологии, но все же поняла, о чем речь. «Состояние удовлетворительное» — чушь собачья, но палата интенсивной терапии — это куда более определенно. Со сломанным пальцем туда не кладут. Там лежат больные, которые вполне могут отправиться прямиком на кладбище, а тот, кто сумеет уцелеть, едва ли вынесет оттуда веселые воспоминания. Это палата для очень тяжело больных, оснащенная мониторами, которые сообщают врачам о малейшем изменении вашего состояния и скрупулезно высчитывают шансы на спасение. Однако врачи рассказывают об этом только друг другу, а знакомым и родственникам лаконично отвечают: «Состояние удовлетворительное...»

В пятницу позвонил Джон Темплтон и попросил зайти к нему в кабинет. Там уже сидели Джин, Гордон, Элоиза Фрэнк и трое других сотрудников, которых я знала только в лицо. Стоило Джону раскрыть рот, как я поняла, что речь пойдет о Джулии. Нам сообщили следующее:

— Как все вы знаете, Джулии вчера сделали операцию и взяли биопсию ткани. У нее... — тут Джон сделал драматическую паузу —... рак кости. Прогнозы на дальнейшее туманные. Она может прожить либо год-два, либо все кончится через несколько недель. Врачи еще не знают. Многое зависит от того, как она перенесла операцию. Пока Джулия очень слаба, за ней установлено постоянное наблюдение. Посещать ее нельзя, но, как только появятся новости, я вам скажу. Нам остается только молиться за нее. Еще раз очень прошу ничего не говорить остальным сотрудникам. Они узнают обо всем в свое время. Если она немного оправится, каждый сможет посетить ее, а до тех пор едва ли имеет смысл говорить об этом. Спасибо вам. Мне очень жаль. Поверьте, я чувствую себя так же скверно, как и все вы.

Тут мы заскрипели стульями, пробормотали: «Спасибо, Джон», потянулись за сигаретами и молча направились к выходу, ощущая тоску и одиночество.

Гордон проводил меня до кабинета и вошел следом, закрыв за собой дверь. Мы обнялись и заплакали. Гордон Харт, много повидавший мужчина, потерявший Хуаниту и безразличный к тому, что она была проституткой, оплакивал Джулию Вейнтрауб. Мы раскачивались взад и вперед, обхватив друг друга и оплакивая не только Джулию, но и свою неудавшуюся судьбу.

Глава 26

Как ни странно, от неожиданного вторжения Криса наши отношения с Хартом почти не изменились. И все благодаря Гордону. Он прилагал титанические усилия, чтобы сохранить мир. Не было ни крутых подъемов, ни спусков, ни проявлений неудовольствия, хотя виделись мы реже, чем раньше. И, естественно, реже спали друг с другом.

С Крисом же все получалось наоборот. Жизнь у нас шла бурно, то вверх, то вниз. Как всегда, ничего нельзя было сказать заранее. Минуты безоблачного счастья сменялись гневом, слезами и переживаниями. Всему виной была Мэрлин. Мы стали чаще выяснять отношения. Было ясно, что пора принять решение. Мы слишком долго топтались на одном месте. Может быть, Криса такое положение и устраивало, но я с ним мириться не могла.

Джулия после операции две недели пролежала пластом, но потом начала потихоньку поправляться. Должно быть, бог услышал наши молитвы. Она исхудала, побледнела, однако держалась великолепно. Чувство юмора ее не покинуло, делами журнала она интересовалась по-прежнему, сделала несколько очень ценных предложений для следующего номера и устроила у себя что-то вроде клуба с баром для сотрудников редакции. Весь день у ее постели толкались люди, и бывали моменты, когда в палате собирались пять-шесть человек одновременно. Невероятно, но факт: среди них неизменно была Элоиза Фрэнк. Она приходила ежедневно и вела себя совсем не так, как «больничные вампиры», обожающие вдыхать запах эфира и любоваться страданиями умирающих. Нет, Элоиза и в палате оставалась самой собой: сухой, точной и энергичной. Она организовала сдачу крови не только в «Жизни женщины», но и в других журналах, где у нее были знакомые редакторы. Это сильно уменьшало стоимость переливаний, которые регулярно делали Джулии. Элоиза могла быть порядочной занудой, но я уважала ее. Все-таки у нее было сердце. Она удивляла меня, как и многие другие. Оказалось, что нельзя судить по одежке. Люди редко позволяют заглянуть им в душу, и частенько тот, на ком ты давно поставил крест, приходит и обрушивает на тебя лавину любви. Нет ничего приятнее такого разочарования. Элоиза стала человечнее, да и все остальные тоже. Пытаясь поддержать Джулию, мы встали в магический круг и отдавали ей не только кровь, но и некую волшебную силу, которая пробуждает в человеке желание жить.

Как-то я попросила Криса навестить со мной Джулию, но он отказался.

— С какой стати, Джилл? Это ваше дело, а меня она даже не знает. Да и не люблю я ни больниц, ни кладбищ. Я считаю это ханжеством, как и церковь, в которую не верю ни на грош.

— Крис, а в гуманность ты тоже не веришь?

Вот и еще одна причина для разрыва...

Однако причины причинами, а наши отношения оставались прежними. Будь Крис каким-нибудь неотесанным деревенским парнем с Дикого Запада, все стало бы намного проще. Но он оставался хорошим и плохим, любимым и ненавистным, прекрасным и уродливым одновременно. В нем все перепуталось, но, даже если бы он был законченным негодяем, это не помешало бы мне любить его...

Месяц подходил к концу, а я так ничего и не решила. И Крис тоже. Но ведь он приезжал с Запада совсем не за этим. Дай-то бог хотя бы мне одной что-нибудь надумать.

И тут в нас проснулась нежность. Мы не знали, когда теперь суждено увидеться, и я пыталась сделать все, чтобы оставить о себе долгую память. Это время стало сумерками — нет, чудесной летней ночью, когда неизвестно откуда появляются мириады светлячков. Я любила Криса так же, как в Калифорнии, сразу забыв о существовании Мэрлин. Ну и пусть возвращается к ней, что же я могу поделать...

Гордон, казалось, чувствовал, что происходит, и последние пять-шесть дней, остававшихся до отъезда Криса, не назначал свиданий. Он избегал меня, и я была ему благодарна. Мне хотелось побыть наедине с Крисом. После того как выпал первый снег, я взяла на работе отгул, и мы вместе с Самантой отправились за город, играли в снежки, гуляли, целовались, смеялись и пели рождественские гимны.

Рождество в этом году приходилось на среду, и я надеялась, что Крис встретит его со мной, но он решил уехать. Работа его закончилась, и никаких причин оставаться у него не было. Разве что ради меня. Но это никогда не имело для Криса значения. Уж если он решил уехать, то сделает это непременно.

Я ожидала, что он уедет в пятницу, и крепилась изо всех сил. Нужно было купить рождественские подарки, но, чтобы не тратить напрасно драгоценное время, я решила заняться покупками после его отъезда.

Проснувшись в пятницу, я увидела, что он уже одет. На лице Криса было написано, что он хочет что-то сказать, и я приготовилась услышать весть об отъезде.

— Я решил, когда мне уезжать.

— Хорошо. Бей скорее, не трави душу.

— Ради Христа, Джилл, не смотри на меня так. Я начинаю чувствовать себя последним ублюдком. Как будто стоит мне уехать, и всему настанет конец.

— Извини. Это просто... Ты же знаешь, каково мне сейчас.

— Что я могу сделать? Я собирался сказать тебе, торопыжка, что хочу уехать после Рождества. В четверг, двадцать шестого. Ты довольна? Надеюсь, я не расстроил твои планы?

— Какие планы? Кристофер Мэтьюз, я тебя обожаю! Ура! Аллилуйя! Тогда пошли за подарками.

— О господи... Таскаться по нью-йоркским магазинам? И зачем я только остался! Ты соображаешь, что там сейчас творится? Тебе тоже незачем толкаться в толпе.

— Не ворчи, это не займет много времени. Все равно надо будет показать Сэм Санта-Клауса.

— Зачем? Неужели нужно забивать детям голову этим дерьмом?

— Пойдем, Крис, будь умницей. Пожалуйста.

— О'кей, о'кей, но после этого настанет твой черед выполнять мои желания.

— Договорились, Крис... А как же Мэрлин?

— Что Мэрлин?

— Ну, я подумала про Рождество и все остальное...

— Слушай, забыла, что она мне не жена? Это мое дело, и я не собираюсь говорить о нем с тобой. Хватит. Разговор окончен.

— Ладно. Свари мне кофе, пожалуйста. Я соберусь через полчаса.

Я купила Крису в подарок часы фирмы «Патек-Филипп». С моей стороны это было чистейшим безумием, но я знала, как он любит дорогие вещи. Плоские, как на картине Сальвадора Дали, они имели прекрасный простой циферблат и черный замшевый ремешок. Матери я купила халат, отцу влагомер. У него их было уже двенадцать штук, но больше ничего мне в голову не приходило. Для Хилари и Пег — всякие мелочи. Для Джулии — самую сексуальную ночную рубашку из всех, какие мне попались, и три скабрезных романа. А Гордону решила подарить старинное издание «Дон Кихота» — толстый том в кожаном переплете. Для Саманты несколько дней назад я заказала довольно эффектный кукольный дом, который принесет ей Санта-Клаус. Я знала, что Крис этого не одобрит, но ведь для ребенка нет ничего слаще...

У меня не хватило воображения придумать для Джона Темплтона что-нибудь более оригинальное, чем несколько бутылок шотландского виски, но зато Джин Эдвардс и девочкам из журнала пару недель назад я купила в лавке старьевщика несколько смешных шляп и заранее предвкушала, какой хохот поднимется в редакции.

Двадцать третьего мы с Гордоном навестили Джулию. Выглядела она неважно: горящие щеки и блестящие глаза безошибочно свидетельствовали о высокой температуре. Мы принесли ей бутылку шампанского и подарки, но сцена была такой грустной, что пришлось пару раз отвернуться, чтобы не выдать себя.

Потом я отдала Гордону его подарок, а он вручил мне свой: красивую кожаную шкатулку ручной работы.

— Это волшебный ларец для твоих сокровищ, Джиллиан... и для старых любовных писем.

Внутри лежала открытка со стихотворением, подписанная «С любовью. Г.». Я была тронута. Это был странный подарок — обычный и в то же время ужасно необычный. Как и сам Гордон. Мне давно хотелось завести такую шкатулку, куда можно класть эвкалиптовые орешки, сухие цветы, пуговицы от рубашек и массу подобных мелочей — самые простые вещи, которые ничего не значат для других, но очень много значат для тебя, ибо с каждой из них всегда что-то связано. Гордон собирался встречать Рождество у сестры в Мэриленде, и это здорово облегчало мне жизнь.

В сочельник мы с Крисом остались дома, жарили в камине кукурузные зерна, каждые десять минут гнали Саманту обратно в постель, целовались и украшали елку — он верх, а я низ. Забраться на лестницу мне было уже не под силу.

— Ну что, маленькая толстушка, хочешь подарок? — наконец спросил он с блеском в глазах.

— Еще бы! А ты?

— Конечно.

Я вынесла коробку от Картье и вдруг заволновалась. А вдруг ему не понравится? По сравнению с маленькой коробочкой в обыкновенной оберточной бумаге, которую он положил мне в руку, моя коробка выглядела чересчур шикарной.

— Чур, ты первый, — сказала я. Крис согласился и начал разворачивать бумагу, пытаясь отгадать, что лежит внутри. Он сидел, держал в руках коробку, но не торопился раскрыть ее. Я затаила дыхание. Надо было купить ему какую-нибудь стереоаппаратуру, свитер или лыжные ботинки...

Наконец Крис открыл коробку. Широкая мальчишеская улыбка расплылась на его лице. Он даже крякнул, и я сразу же почувствовала себя Санта-Клаусом. Ему понравилось! Ему понравилось! Гип-гип, ура! Он тут же нацепил часы на руку, дышал на стекло, полировал, проверял ход и не мог на них налюбоваться, а потом чуть не задушил меня от радости.

— Твоя очередь...

— О'кей, время пришло. — Я принялась срывать голубую фольгу с маленькой коробки. Под бумагой была красно-серебряная картонная коробочка, которые обычно продаются в мелких лавочках. Приоткрыв ее, я увидела бархатный футляр полночно-синего цвета, на его откидной крышке виднелась четкая надпись «Тиффани и К.». Раздался щелчок, и тут же вспыхнул белыми и голубыми огнями бриллиант на тонкой золотой цепочке. Он лежал и светился... Это был кулон. Я еле перевела дух. Подарок заставил меня оцепенеть. Хотелось заплакать.

— Ты вор... Ты мошенник... Ах ты дерьмо этакое... Я тебя обожаю. Как ты сумел купить это? — Я обняла его, погладила по щеке и судорожно вздохнула. — Это так прекрасно, милый... Нет слов.

— Если не нравится, могу забрать и продать при случае. — Вот так он всегда...

— Я тебе заберу! Надень его мне на шею. У меня трясутся руки.

Я подошла к зеркалу и убедилась, что камень действительно светится, как фонарь. Вот это да!

Мы зажгли лампочки, полюбовались елкой, а потом легли в постель, любили друг друга и лежали, держась за руки, пока у нас не начали слипаться глаза.

— Джилл...

— Что, милый?

— Давай поженимся до того, как родится малыш...

— Ты хочешь на мне жениться?

— Угу. По-моему, я ясно сказал. Разве нет?

— Я согласна! — Я не спросила о Мэрлин, но подумала о ней. Едва ли он соображал, что говорит. И все же, черт побери, у меня оставалась крошечная надежда. Прижавшись к нему, я заметила, что он не снял часы, улыбнулась, прикоснулась к висевшему на шее бриллианту и уснула.

Глава 27

Рождественское утро выдалось шумным. Саманта визжала от радости. Как и следовало ожидать, кукольный дом привел Сэм в восторг и вызвал косой взгляд у Криса.

Вечером мы выбрались на прогулку в Центральный парк. Там было снежно и безлюдно. Все сидели дома или разъехались по гостям. Парк оказался полностью в нашем распоряжении, и мы этому очень обрадовались.

— Крис...

— Мм-м?

— Ты помнишь, что сказал ночью?

— Ага. А как же. Ты даже не задумываешься о том, что ребенок будет незаконнорожденным.

— Так вот в чем дело...

— Тьфу, дуреха. Совсем не в этом. Просто я решил подобрать тебя до того, как этот малый — Гордон, кажется? — сделает моей невесте предложение, не сползая со своего вращающегося кресла.

— Крис! Во-первых, он не так стар, а во-вторых, почему ты считаешь, что он собирается жениться на мне?

— Возможно, я немного простоват, но ты напрасно считаешь меня дураком. Кроме того, я умею читать.

— Ах да, стихотворение...

— Ага. Именно. И кое-что другое. В общем, это нетрудно понять. Когда ты сможешь приехать? Думаю, мне понадобится недели две, чтобы... как это?.. ах да, «уладить свои дела».

— Да. Думаю, ты прав. Раньше мне не выбраться. Я не могу бросить журнал на произвол судьбы. Крис... А что ты будешь делать с... Я имею в виду... — Вымолвить «Мэрлин» у меня не хватило духу.

— Это моя забота. Все, что от тебя требуется, это побыстрее собрать манатки.

— Мне понадобится время, чтобы подыскать жильцов и сдать квартиру. Кроме того, журнал...

— Опять этот чертов журнал! Как-нибудь обойдутся. Мне ты нужна больше.

— С каких пор?.. Ты ли это, Крис?

— А ты как думаешь? — Мы поцеловались и рука об руку пошли домой.

Лежа в кровати, я посмотрела на стоящие в углу вещи Криса, вспомнила, что он улетает, и начала тихонько плакать. И дело было не только в его отъезде.

— Крис, все не так просто. Мы о многом недоговорили. Во-первых, о Мэрлин и других Мэрлин; может, у тебя всегда будет какая-нибудь Мэрлин. Я этого просто не вынесу. Во-вторых, мы с тобой такие разные: я частенько тебя раздражаю и... О черт, я не знаю... Иногда мне становится страшно.

— Хочешь сказать, что раздумала выходить замуж? Раз так, гони бриллиант назад.

— Фиг тебе... Нет, серьезно. Я не передумала, но... Говорят тебе, я боюсь!

— Меня, что ли?

— Ну... Да. Бывает.

— Тогда не выходи за меня.

— Но я хочу быть твоей женой... Нет, ты ничего не понимаешь!

— Все я понимаю. Поэтому помолчи, и давай спать. Господи, ты бы и в раю нашла, из-за чего икру метать. Хватит трепаться. Спи.

— Я не треплюсь...

— Нет, треплешься. Спать сейчас же! Завтра мне рано вставать...

В этом был весь Крис. А мне до смерти хотелось поговорить.

— Милый, когда мы сыграем свадьбу?

— Ты еще не успокоилась? Как только, так сразу... Если хочешь, отпразднуем ее прямо в родильном доме. Устраивает?

— О'кей. Спокойной ночи. Слушай, Крис...

— Ну что еще?

— С Рождеством тебя...

— Ага... — Он уже засыпал.

На следующее утро я с тяжелым сердцем провожала его в аэропорт. Разлуки всегда давались мне трудно, а после расставаний с Крисом я чувствовала себя особенно одинокой.

Как ни странно, по возвращении в пустую квартиру первым делом мне захотелось позвонить Гордону и попросить утешения. Однако это был бы запрещенный прием. Я еще не решила, что ему сказать. Впрочем, чего тут думать: «Гордон, я уезжаю. Мы с Крисом решили пожениться». Но как отважиться на такое? Даже подумать страшно...

В понедельник я вручила Джону Темплтону

заявление об уходе и целый день избегала Гордона, обзывая себя скотиной и трусихой. Остаток недели прошел дома. Я сильно простудилась и разрывалась между спальней и гостиной, где стояли быстро наполнявшиеся чемоданы. Что бы ни случилось, мы уедем сразу после Нового года.

Все это время Гордон не подавал о себе вестей, и я решила, что обо всем расскажу ему на новогодней вечеринке у Хилари. Может, шампанское облегчит нам задачу...

Сборище, как всегда, было тихое и интеллектуальное. В полночь Хилари произнесла замечательный тост, подняв бокал за здоровье своих гостей. Мы стоя выпили за хозяйку дома, а потом расселись кучками. Беседы велись вполголоса, комнату ярко освещали свечи, и каждый из нас ощущал магическое грустное и нежное настроение, столь характерное для встречи Нового года.

Гордон поднял глаза, увидел, что я слежу за ним, взял бокал и тихо произнес:

— За тебя, Джиллиан. Пусть этот год принесет тебе мудрость и спокойствие. Пусть ребенок подарит тебе радость, а Крис — доброту и ласку. Vaya con Dios[1].— У меня слезы подступили к глазам. Он все знал.

Когда мы с Джоном Темплтоном столкнулись в холле, он выглядел грустным и безмерно усталым.

— Почему от меня уходят лучшие люди?

— Спасибо за комплимент, Джон, но вы

---

[1] Vaya con Dios — ступай с богом (*исп.*).

легко обойдетесь без меня. Все будет по-прежнему. — Он только покачал головой и вышел из комнаты. С тех пор я видела его лишь однажды — во время проводов, которые мне устроили в пятницу. На них присутствовал и Гордон. После вечеринки у Хилари он держал себя вежливо, но отчужденно. Казалось, он что-то задумал. И только теперь я поняла, что произошло. Он тоже уволился. Мы вышли на улицу вместе, и Гордон вызвался проводить меня. Я терялась в догадках. Почему он ничего не сказал мне? Времени для этого было достаточно.

— Когда ты решил?

— Я уже давно подумывал об этом, — туманно ответил он, избегая смотреть мне в глаза.

— Нашел себе другую работу?

— Нет. Возвращаюсь в Европу.

— В Испанию?

— Нет. В Эзе. Есть такой городок на юге Франции. Наверное, сейчас он сильно изменился — одни пиццерии и туристы... Но десять лет назад там было прекрасно. Вот я и решил вернуться и посмотреть самому. Хочется провести остаток жизни в каком-нибудь тихом, красивом месте и писать там картины, а не коптить небо в этих дерьмовых каменных джунглях...

— Рада за тебя, Гордон. Думаю, ты прав.

Он кивнул, улыбнулся и поцеловал меня в лоб. Мы вновь стояли у отеля, как в самом начале нашего знакомства.

— Увидимся завтра?

— Хорошо. Я позвоню тебе, — скрепя сердце согласился он.

Мы договорились провести субботу вместе. Я улетала в воскресенье.

Напоследок предстояло навестить Джулию, и это событие грозило стать самым тяжелым испытанием. Что я ей скажу? «Спасибо за работу»? «Желаю счастья»? «Скоро увидимся»? Господи, лишь бы не заплакать.

Мы немного поговорили, но сознание Джулии было затуманено димедролом или каким-нибудь другим лекарством. Передо мной лежала худенькая, хрупкая, морщинистая, бледная, седая старушка, уснувшая на полуслове. Когда я тихонько погладила ее по руке, Джулия открыла один глаз и улыбнулась. Я поцеловала ее в щеку и промямлила что-то невразумительное вроде «спасибо, Джулия». Она вновь закрыла глаза и задремала. Взглянув на нее в последний раз, я словно со стороны услышала свой шепот:

— Vaya con Dios...

Те самые слова, которые сказал мне Гордон.

Глава 28

Последние два дня мы с Сэм снова провели в отеле «Риджéнси». По невероятному стечению обстоятельств, нам достался тот же люкс. Мы уезжали оттуда же, куда приехали. Знай наших. За четыре месяца, прожитых в Нью-

Йорке, произошло столько событий, что они показались нам годами.

Когда мы заканчивали завтрак, зазвонил телефон. Это был Гордон.

— Говорит ваш гид, миссис Форрестер. Мы составили график вашего пребывания в городе. — Я хихикнула, гадая, что будет дальше. — Сначала вы в сопровождении экскурсовода проследуете к первому пункту программы, расположенному на углу Пятьдесят девятой улицы и Пятой авеню. Вам предстоит прогулка по Центральному парку на ископаемой лошади, которая по дороге может откинуть копыта. Если это произойдет, дальнейшее путешествие вы проделаете верхом на гиде. Просьба не надевать сапоги со шпорами, так как у гида очень чувствительные ребра. Заранее благодарим вас, миссис Форрестер. Далее вам предстоит ленч в Эдвардианской гостиной[1] отеля «Плаза», а затем вы можете сделать выбор между: а) коротким визитом в галерею аукциона Парк-Берне, б) экскурсией в Музей современного искусства, в) посещением магазинов и г) перспективой выгнать гида взашей, вернуться домой и отдохнуть. После этого вас приглашают в бар «Шерри-Нидерланды», где вам будет предоставлено право выпить полтора коктейля. Не забудьте отдать бармену свой талон. Затем вас доставят на обед в ресторан «Каравелла». Фотоаппарат просим оставить в

---

[1] Эдвардианская гостиная — гостиная с интерьером в стиле Эдуарда VII (1841—1910), английского короля с 1901 года.

гардеробе, надеть золотые туфли и свитер с норковым или лисьим воротником. После обеда в «Каравелле» вам предстоит посетить дискотеку «Рэффл» и потанцевать с гидом. Еще раз просим не надевать шпоры: у вашего гида очень чувствительные лодыжки. Затем вас пригласят в одно из наиболее очаровательных мест Нью-Йорка, но это наш маленький сюрприз. Таков распорядок дня, который мы составили для вас, миссис Форрестер. Добро пожаловать в Нью-Йорк! — И тут я снова подумала о том, что он чертовски хороший человек и большой шутник.

— Гордон Харт, ты неподражаем! Во сколько выходить?

— В одиннадцать подходит?

— Ну...

— Хорошо, тогда в полдвенадцатого. Встретимся в вестибюле.

— Послушай, Гордон...

— Да?

— Я обещала Сэм на прощание сводить ее в зоопарк.

— Нет проблем. Когда?

— Сейчас придет беби-ситтер, и мы с ней посоветуемся.

— Наверное, часа в четыре, после сна?

— Пожалуй. Я предупрежу, чтобы она не уходила.

— Тогда все в порядке. Скоро увидимся.

Ровно в одиннадцать тридцать в вестибюль влетел Гордон, ужасно довольный собой.

— Ну, мистер гид, что дальше?

— Прогулка в изящном кебе[1]. Вас ждет колесница.

Мы прошли сквозь вращающуюся дверь, я поискала взглядом машину Гордона, заодно подивившись на припаркованное прямо напротив заморское чудовище — красный «Роллс-Ройс» с номером, оканчивавшимся на букву Z. Это означало, что машина взята напрокат то ли каким-нибудь чванливым техасцем, то ли человеком с чувством юмора.

— Мадам... — Гордон открыл дверь красного «Роллса», помахал мне рукой и широко улыбнулся. За рулем величественно восседал шофер в ливрее. Это выглядело настолько дико, что я сначала захлопала глазами, а потом согнулась пополам от хохота. Я глядела то на машину, то на Гордона и смеялась, пока из глаз не потекли слезы.

— Ох, Гордон, ну и ну...

— Давай садись. Думаю, последний день в Нью-Йорке тебе запомнится надолго.

Так оно и вышло. Внутри «Роллса» был бар, телевизор, стереомагнитофон, телефон и ваза с красной розой. Как в фильме с участием Рока Хадсона и Дорис Дей.

Мы выполнили всю составленную Гордоном программу, только вместо пунктов а), б), в) и г) прогулялись и зашли в отель за Сэм. Красный автомобиль потряс ее. Широко раскрыв глаза, она первым делом спросила:

— Это подарок? Можно потрогать?

Мы с Гордоном расхохотались.

---

[1] К е б — наемный экипаж или такси.

— Нет, моя радость, дядя Гордон пошутил. Он подарил нам эту машину, но только на один день.

— Нет, не пошутил! Она мне нравится!

— Саманта, напомни мне об этом, когда вырастешь, — серьезно сказал Гордон, и у меня зародилось подозрение, что она непременно так и сделает.

Когда мы прибыли на угол Шестьдесят четвертой улицы и Пятой авеню, шофер остановил машину, вышел, открыл нам дверь, и мы отправились в зоопарк. Гордон нес фотоаппарат, которого я раньше не замечала.

— Хочу сделать несколько снимков. Как ты на это смотришь? Если не хочешь, не буду.

— Что ж, о'кей. Я бы тоже взяла себе паручтройку фотографий. И обязательно щелкни машину, — улыбаясь, ответила я и огляделась по сторонам, разыскивая взглядом Сэм.

— Джиллиан, у меня нет ни одной твоей фотографии. Надо исправить это упущение. Кто знает, может, мы больше не встретимся...

— Ох, Гордон, без глупостей. Конечно, встретимся, — запротестовала я, но внутри у меня что-то дрогнуло.

— Эзе и Сан-Франциско слишком далеко друг от друга, дорогая. Мало ли что может случиться. Когда я с кем-то прощаюсь, то верю, что это навек.

— Забавно. А когда прощаюсь я, то всегда говорю себе, что ненадолго.

— Ты веришь в это?

— Пожалуй, не очень, — призналась я, и

вдруг мне стало грустно. Гордон посмотрел на меня и отвел глаза.

Примерно час Гордон фотографировал меня и Саманту с воздушными шариками, с печеньем, верхом на пони, у клетки с тюленями... Фотографии были моментальными. Он ловил мгновения, когда мы набивали рот печеньем, закрывали глаза, задирали руки и смеялись. Он щелкал, забегал с разных сторон и снова щелкал... Крак, крак, крак, крак, крак, крак... Последний день в жизни Гордона и Джиллиан... «Не пой мне песен, не рассказывай сказок и не лей слез», но поминай меня добром...

Последний кадр сделал шофер. Он сфотографировал нас троих у открытой двери красного «Роллса». Саманта держала в руках красный шар. Когда мы сели в машину, я поняла, что это единственная фотография, на которой запечатлен Гордон.

Остаток дня прошел согласно плану «гида». В полночь мы ушли из «Рэффла» и отправились знакомиться с «маленьким сюрпризом». Верный «Роллс» повез нас в район Восточных улиц. Я догадалась, что мы едем домой к Гордону.

Мы вышли и поднялись по лестнице. Он открыл дверь, вошел в квартиру, зажег свечи и вернулся, чтобы помочь мне снять пальто. Комната утопала в цветах, перед тахтой стоял кофейный столик, на котором красовалось шампанское в ведре со льдом. Он развел огонь в камине и включил негромкую музыку. Само совершенство. Конечно, смешно, что все это было устроено для дамы, беременной от друго-го, выходящей за этого другого замуж и уез-жающей отсюда за тридевять земель. Но все равно у меня было радостно на душе. Конечно, я знала, что с Крисом нас ждет не только боль-шое счастье, но и множество проблем. Однако Крис был сделан из другого теста; от него свеч и шампанского ждать не приходилось. Как ни жаль, на всех невест свеч и шампанского не напасешься. Один женится в джинсах и мятой рубашке апаш, поит кока-колой и кормит горе-лыми гренками, а другой достает из волшебно-го ларца свечи и шампанское... Нет уж, пред-почитаю кока-колу и гренки. Так легче.

Словно прочитав мои мысли, Гордон про-тянул мне пробку от шампанского и сказал:

— Это для твоего волшебного ларца...

Я с улыбкой подставила ладонь, но он тут же отдернул руку, что-то написал на пробке и тогда уже вручил ее мне. Там стояла дата. Толь-ко дата, больше ничего.

— Не будем заставлять твоих взрослых детей ломать голову над кучей незнакомых инициалов, — грустно сказал Гордон, и я зна-ла, что он имеет в виду.

— Когда ты уезжаешь в Европу?

— Примерно через месяц.

— Что об этом думает Грег? Ты говорил с ним?

— Да, вчера я звонил ему. Знаешь что, Джил-лиан, это произвело на него впечатление. По-хоже, сын впервые в жизни одобрил мой по-ступок. Я «отрекся» от материализма, за который он презирал меня, и сделал то, что ему близко и понятно. Грег обещал приехать летом в гости. Думаю, он сдержит слово.

— Конечно, сдержит. Я его понимаю. Я бы и сама не отказалась провести лето на юге Франции.

— Покинув ради этого солнечную Калифорнию?

Я попыталась улыбнуться и долго-долго смотрела на него.

— Гордон, ты напишешь мне?

— Может быть. Хотя я не мастер писать письма. Да и Крису это едва ли понравится. Но я сообщу тебе, где нахожусь. — Он пытался принять новые правила игры.

— Крису наплевать. Пришли мне весточку... Пожалуйста...

— Сомневаюсь. Он не дурак и не испытывает ко мне нежных чувств. Уж это-то я знаю. И не осуждаю его. На его месте я бы тоже их не испытывал. Джиллиан, не стоит давать ему повода причинить тебе боль. — Я безмолвно кивнула, и он второй раз наполнил бокалы, опорожнив бутылку «Луи Редерер» 1956 года, шампанское Шарля де Голля. И Гордона Харта.

Мы выпили вино и молча смотрели в огонь, думая каждый о своем. Мы были такими воспитанными, так умели держать себя в руках и о столь многом переговорили раньше, что теперь слов не требовалось. Достаточно было взглядов. И я знала, что расставание с Гордоном будет одной из самых горестных страниц в моей жизни. Последнее мгновение... Самый последний взгляд... Однажды я уже прошла через это. С Крисом. Нынешнее расставание ничуть не легче.

Я повернулась к сидевшему рядом Гордону. Его точеное лицо было повернуто в профиль, борода выдавалась вперед, глаза были закрыты... Вдруг его рука дернулась, и бокал полетел в огонь. Раздался звон бьющегося стекла. Я знала, что означал этот жест. Разбитый бокал. Разбитая жизнь. Все кончено.

Гордон безмолвно встал, подал мне пальто, и мы медленно пошли к дверям.

По пути в отель мы сидели молча, держались за руки и смотрели на пролетающий мимо город. Вдоль тротуаров еще лежали остатки начинавшего темнеть снега.

Машина остановилась у отеля, и Гордон хотел было встать, но шофер уже открыл мне дверь.

— Нет, не выходи. Пожалуйста, — хрипло попросила я. Гордон обнял меня и поцеловал в макушку. Я запрокинула голову, и мы поцеловались. Из-под плотно сжатых век сочились слезы и скатывались от уголков к вискам. Потом я открыла глаза и увидела, что Гордон тоже плачет...

— Я люблю тебя, Гордон...

— До свидания, родная. Я буду думать о тебе.

Я выскользнула из машины и не оглядываясь побежала к вращающейся двери. До свидания... до свидания... au revoir[1], не adieu[2]...

Какой смысл мечтать о том, что могло бы быть у нас с Гордоном? Я выбрала Криса. Лифт вез меня наверх, а я крепко закрыла глаза и неслышно шептала:

— Я люблю Криса... Я люблю Криса... Я люблю...

Глава 29

Полет в Калифорнию прошел спокойно, но немного странно. Я чувствовала себя заключенной в кокон — место, где можно укрыться от всех и подумать. Мне предоставили пять часов, чтобы полностью отрешиться от мира Гордона и вновь вступить в мир Криса, и я была благодарна провидению, подарившему мне немного времени, чтобы побыть наедине с собой. Страшновато, если такая метаморфоза происходит на глазах у людей...

Сердце болезненно сжалось, когда самолет взмыл над нью-йоркскими небоскребами и места, которые так много значили для меня в последние месяцы, начали стремительно уменьшаться. Но стоило нам соскользнуть по противоположному концу радуги и закружиться над полуостровом, приближаясь к Сан-Францис-

---

[1] Au revoir — до свидания (фр.).

[2] Adieu — прощай (фр.).

ко, как во мне стало расти возбуждение. Я возвращалась к Крису... к Крису... к Крису!

Я посмотрела на Сэм и сжала ее руку. Наконец-то мы дома. Аллилуйя, малышка!

Самолет прибыл вовремя. В аэропорту нас встречал Крис, и при виде его что-то вспыхнуло у меня внутри. Эта мальчишеская улыбка предназначалась только мне. Мы поглядели друг другу в глаза и поняли, что правы. Нью-Йорк, Гордон, Джулия Вейнтрауб остались за миллион миль отсюда, на другой планете.

— У тебя усталый вид. Трудный был полет?

— Наоборот, легкий. Трудной была предыдущая неделя. Пришлось провернуть уйму дел. — Если бы во всем была виновата только работа...

Мы взяли чемоданы и расположились в автобусе «Фольксваген», который Крис одолжил у приятеля. Я ожидала, что Саманта вот-вот начнет рассказывать о «Роллс-Ройсе», и затаила дыхание. Но она не произнесла ни слова. В один прекрасный день — скажем, месяца через два — все это так или иначе выплывет наружу, и случится это в самый неожиданный момент. Но тогда это уже не будет иметь никакого значения.

Мы въехали в город, и я осмотрелась по сторонам, испытывая невероятное чувство облегчения. Боже, я здесь... Наконец-то! Сан-Франциско всегда заставлял меня затаить дыхание и пережить ощущение птицы, готовой устремиться в полет. Мне хотелось объехать весь город и увидеть любимые места, но разве от Криса такого дождешься? Его никогда не интересовали мои желания. Поэтому мы поехали прямо домой, бросили чемоданы посреди гостиной, и я прямиком устремилась к холодильнику. Там было пусто... Добро пожаловать домой! Две початые бутылки газированной воды, три кокоса, заплесневелый лимон и горшочек с арахисовым маслом, к которому скорее всего не прикасались с самого июля.

— Крис, а есть нечего...

— Знаю. Еще рано, успеем заехать в магазин. Ты поведешь машину, а я — автобус. Надо вернуть его владельцу.

— А как быть с Сэм?

— Возьмем ее с собой.

— О'кей, но я хочу уложить ее пораньше. Во-первых, девочка привыкла к нью-йоркскому времени, а во-вторых, устала от полета.

— Что-то не похоже... — Сэм стрелой промчалась мимо и кинулась в «ее собственную» комнату.

Ну что ж, я знала, на что шла... Холодильник пуст, надо ехать в магазин, никаких роз, не говоря уже о шампанском. Хорошего понемногу. Ничего другого ждать не приходилось. Я сама предпочла заплесневелые лимоны и бутылки с содовой водой розам и шампанскому. Впрочем, я не слишком из-за этого переживала. Сейчас мне хотелось ехать с Крисом в магазин и отгонять хозяину взятый взаймы «Фольксваген».

— О чем задумалась, Джилл?

— О том, что я люблю тебя. — Все верно. Вот он, мой дом, и это здорово. Я влезла в свои старые джинсы с испорченной «молнией», которую заменяла английская булавка, надела свитер Криса, накинула дождевик, и мы все вместе отправились возвращать автобус и покупать продукты. Крис в роли отца семейства. Неподражаемо. Я готова была лопнуть от счастья.

Когда мы вышли из дома, я кое о чем вспомнила.

— Крис... А как нам быть с малышом?

— Успокойся, пожалуйста. Ты здесь всего час, а уже ноешь. Найдем ему место. Ради бога, не беспокойся об этом.

— Я не беспокоюсь, а просто думаю.

— Значит, перестань думать. Я буду ждать тебя на Сейфвэй через десять минут. — Он потрепал меня по щеке, помахал рукой и тронулся с места, но вдруг, включив заднюю передачу, чуть не врезался в передок моей машины. Слава богу, что я не успела нажать на газ.

— Соблюдай дистанцию!

— О'кей... Эй!.. Перестань хулиганить! — Я сдала немного назад.

— Пошла к черту. — Он улыбнулся, и «Фольксваген» тронулся.

— Сам пошел к черту, балбес... — О господи, как все-таки хорошо дома. Конечно, тут не так элегантно, и ничто не напоминает волшебную сказку, но это моя сказка и в то же время быль. Обыденная и прекрасная одновременно. Как Крис.

Глава 30

Крис обитал в обветшавшем доме викторианской постройки, стоявшем на Сакраменто-стрит. Отсюда было рукой подать до фешенебельного района Тихоокеанских высоток. Соседство было приятное, но все же не слишком тесное. Мы жили на западной окраине города, где утренний туман порой застаивался почти до полудня, когда центр уже вовсю заливало солнце. А в пять часов туман ложился снова, и по ночам издалека чуть слышно доносились звуки ревуна.

Сан-Франциско всегда казался мне очаровательным, чуть ли не городом моей мечты. И дело было вовсе не во множестве олеографических красот. Здесь было легко. Местный стиль жизни напоминал европейский. Люди тут были дружелюбны, но не напоказ, как в Лос-Анджелесе, а по-настоящему, в стиле небольших городков Запада. Это был гигант, который не казался гигантом. Здесь в любую минуту можно было очутиться в деревне на пляже, а в двух часах езды возвышались огромные горные пики. Воздух всегда оставался свежим; кроме того, у нас был крошечный сад, где Саманта копала червей или рассматривала улиток. Сам по себе дом чем-то напоминал бомбоубежище. Из него можно было бы сделать конфетку, если бы Крис не ленился. Но у него вечно не доходили до этого руки, и в результате дом ветшал с каждым годом. Викторианские особняки очень распространены в Сан-Франциско. Фасады у них очаровательны, но внутри творится бог знает что: паркет вздут, потолки перекошены, а окна сплошь и рядом выбиты...

На следующее утро после приезда я повернулась на спину, посмотрела в потолок, а потом выглянула в окно, любуясь деревьями в саду. Стояла такая тишина, что я почувствовала себя словно в деревне. Вид спящего Криса заставил меня улыбнуться. Не будь его, я все равно любила бы Сан-Франциско. Ведь я привязалась к нему всей душой раньше, чем к этому мужчине. За дверью послышались шаги Саманты, и я встала, чтобы приготовить ей завтрак. Никаких уговоров скушать что-нибудь «за папу, за маму» ей больше не требовалось. И во многом благодаря Крису. Отныне мы с Сэм не были одиноки.

Когда я вылезла из кровати, Крис перекатился на бок и приоткрыл один глаз.

— Который час? Ложись обратно...

— Пора кормить Сэм, — ответила я и поцеловала его. — Доброе утро! Я так рада, что вернулась домой, Крис...

— Конечно, милая. Не принесешь мне стакан апельсинового сока?

— Я приготовлю тебе кое-что получше. Оставайся в постели, я скажу тебе, когда будет готов завтрак.

— О'кей. — Тут он отвернулся и снова уснул. Во сне Крис выглядел совсем мальчишкой: взъерошенные волосы, руки под щекой, одеяло натянуто на голову...

Завтрак был долгим и шумным. Мы решали, чем заняться днем. У Криса были дела в городе, а Саманте непременно хотелось «сходить к Джулиусу». Так она называла игровую площадку Джулиуса Кана.

— Давай отложим на завтра, Сэм. Надо побыть дома, распаковать вещи и немного прибраться. Ты не поможешь маме?

— Не хочу. — И она тут же ударилась в слезы.

— Ладно, тогда накопай червяков в саду. — Батюшки, что это со мной?

— Хорошая мысль, мамочка. Может, я и тебе накопаю. — Благодарю покорно...

Я собиралась разобрать вещи, но больше всего мне хотелось привести в порядок дом. Прежде здесь жил один Крис, но теперь кое-что придется переделать. Конечно, ремонт и перестройка по части Криса, а мое дело — веник, мыло и побольше горячей воды. Кроме того, надо повесить новые занавески, постелить покрывало... Господи, а ванные-то!

— До вечера, банда! — крикнул Крис. Хлопнула дверь, и я тут же занялась уборкой, ломая голову над тем, что хорошего нашел Крис в Мэрлин. Судя по всему, хозяйкой она была паршивой. Может, в этом и заключался секрет ее успеха?

К двум часам дня дом изрядно преобразился, и мы с Сэм отправились за цветами.

— Купим уозы, мамочка?

— Нет, Саманта, мы купим маргаритки и какие-нибудь красивые красные цветы.

— Куасные уозы.

— Нет, «куасное» что-нибудь другое. Розы слишком дорогие.

— Мы теперь бедные, да? Нам будет нечего е-е-есть? — У нее расширились глаза — не то от страха, не то от предвкушения радостной перспективы.

— Нет, вовсе нам не будет нечего «е-е-есть». Просто мы не станем тратить деньги понапрасну, только и всего.

— Ох, — разочарованно вздохнула Сэм. — А когда мы поедем за беби?

— Ну, не все сразу. Почти через два месяца. Еще долго.

— А почему не сегодня?

— Дом еще не готов. — Я сразу вспомнила, что утром нашла подходящее место для ребенка. Надо сказать об этом Крису. Как ни странно, им оказался чулан с закрашенным окном. Он идеально подходил по размеру для детской кроватки, стула и шкафчика. Это помещение имело две двери, одна из которых выходила в нашу спальню, а вторая — в холл. Лишний чулан был нам ни к чему, и если дверь в холл заколотить, это решило бы все проблемы. Ребенок был бы рядом, но все же в другой комнате.

Конечно, он там останется не навсегда: месяцев шести будет вполне достаточно. А потом малыша можно будет перевести в комнату Сэм.

Дом Криса был хотя и невелик, но комнат в нем хватало. Внизу помещались гостиная, крошечная столовая и кухня, на втором этаже располагались две спальни, а на самом верху — просторная студия, которую Крис использовал под кабинет. Это была неприкосновенная территория, так что нечего и мечтать поместить туда ребенка. Кроме того, там сильно дуло, а отопления не было, если не считать огромного камина, у которого Крис просиживал большую часть времени.

Когда Крис вернулся домой, я изложила ему свою идею, и он пообещал взять краску и приняться за работу.

— Эй, Джиллиан, тут какой-то странный запах. Что это?

— Любовь моя, этот незнакомый тебе запах называется запахом чистоты. Я все утро скребла и вылизывала дом.

— Зачем? Что тебе взбрело в голову, дуреха? Тебе же вредно!

— Ничего мне не вредно. — Я поцеловала его и украдкой улыбнулась. Похоже, Крис начинал волноваться не то за ребенка, не то за меня. Это было настолько ново, что меня бросило в дрожь.

Крис наклонился и прошептал мне на ухо:

— Давай спрячемся от Сэм...

— Что ты задумал?

— Я задумал поиграть в прятки. Хочу любить тебя...

— Ох... Сэм, радость моя, как поживают червяки? Много нашла?

— Ни одного. Наверное, утром они еще спали.

— Может, еще поищешь, пока не похолодало?

— О'кей. Дядя Криц, тебе тоже найти червяка? Мама их очень любит.

— Конечно. Принеси и мне парочку. — Она тут же хлопнула задней дверью и вылетела в сад, где ее дожидались две старые ложки, зубная щетка и картонный стаканчик.

Крис схватил меня за руку и потащил наверх.

— Эй, подожди минутку, ненормальный...

— Нечего ждать. Я целый день трубил как проклятый. Пошевеливайся, женщина!

Мы бежали по лестнице, смеясь и пошучивая. Я споткнулась о верхнюю ступеньку и чуть не упала. Это слегка отрезвило нас, но ненадолго.

— Я нашла! Целых три! — Дверь спальни распахнулась настежь, и на пороге показалась Сэм с пригоршней грязи, в которой что-то извивалось. — Эй, вы что, заболели? Спать еще рано!

— У нас послеобеденный сон. Мама устала.

— Ну ладно, вот они. Держите! — Она сунула червяков в ладонь Криса и, напевая, убежала.

— О боже, Джиллиан, меня сейчас вырвет!

— Меня раньше, — ответила я, и мы с хохотом ринулись в ванную.

Крис добрался до нее первым, выкинул червяков в туалет и спустил воду.

— Бр-р-р... Проклятие, кто говорил, что девочки — прелестные существа? Ничего себе девочка!

— Крис, перестань...

— Перестань? Легко сказать! Интересно, что бы ты сделала, если бы тебе сунули в руку пригоршню дерьма! — И мы хохотали до тех пор, пока я не включила воду.

— Крис, давай до обеда прокатимся по городу. Я так и не успела на него полюбоваться. Мы весь день убирались. Хочется осмотреться.

— Что это тебе пришло в голову, Джилл?

— Крис, ну пожалуйста... Ради меня.

— О'кей, о'кей, но только недолго. Сегодня по телевизору футбол.

— Есть, сэр!

— Миссис Форрестер, кстати, когда мы с вами поженимся? Или вы все еще колеблетесь? — шутливо спросил Крис, но я знала, что он говорит серьезно. Я больше не колебалась, так что он напрасно задал этот вопрос.

— Что ж, надо посмотреть календарь. Может, в субботу?

— А почему не завтра?

— Ты уже получил разрешение?

— Нет, — удрученно признался он.

— Значит, завтра не получится. Сегодня понедельник, завтра мы получим разрешение, а потом должно пройти три дня, считая день получения. Вторник, среда, четверг... Значит, мы можем пожениться в пятницу. Согласен?

— Нет, в пятницу я работаю. Значит, в субботу. Идет. Джиллиан, ты действительно хочешь этого? Ты уверена? Я ведь не буду идеальным мужем.

— Уж не передумали ли вы, мистер Мэтьюз?

— Это не в моем характере. Дело за тобой.

— Тогда не мели языком, а полезай в ванну, иначе мы никогда не выедем из дому.

Крис провез нас по Бродвею, застроенному старинными особняками, а потом свернул налево, на Дивизадеро. Мы миновали крутой холм, на котором Стив Маккуин снимал сцену погони в «Пуле», и дом, ставший местом действия фильма «Друг Джей», а затем спустились на пляж. На другом конце бухты виднелись Созалито и поднимавшиеся за ним зубчатые вершины. Когда мы спустились с холма, я испытала то же чувство, что и первопроходцы, преодолевшие горы и увидевшие Тихий океан. Дороги с тех пор изменились, но я готова была биться об заклад, что чувства остались прежними. Мы доехали до самой Марины и остановились у кромки прибоя, глядя на воду и следя за тем, как медленно поднимающийся туман начинает окутывать мост Золотые Ворота. Густая пелена достигла Алькатраса, и тут же послышался звук ревуна. Немного помедлив, Крис спросил:

— Ну что, достаточно?

— Конечно, нет. Но так уж и быть, вези нас домой.

— Нет, нет, хочу на Анион-сквер[1]! — заныла Сэм, сидевшая позади. — Там поют «Харе Кришна», ходят в оранжевых простынях и звенят колокольчиками!

— Саманта, кришнаиты, наверное, уже разошлись по домам, но на Юнион-сквер мы, так и быть, заедем.

Крис тоже благосклонно отнесся к этой идее.

— А как же твой футбол? — Мне не хотелось сердить его.

— Ничего, время еще есть, — улыбнулся Крис. Похоже, он и сам был доволен.

Мы спустились по Ломбард-стрит и сделали несколько крутых поворотов, выезжая на Ливенворт. Сэм визжала от восторга и не отрывалась от окна, любуясь Бэй-Бриджем и Оклендом. Поднявшись на Пауэлл, мы поравнялись с вагончиком фуникулера, полным туристов, и помахали им, а они помахали нам. Юнион-сквер выглядела так же, как всегда. Эта часть города не производила на меня особого впечатления, но Сэм осталась довольна. И даже то, что кришнаиты уже ушли, не слишком разочаровало ее. На обратном пути Крис проехал через

---

[1] Игра слов. Вместо «Юнион-сквер» («площадь Согласия») Сэм произносит «Анион-сквер» («Луковая площадь»).

китайский квартал, пользовавшийся особой любовью Саманты.

— Может, пообедаем здесь?

— Нет, поезжай, а то не успеешь посмотреть матч. Это уже будет чересчур. Но спасибо, что предложил. Я тронута.

— Да нет, я серьезно. Давай сегодня пообедаем пораньше.

— Нет, Крис, поехали. Пора домой.

— Спокойно... Сэм, что ты думаешь по этому поводу?

— Хочу обедать. Дядя Криц, правда, можно?!

— Да, мэм. — Тут мы оставили машину на стоянке и пешком отправились на многолюдную Грант-авеню.

Обед оказался очень вкусным, и я, конечно, объелась. Крис и Саманта вовсю орудовали палочками. Вернее, орудовал ими Крис, а Сэм предпочитала есть руками, используя палочки, чтобы сгрести еду в кучку. Я ела вилкой, за что оба облили меня презрением. Никогда я не умела управляться с палочками, а есть очень хотелось...

По пути домой мы проехали через тоннель, и Сэм была на седьмом небе. Тоннель!!! Я тоже была на седьмом небе. Мы с Крисом переглянулись, я послала ему воздушный поцелуй и одними губами произнесла:

— Спасибо. Я люблю тебя...

— Я тоже, — ответил он, и, видит бог, мы оба говорили правду. Что бы ни случилось за последние месяцы, что бы ни сделали Крис,

Мэрлин или я, это больше не имело значения. Один взгляд похоронил все. Еще могли вернуться плохие времена, но пророчество исполнилось. «Приходит счастье», поется в песне. И оно пришло. Наконец-то, наконец-то, наконец-то пришло.

Глава 31

Утром во вторник я отвела Сэм в школу, в ее прежний класс, и мы с Крисом отправились в центр получать разрешение. Вокруг шатались толпы мексиканцев, ребятишек и сомнительного вида бродяг, которые были либо слишком стары для женитьбы, либо вовсе не имели такого намерения. Я заподозрила, что молодые люди вообще перестали вступать в брак, поскольку мы здесь оказались единственной подходящей для этого парой, но тут же спохватилась, что гордиться нечем: семимесячная беременность и пятна на лице меня отнюдь не украшали. На мне были джинсы и свитер Криса, обтягивавший объемистый живот. Клерк посмотрел на меня и покачал головой:

— Надеюсь, леди, роды пройдут благополучно...

Затем он бросил на Криса осуждающий взгляд, отчего тот закрутился как ужаленный. Я чуть не прыснула.

— Ты видела этого старого ублюдка? Нет, ты его видела?

— Ага, ну и что? Нашел из-за чего расстраиваться... — Надо же, какой чувствительный. Бедный Крис.

Мы забрали Сэм, и Крис отвез нас домой.

— У меня дела. Увидимся позже.

— Какие дела?

— Неважно. Не задерживайте меня, вылезайте из машины. — Посещение брачной конторы явно выбило его из колеи. Глупо переживать из-за таких пустяков, но он был просто вне себя.

— Ладно, позже так позже...

Мы с Сэм пошли к дому, и тут мне взбрело в голову, что он отправился к Мэрлин. Для подозрений не было никаких оснований, последние два дня вообще прошли как в сказке, но эта мысль крепко засела в моем мозгу и не торопилась уходить. Я слишком привыкла не доверять Крису. За последние месяцы он многому научился, от его былой откровенности не осталось и следа. Где гарантия, что он в любой момент не выкинет какой-нибудь фортель? В общем, я промаялась весь день и чуть не сошла с ума от радости, когда Крис наконец вернулся домой. Меня охватило чувство такого облегчения, что я даже не поинтересовалась, где он пропадал. Честно говоря, мне и не хотелось этого знать. Так спокойнее.

— Почему ты не спрашиваешь, где я был?

— Нет. Хочешь, чтобы я спросила?

— Что это с тобой?

— Ничего, а что?

— У тебя странный вид. Как ты себя чувствуешь?

— Нормально. Все в порядке. — Но в эту минуту я вновь подумала о Мэрлин.

— Приди в себя, глупышка. Ты думаешь, что?..— Я отвела взгляд, словно воровка, пойманная с поличным.

Он обо всем догадался, и мне стало нестерпимо стыдно.

— Эй, Джиллиан... Господи, не плачь, ведь не о чем плакать, все о'кей... Эй... Ну-ну... Детка...

И тут я, здоровенная дура, заревела у него на плече, полностью признав свою вину.

— Я же говорил, все кончено. Тебе больше не из-за чего волноваться. А теперь пошли к машине. — Он взял меня за руку, помог спуститься по ступенькам, открыл дверцу и начал освобождать от газет какой-то предмет, стоявший на заднем сиденье. Это была... колыбель — прекрасная, просто великолепная старинная колыбель из темного полированного дерева, покрытого тонкой резьбой.

— Ох, Крис... — Тут я снова заревела.

— Ну а теперь из-за чего слезы?

— Ох, Крис...

— В Стоктоне сегодня был аукцион, и я захотел сделать тебе сюрприз. Нравится?

— Ох, Крис...

— Это я уже слышал. Перестань, дурочка. Улыбнись-ка! Ну вот. Так-то лучше.

— Давай помогу...

— Нет, мэм. Ваше дело носить то, что будет лежать в колыбели, а ее я сам отнесу. Лучше дверь придержи, — сказал он и стал карабкаться по ступенькам с колыбелью в руках.

— Смотри не сломай! — Я настежь распахнула дверь.

— А ты смотри не перестарайся, — улыбаясь, заметил он и опустил колыбель на пол.

— Крис... Знаешь что? Ты изменился.

— И ты тоже.

Мы посмотрели друг другу в глаза и поняли, что это правда.

Глава 32

Следующие два дня прошли спокойно. Сэм по утрам уходила в школу, а Крис запирался в студии наверху, заканчивая какое-то дело. К ленчу он спускался, и мы проводили вместе полчаса, а потом я отправляла Сэм в парк, где она играла с детьми под наблюдением воспитательницы. У нас начал складываться определенный распорядок дня, и это мне так нравилось, что о большем и мечтать не приходилось.

В четверг во время ленча я сказала Крису, что хотела бы съездить в город за покупками.

— Что ты хочешь купить?

— Свадебное платье.

— Перестань дурачиться, Джиллиан. Ты серьезно?

— Серьезно. Хочу купить себе что-нибудь новенькое. Надоело ходить в старье.

— У тебя уже есть новенькое: ребенок... Разве в секциях для беременных стали торговать свадебными платьями?

— Крис, ну пожалуйста... Нужно же мне что-то надеть!

— Какой цвет ты предпочитаешь? Может быть, красный?

— Крис! Уж лучше бы я ничего не говорила!

— Нет, почему же. Пожалуйста. Это твое дело. И твоя свадьба.

— Ну, и твоя тоже. Но я хочу прилично выглядеть, а мне нечего надеть.

— Прилично выглядеть? Перед кем это? Ты что, гостей пригласила?

— Еще нет, но я как раз хотела поговорить с тобой об этом...

— Нет, Джиллиан, ни под каким видом. Мы сходим с тобой в магистрат и распишемся. Без всяких свидетелей. Черт побери, можешь надеть все, что хочешь, но никаких гостей. Я настаиваю.— Вид у него при этом был весьма решительный.

— О'кей, любимый, о'кей. Только не сердись.

— Я не сержусь... — Однако лицо Криса по-прежнему оставалось раздраженным. Он вернулся к себе на чердак, а я принялась мыть тарелки.

Наступил мертвый час. Когда Сэм уснула, я оделась и поднялась в студию, чтобы предупредить Криса об уходе.

— Чем тебе не нравится это?

— Что «это»?

— То, что надето на тебе.

— Крис, я не могу выходить замуж в черном. Ради бога, это же не похороны. Ты обещал...

— Знаю, знаю. Ладно, иди и купи себе вуаль, которая прикроет твои... эти... Знаешь, такую с пластмассовыми вишенками. — Кажется, к нему вернулось хорошее настроение. Он посмеивался. Когда я закрыла за собой дверь, Крис во все горло запел: «Вот грядет невеста».

— Не сходи с ума, Кристофер! — Но он запел еще громче.

Я решила устроить себе настоящее путешествие: припарковала машину на стоянке у Юнион-сквер и отправилась в магазин Мэгнина. Во всех его витринах красовались купальники, а внутренние помещения больше напоминали Нью-Йорк, чем Сан-Франциско. Там можно было одеться с головы до ног. Я снова оказалась за тридевять земель от Сакраменто-стрит.

Я подошла к лифту и принялась искать табличку с надписью «Товары для будущих матерей». Лифтерша посмотрела на меня, улыбнулась и сказала:

— Шестой...

Я не стала возражать, но с улыбкой переспросила:

— Товары для новобрачных?

У нее тут же вытянулось лицо. Я засмеялась и велела отвезти меня на шестой этаж.

— Простите, я решила, что вы имеете в виду...

Меня снова разобрал смех. Да, леди, именно это я и имела в виду.

Секция товаров для будущих матерей выглядела столь же уныло, как и во всех других местах, и я прошла мимо кронштейнов с вешалками, так ничего и не подыскав. Ткани казались ужасными, цвета безобразными, все платья были или с вытачками над животом, или с завышенным поясом... В общем, отвратительно.

— Чем я могу вам помочь?

— Моя сестра выходит замуж. Свадьба будет очень скромная, поэтому я не хочу выглядеть слишком заметно. — Казалось, это объяснение полностью удовлетворило продавщицу.

Мы перебрали все и остались с носом. Черное исключалось, белое исключалось, красное тоже не годилось, и я совершенно пала духом. Вдруг продавщица предложила:

— Может быть, вам подойдет платье с накидкой? Мы только вчера получили новую партию. Очень хорошо сшитые светло-серые платья.

Серое? На свадьбу? И зачем мне еще одна накидка?

Но тут вынесли чудесное нежно-серое платье с длинными рукавами, идеально прямое, с пуговицами сверху донизу, воротником стойкой и широкими манжетами; никаких поясов, никаких вытачек над животом, только большие косые карманы с обеих сторон. Пуговицы были обтянуты той же серой материей, а накидка была гладкая, простого прямого покроя, с тоненьким золотым хлястиком. Платье выглядело божественно. А если к нему надеть бабушкины жемчуга, черные туфли и...

— Сколько?

— Сто сорок пять... — Ого! Ну и черт с ним. Свадьба бывает раз в жизни, а это платье я смогу надеть снова. Накидку вообще можно носить отдельно.

— Я беру его.

— Очень хорошо. Оно на вас прекрасно смотрится. Ваш муж будет доволен.

— Да, конечно. — Может быть... Но сто сорок пять долларов? Ничего, на такую покупку у меня денег хватит. Это я и пыталась внушить себе по дороге домой. Когда я вошла, Крис и Сэм ели на кухне мороженое.

— Что ты купила, мамочка?

— Новое платье.

— Дай посмотреть!

— Не раньше субботы. Через два дня.

И Крис снова замурлыкал: «Вот грядет невеста». Я поднялась наверх и повесила платье в шкаф, очень довольная собой. Оно было прекрасно. Цвета тумана. Мое свадебное платье.

Рано утром в пятницу Крис соскочил с постели, растолкал меня и велел принести ему апельсинового сока.

— Прямо сейчас?

— Да, именно сейчас. К восьми меня ждут в

Окленде. Мы снимаем фильм, и мне нельзя опаздывать. Давайте, леди, поторапливайтесь!

— О'кей... — Я сползла с кровати и с недовольным видом направилась на кухню.

Крис спустился по лестнице, доверху нагруженный коробками, блокнотами и всякой всячиной, которая никогда не вызывала у меня восторга. Он рассеянно поцеловал меня и велел не ждать к обеду, потому что вернется поздно.

— А теперь иди и ложись.

Когда он сел в машину, я высунулась из окна, помахала ему и крикнула:

— Люблю тебя!

Наверное, все соседи в округе проснулись если не от моего крика, то от кашля и чихания мотора.

— Я тоже! — громко прокричал Крис и уехал.

Я вернулась в постель и решила слегка вздремнуть, пока не пришло время кормить Сэм и отправлять ее в школу.

Дом без Криса казался пустым, и Сэм была не в настроении. Я заподозрила, что она простудилась. Надо будет попросить Криса проверить, как работает обогреватель. Наверняка плохо. Посадив дочку в школьный автобус, я остановилась у хозяйственного магазина и присмотрела краску для спальни малыша. Красивый ярко-желтый цвет. Если я не куплю ее, у Криса никогда не дойдут до этого руки. Погрузив банки с краской в такси, я отправилась домой.

В доме звонил телефон. Прежде чем я открыла дверь, звонки прекратились. Наверное, кто-то ошибся номером. Крису обычно звонили в агентство, а мне звонить не могли, поскольку еще никто не знал о моем приезде.

Я влезла в платье, надела черные туфли, бабушкины жемчуга, взяла сумочку из крокодиловой кожи, стянула волосы в пучок, повертелась перед зеркалом и почувствовала себя настоящей невестой. Все это совсем не походило на мою первую свадьбу, абсолютно... Я улыбнулась собственному отражению:

— Джиллиан Форрестер, как ты изменилась!

Пока я прихорашивалась, вновь зазвонил телефон, и на этот раз я успела снять трубку.

— Миссис Мэтьюз? — Голос был незнакомый. Наверное, какой-нибудь магазин приглашает покупателей. Я тут же приготовилась сказать что-нибудь вроде «спасибо, нам ничего не нужно», «это домработница» или что-нибудь еще в этом роде.

— Пока еще нет. Алло? — Мне не хотелось называть себя. Мало ли кто это может быть.

— Говорит Том Барди. Друг Криса.

— Да? — Это имя было мне смутно знакомо.

— Миссис... мм-м... Сегодня утром мы снимали в Окленде фильм, и...

— Да? — Боже мой, что-то случилось! — Да! Слушаю!

— Крис полез на вышку, начал снимать, а

потом упал... Мне очень жаль... Простите за ужасную весть, но... он мертв. Сломал шейный позвонок. Я звоню вам из больницы Святой Марии в Окленде... Алло, вы слушаете?

— Да... Слушаю, — выдавила я. Ноги налились свинцом.

— Как вас зовут?

— Джиллиан.

— Джиллиан, как вы себя чувствуете?.. Вы уверены? Приехать сюда сможете?

— Нет. Машина у Криса.

— Ладно, тогда не выходите из дома. Просто посидите, выпейте кофе... Я сейчас закруглюсь и заеду за вами.

— Зачем?

— Ну, они хотят знать, что делать с... с телом. — Телом? Телом? С телом! С Крисом, а не с «телом». Крис, Крис... Я начала выть.

— Кладу трубку. Выезжаю.

В новом сером платье я сидела на кровати, не двигаясь, не поворачивая головы. Просто сидела, тупо уставившись на носки туфель, и молча плакала. И тут послышались шаги, уверенные мужские шаги через две ступеньки... Крис!.. Это ложь, дикий розыгрыш, сейчас он обнимет меня и скажет, что кто-то пошутил... Крис... Я подняла глаза. На меня участливо и смущенно смотрел совершенно незнакомый человек.

— Я Том, — просто сказал он. Я молча кивнула в ответ. — У вас все в порядке? — Я кивнула снова, хотя никакого «порядка» не было, да и быть не могло. — Может, сварить вам кофе? — Покачав головой, я встала, не в силах вспомнить, зачем приехал этот мужчина, но смутно понимая, что мне надо не то куда-то ехать, не то что-то сделать.

— О боже, вы беременны... Господи Иисусе... Простите меня. — Он говорил искренне, но мне до этого не было никакого дела. Я тупо смотрела в зеркало, где отражались мы с Томом Барди. На мне все еще было новое платье с ярлыком из магазина.

— Мне надо переодеться. Подождите минутку. — Я снова всхлипнула. — Это мое свадебное платье. — Том беспомощно посмотрел на меня, словно гадая, в своем ли я уме. Пришлось успокоить его: — Да нет, все верно. Завтра мы должны были пожениться.

— О, я думал, вы давно женаты. Он что-то говорил о жене и мальчике по имени Сэм, но ни слова не сказал о том, что ждет ребенка.

— О девочке. Сэм — это Саманта... Господи, о чем я думаю? Ведь пора забрать ее из школы!

— Из какой школы?

— Томаса Эллиса.

— О'кей, одевайтесь, а я пока позвоню в школу и предупрежу, что вы ненадолго задержитесь. Думаю, это не займет у нас много времени. — Он повернулся к лестнице. — Где у вас телефон?

— В кухне, рядом с дверью.

Я снова натянула джинсы, напялила свитер Криса и схватила сумку. Платье осталось лежать на неубранной кровати, рядом с футболкой, в которой спал Крис... Иисусе, боже милосердный, что же ты наделал?

Спустившись вниз, я услышала, как Том повесил трубку.

— Все в порядке, она останется в школе до полпятого. — Он снова почувствовал себя неуютно. — Вы знаете, что надо делать? Может быть, спросить еще кого-нибудь?

Об этом я не подумала.

— Не знаю. Наверное, надо позвонить его матери... — Черт побери, где она живет? Дайте подумать... Чикаго? Нет... Детройт? Нет... Денвер. Точно. Мы познакомились, когда она приезжала навестить Криса по пути к кому-то другому. С матерью Крис не поддерживал близких отношений, а отец его умер.

Я набрала номер междугородной телефонной службы.

— Пожалуйста, Денвер, справочное бюро.

— Прошу прощения, вам придется сделать это самой. Код триста три, затем пять-пять-пять...

— О черт, пожалуйста, помогите мне. У меня только что погиб муж.

— Ох... Да... Простите. Подождите минутку.

— Дирекция. Скажите, пожалуйста, какой вам нужен город? Чем я могу помочь?

— Мне нужен Денвер. Элен Мэтьюз. Я не знаю ее адреса.

После недолгой паузы женский голос сообщил:

— Шестьсот шестьдесят три — семьдесят — пятнадцать.

Я повторила номер вслух. Почему я так спокойна? Почему у меня не отсох язык? Шестьсот шестьдесят три — семьдесят — пятнадцать... Шестьсот шестьдесят три — семьдесят — пятнадцать... Ну же, набери эти цифры и сообщи бедной женщине, что Крис мертв. Да, миссис Мэтьюз, увы, ваш сын мертв... О боже... Я попыталась поднять руку, но не смогла.

— Девушка... Девушка...

— Да, мэм. Соединить вас?

— Да, пожалуйста.

— Кого позвать?

— Миссис Элен Мэтьюз.

Жужжание диска. Два длинных гудка.

— Алло... Междугородная. Миссис Элен Мэтьюз, пожалуйста.

— Это я. — Ее голос чем-то напоминал голос Криса.

— Говорите, пожалуйста...

— Алло, Джейн?

— Нет, миссис Мэтьюз, это Джиллиан Форрестер, подруга Криса. Не знаю, помните ли вы меня. Мы встречались летом. Я...

— Да, конечно, помню. Как поживаете? — слегка удивленно спросила она.

— Спасибо, нормально. А как вы? — О боже, у меня не поворачивался язык! Теперь я поняла, что чувствовал Том Барди, когда звонил мне. Схватив трубку обеими руками, я опустилась на стул.

— Если вы разыскиваете Криса, то его здесь **нет**. Он в Сан-Франциско. Где вы? Алло, алло... Плохо слышно! — Да, повреждение на линии, и очень серьезное...

— Я тоже в Сан-Франциско... Это... Миссис Мэтьюз, с Крисом несчастье. Он... мертв... Простите меня. Простите... — Иисусе, только бы она не упала в обморок! — Миссис Мэтьюз, мне очень тяжело задавать вам такой вопрос, но в больнице спрашивают, что делать с... Ну... Я решила позвонить и спросить у вас... — Господи, она плакала. Плакала красивая пожилая леди, с которой я познакомилась прошлым летом. — Миссис Мэтьюз! Вам плохо? — Дурацкий вопрос. Я перевела взгляд на Тома, но тот стоял ко мне спиной и смотрел в окно, понуро опустив плечи.

— Ничего, все в порядке, — через силу ответила она. — Не знаю, что вам сказать. Его отец похоронен в Нью-Мексико, где мы тогда жили, а брат — в Вашингтоне. Он погиб во Вьетнаме. — О боже, несчастная женщина... Крис рассказывал мне о брате.

— Миссис Мэтьюз, вы хотите, чтобы я привезла его в Денвер?

— Нет. Не вижу смысла. Моя дочь живет во Фресно. Думаю, лучше всего похоронить его в Сан-Франциско. Я прилечу сегодня, только позвоню его сестре.

— Вы можете остановиться у меня. В доме... — В его доме... нашем доме... Боже мой, что она обо мне подумает? Поздно спохватилась, Джилл. Какая теперь разница?

— Нет, мы с Джейн остановимся в гостинице.

— Я встречу вас в аэропорту. Только сообщите, когда вы вылетаете.

— Не стоит, дорогая.

— Я хочу... Миссис Мэтьюз... Какое горе. Поверьте, мне так жаль... — У меня снова сорвался голос.

— Верю, дорогая. — По ее голосу я поняла, что она снова плачет.

Я кивнула и повесила трубку.

Том Барди молча заглянул мне в лицо и протянул чашку кофе.

— Может, чего-нибудь покрепче? — Я покачала головой и сделала глоток. Кофе был холодный. — Тогда поехали?

Безмолвно кивнув, я шагнула к двери.

— Подождите, пожалуйста. Еще один звонок. — Пег. Надо позвонить Пег. У кого еще искать сочувствия, кому поплакаться в жилетку, если не Пег?

Я позвонила ей на работу.

— Мисс Ричардс, пожалуйста.

— Минутку... Мисс Ричардс на совещании.

— Вызовите ее. Скажите, что звонит Джиллиан Форрестер. Она поймет.

— Сейчас узнаю. Не вешайте трубку. — Черта с два я ее повешу, корова. Пег придет! И она пришла.

— Джиллиан? Что случилось? У меня совещание.

— Я знаю, Пег... Он умер. — Тут я не выдержала и зарыдала в голос.

— Когда?

— Сегодня утром... Несчастный случай... Сломал шейный позвонок... Проклятый кран... — Я с трудом выдавливала из себя слова.

— Я вылетаю восьмичасовым рейсом. По крайней мере проведу с тобой уик-энд. Как ты?

— Плохо.

— Ладно, продержись чуть-чуть, а когда приедет тетя Пег, тебе сразу станет легче. Осталось немного. — Так, восемь часов плюс пять часов полета минус три часа разницы во времени. Пег прилетит в десять... — Слушай, не встречай меня. Я возьму такси. Адрес прежний?

— Да.

— Что-нибудь нужно?

— Нет, только ты. Ох, Пег, спасибо. Спасибо за все.

— Ладно. Держись, старушка, не отчаивайся. У тебя есть элениум или какое-нибудь другое успокоительное?

— Ага, но я не хочу...

— Выпей. Послушай тетю Пег, выпей. — Ни за что...

— О'кей. Еще раз спасибо... Пока.

— Пока. — И она повесила трубку.

Том Барди начинал нервничать.

— Поехали, — с облегчением сказал он. Он, наверное, решил, что я стану обзванивать всех знакомых, а ему придется стоять и слушать.

Глава 33

Мы ехали в Окленд молча. Мне нечего было сказать. И я была благодарна Тому за то, что он не пытался начать разговор. Только вел машину. Очень быстро. А я глядела в окно, не плача, ни о чем не думая и ничего не чувствуя. Ехала и ехала в машине Криса с человеком по имени Том Барди, которого никогда доселе не видела. Как ни странно, но я действительно ни о чем не думала. Только сидела.

Машина внезапно свернула, и я поняла, что мы уже в Окленде, на стоянке у больницы Святой Марии. Мы вышли и направились в приемный покой.

Внутри стояла кучка длинноволосых парней в джинсах. Они были растерянны и жались друг к другу, словно пытаясь согреться. Съемочная бригада.

Том подвел меня к стойке и что-то сказал дежурной сестре. Она вопросительно посмотрела на меня:

— Миссис Мэтьюз?

— Да, — солгала я. Едва ли ей нужны объяснения, да у меня на них и сил бы не хватило. Какая теперь разница?

— Пойдемте со мной, пожалуйста. — И она привела меня к двери с красной лампочкой и табличкой «Не входить». Там был Крис, одетый как утром. Он навзничь лежал на столе, словно безмятежно спящий. Щека испачкана в песке, но синяков не видно. Они ошиблись. Крис не мертв, он просто уснул. Я стерла песок с его лица, пригладила волосы и наклонилась, чтобы поцеловать, но тут словно что-то схватило меня за горло, из которого вырвались странные булькающие звуки. Я прижалась к его лицу и обняла. Но тело его казалось чужим, а кожа странной на ощупь. Криса больше не было. Передо мной лежали останки Кристофера Колдуэлла Мэтьюза.

Сестра, стоя в углу, следила за мной, но мне было все равно. Я напрочь забыла о ее существовании. Она медленно подошла, взяла меня за локоть и профессиональным жестом подтолкнула к дверям. Я обернулась через плечо, все еще втайне надеясь, что Крис пошевелится, встанет или хотя бы откроет один глаз и подмигнет. Это такая же дурацкая шутка, как и телефонный звонок Тома Барди. Да нет, сестра, он просто заморочил вам голову...

Так за локоть сестра и привела меня к стойке.

— Распишитесь, пожалуйста... Здесь и вот здесь, — сказала она и сунула мне шариковую ручку. Я дважды расписалась «Джиллиан Форрестер» и подняла голову, не зная, что делать дальше. — Вы звонили в похоронное бюро?

— Нет еще. — Он даже не успел остыть...

— Телефонная будка в вестибюле, номера похоронных бюро приведены в справочнике на страницах желтого цвета. Выбирайте сами. — Вот и все. Найди страницы желтого цвета, проведи по ним пальцем и... О господи.

Хобсон... Хобсон... Как там его? Ах да, Джордж Хобсон... «Поручите нам ваших любимых»... Я знала парня, который сделал им эту рекламу.

Я нашла в справочнике нужный номер и набрала его.

— Приют Хобсона, — ответил мне медоточивый голос. Боже мой...

— Это миссис Форрестер. Я бы хотела поговорить о...

— Минутку, пожалуйста.

— Да? — Голос был грудной, мелодичный, но он громом отдавался у меня в ушах. Должно быть, этот гробовщик — гомик. Позднее я убедилась, что была права, когда навстречу вышел томно улыбающийся жеманный человечек в черном костюме в обтяжку.

Я рассказала ему, что случилось. Он поспешил заверить, что никаких трудностей не будет. В три часа подъедет катафалк и заберет мистера Мэтьюза. Устроит ли это меня?

— Да, — сказала я, — устроит.

— А в три тридцать он уже будет у нас в бюро. Там и договоримся об условиях. Вы согласны, миссис Форрестер?

— Да, согласна.

— Вы сестра покойного?

— Нет, я его жена.

— Ох, простите, мне послышалось «Форрестер»... — Он начал рассыпаться в извинениях.

— Все правильно, Форрестер. Я предупрежу врачей, что вы подъедете к трем. — Наплевать, что он подумает. Законная или гражданская, но я Крису жена.

Я сказала сестре, что катафалк придет в три, и вернулась к Тому.

— Джиллиан, может, вернемся в город? Я отвезу вас, а мою машину отгонит кто-нибудь из ребят.

— Нет. Я подожду. Но вы поезжайте, если хотите. Нам незачем сидеть здесь вдвоем.

— Я остаюсь. — Это прозвучало очень решительно. Я была ему так благодарна, что не стала возражать.

— Может, вы приляжете?

— Нет, со мной все в порядке.

— Вы уверены?

— Да. Спасибо. — Я попыталась улыбнуться, чтобы успокоить Тома. Не ответив на мою улыбку, он отошел к группе людей, видевших Криса последними, и что-то вполголоса сказал им. Они по очереди оборачивались, смотрели на меня, быстро отводили глаза, пожимали Тому руку и уходили. Один из них забрал ключи от машины Барди. Безмолвные плакальщики исчезли.

— Том, я могу вернуться с катафалком Хобсона. Так даже лучше.

— Нет, это невозможно. Как вы думаете, что бы сказал об этом Крис? — Удар пришелся ниже пояса, и я отступила.

— О'кей.

— Давайте поедим. Тут, через дорогу, закусочная. Я возьму вам гамбургер.

— Я не могу... — При одной мысли о еде к горлу подступила тошнота.

— Тогда выпьем кофе. Пойдемте.

Мы сидели, пили кофе, курили, а минуты ползли. За это время мы не произнесли и десятка слов. Рядом сидел неведомый друг Криса, единственный близкий человек, способный разделить мое горе. Я нуждалась в нем, цеплялась за него, но не могла заставить себя заговорить.

Наконец подъехал катафалк от Хобсона — длинная машина коричневого цвета, которой управлял человек типично шоферского вида. Похоронная колесница. Дроги для Криса.

Криса положили на узкие металлические носилки, прикрыли чем-то зеленым, похожим на брезент, привязали ремнями, погрузили в машину через заднюю дверь, захлопнули ее, и шофер, поглядев на меня, спросил:

— Вы поедете следом или встретимся на месте?

— Следом, — сказала я. Мне хотелось проводить Криса.

Подняв глаза на Тома, я поняла, что все это время с силой сжимала его руку. Мои ногти врезались в его ладонь, но он не произнес ни слова. Наверное, даже не заметил.

Мы сели в машину Криса, и Том нажал на газ.

— Соблюдайте дистанцию, — пробормотала я, повторив слова Криса, сказанные в день нашего возвращения. «Соблюдай дистанцию»... Тут я обняла Тома Барди и захлебнулась рыданиями...

— Вы готовы? — осведомился шофер катафалка. Том поглядел на меня, я кивнула, откинулась на спинку кресла и пожалела, что не послушалась Пег. Элениум не помешал бы. Нет, я справлюсь сама, без всякого элениума. Спасибо, боже, что послал мне Тома Барди.

Глава 34

Меня провели в крошечный кабинет Хобсона, элегантно обставленный мебелью в стиле Людовика XV. Том остался ждать снаружи. Вошел человек, говоривший со мной по телефону. Он же встретил нас в вестибюле.

— Я мистер Феррари. Миссис Форрестер, не правда ли?

— Да.

— Так... когда похороны?

— Еще не знаю.

— Конечно. Мы поместим мистера Мэтьюза в георгианском зале. Я покажу его вам, когда вы ознакомитесь с нашими проспектами. Потом я сведу вас с нашими косметологами, а затем мы спустимся вниз и подберем гроб. После этого у вас не останется никаких забот. Давайте прикинем... Сегодня пятница. Можно предположить, что похороны состоятся в воскресенье. Или в понедельник?

Он осклабился улыбкой крокодила и похлопал меня по руке. О господи, пусть он уберет свои вонючие лапы! Этот гнусный тип изъяснялся, как экскурсовод на морской прогулке. «А теперь...» Дерьмо.

— Ах да, миссис Форрестер, не доставите

ли вы сегодня вечером выходной костюм мистера Мэтьюза, включая ботинки? — Костюм? Я не знала, существовал ли у Криса такой костюм.

— Зачем? — Похоже, мой вопрос потряс этого знатока обычаев до глубины души.

— Чтобы обрядить его. — Снова эта улыбка, снисходящая до моей глупости.

— Обрядить? Ах, перед тем как положить в... Нет, этого не требуется. Вопрос исчерпан. Его похоронят в том, что на нем надето.

— Он носил костюм?

— Нет, мистер Феррари, костюмов он не носил. Он предпочитал другой стиль, и этот стиль мне нравился, — вспылила я, и мне сразу полегчало. — Впрочем, о деталях я посоветуюсь с его матерью. Она прилетает сегодня вечером.

— С Востока?

— Нет, из Денвера. — Не беспокойтесь, вам заплатят, мистер Феррари. Вы получите ваши денежки. Для этого и существуют документы.

Тут он торжествующе усмехнулся, уверенный, что мать мистера Мэтьюза согласится хоронить сына в костюме. Может, так оно и будет. Мать есть мать, и ее слово — закон.

— А теперь давайте спустимся и выберем гроб.

Мы вышли из кабинетика, размерами напоминавшего монастырскую келью, и я увидела Тома, одиноко сидевшего у дверей. Хорошо, что он не ушел.

— Мы ненадолго, — сказала я, и Том кивнул.

Мистера Феррари чуть не хватил удар. Похоже, он рассчитывал устроить мне целое представление.

Только в лифте до меня дошло, как я выгляжу. Джинсы, сандалии, старый свитер Криса... Бедный мистер Феррари. Ладно, наверное, оно и к лучшему. Может, счет будет не таким большим. Я не знала, насколько обеспечена миссис Мэтьюз, а от моих сбережений могли остаться рожки да ножки. Обычно похороны обходятся в несколько тысяч.

Мистер Феррари отпер дверь, за которой открылось помещение, битком набитое гробами разных фасонов. Они стояли на столах вдоль стен и красовались, словно автомобили на выставке. С распятиями и без, с украшениями и бронзовыми ручками, обтянутые атласом, бархатом и муаром. Я заметила, что мистер Феррари набрал в грудь побольше воздуха, готовясь произнести целую речь. Вылитый начальник отдела сбыта автомобильного завода.

— Я беру этот.

— Этот?

— Да, этот.

— Очень хорошо, но позвольте показать вам...

— Нет. Сколько он стоит?

Он заглянул в перечень и сказал:

— Триста двадцать пять долларов.

— Хорошо. — Я повернулась и вышла из комнаты, нажав на кнопку лифта прежде, чем мистер Феррари успел перевести дух и присоединиться ко мне. Наверху я протянула ему руку и собралась уходить.

— Мистер Мэтьюз будет готов к семи часам вечера. Вы еще не видели зал.

— Я уверена, что все будет нормально, мистер Феррари. — Я была измотана до предела. Хотелось поскорее убраться из этого места.

— Вы не передумали насчет костюма?

— Не передумала. Спасибо. — Сохраняя остатки достоинства, я направилась к двери. Том двинулся следом.

Когда мы вышли на улицу, он тревожно посмотрел мне в глаза.

— Как вы?

— Мне стало легче... Поехали за Сэм. — Я назвала адрес школы. Было уже почти половина пятого, и девочка, наверное, недоумевала, что случилось.

Сэм рисовала в кабинете администратора и выглядела ужасно довольной.

— Где ты была?

— Я была занята. Поехали, радость моя, пора домой.

Она сгребла рисунки, подхватила куртку и побежала к двери. Когда Сэм исчезла, ко мне подошла администратор и пожала руку.

— Примите мои глубочайшие соболезнования, миссис Форрестер.

— Спасибо. — Придется привыкать. В ближайшие несколько дней мне предстоит выслушать массу «глубочайших соболезнований».

Том ждал нас в машине.

— Кто это?

— Друг дяди Криса.

— Ага. — Других рекомендаций ей не требовалось...

Тут же завязалась беседа. Это было мне на руку. Я слишком устала и впала в оцепенение.

— Том, остановитесь, пожалуйста, у цветочного магазина. Это недалеко от нашего дома. У вас есть время?

— Конечно.

— Зачем тебе цветы, мамочка? У нас их полным-полно.

— Надо будет послать их одному человеку. — О боже... До меня дошло, что рано или поздно придется обо всем рассказать ей. Как это сделать, я не знала. И все же от этого никуда не уйти.

Заплатив двести долларов за полевые цветы разных оттенков, я велела к семи вечера доставить их в бюро Хобсона. Мысль о белых или розовых гладиолусах была нестерпима. Это не для Криса.

Сидя в машине, Том и Сэм щекотали друг друга. Я устало улыбнулась. Том... Поразительно.

Он отвез нас домой и спросил, не надо ли мне еще чего-нибудь.

— Нет, спасибо. С остальным я справлюсь сама. Может, пообедаете у нас?

— Благодарю. Я лучше пойду домой.

— Хотите, я подвезу вас?

— Нет. Я живу в шести кварталах отсюда. Пройдусь пешком, только поставлю машину.

Стоя перед дверью, мы с Сэм следили за ним. Том вернулся. Вид у него был такой же усталый, как и у меня. Он остановился, не зная, что сказать.

— Том... Не могу выразить, как я вам благодарна... Вы невероятно... поразительно... — Слезы мешали мне говорить.

— Вы тоже, Джиллиан, вы тоже. — Он наклонился и поцеловал меня в щеку, потрепал Сэм по голове и пошел по улице, опустив голову. Мне показалось, что он плачет, но с уверенностью я этого сказать не могла, потому как плакала сама.

— О чем ты плачешь, мамочка? Тебе больно?

— Да, наверное...

— Тогда я полечу тебя, и все пройдет.

— Спасибо, моя радость...

И мы, взявшись за руки, стали подниматься по лестнице, одинокие, как прежде.

Миссис Мэтьюз позвонила, когда Сэм заканчивала есть. Самолет прибывает в девять, но встречать ее не нужно. Я ответила, что непременно встречу, и принялась соображать, кого бы можно было попросить посидеть с Сэм. Первая же соседка, которой я позвонила, ответила, что с радостью сделает это.

— Ох, Джиллиан, я все слышала в сводке новостей. Какое горе, какое горе! — Опять, опять, опять...

— Спасибо, миссис Джегер, спасибо. — В сводке новостей? Иисусе!

Сэм была золото, а не ребенок: приняла

ванну, поела и отправилась спать без всяких разговоров. Один раз она спросила про Криса, но мне кое-как удалось уклониться от ответа. Не хотелось, чтобы имя Криса вызывало у нее воспоминания о слезах и горе, с которым ей придется столкнуться в ближайшие дни. Расскажу обо всем, когда научусь держать себя в руках. Когда это произойдет? Когда-нибудь. Рано думать об этом.

Миссис Джегер пришла в восемь часов, и я поехала в аэропорт встречать миссис Мэтьюз, чуть не забыв переодеться во что-нибудь скромное и черное. Мои джинсы и свитер Криса остались лежать на так и не убранной кровати, рядом с серым платьем.

Глава 35

Я стояла в аэропорту и ждала самолета. Интересно, здесь ли Джейн? Никого похожего вокруг не было. Я успокоилась и стала смотреть на посадочные огни. Полдюжины самолетов готовилось подняться в воздух, и столько же садилось.

— Прибыл рейс четыреста второй, «Юнайтед Эйрлайнс», из Денвера. Просим встречающих пройти к воротам номер три... Прибыл рейс четыреста второй...

Она вышла одной из первых, и я сразу узнала маленькую красивую седую даму в скромном черном костюме. Оглядевшись, она прошла мимо. Наверно, сразу не узнала...

— Миссис Мэтьюз...

— Джиллиан?

— Да.

— Спасибо, что встретили, дорогая. Не нужно было этого делать.

Пока я говорила ей все, что положено говорить в таких случаях, она рассеянно озиралась по сторонам.

— Я не вижу Джейн. Она сказала, что встретит меня.

Я тоже стала оглядываться, но в этот момент миссис Мэтьюз помахала рукой, и к нам направилась какая-то высокая девушка... Это был Крис в женском образе. Та же походка, тот же облик, а когда она подошла ближе, я увидела те же глаза. Меня затрясло, но я не могла отвернуться, зачарованная, загипнотизированная этим видением. Джейн подошла к матери и крепко обняла ее. И тут я пожалела, что приехала. Рядом с ними мне не было места. Они были нужны друг другу, а я здесь лишняя. Меня охватило уныние. Что сказать Джейн? «Примите мои соболезнования»? Нет, это невозможно. Ни сказать, ни выслушать. Я снова поглядела на девушку, поражаясь сходству; тут она отпустила мать, шагнула навстречу и обняла меня.

— Я знаю, Джиллиан, все знаю. Я бы тоже не смогла вам сказать про «соболезнования». Ваши чувства мне понятны. На прошлой неделе Крис писал мне.

— Да? Он никогда не говорил мне... — Я так удивилась, что потеряла дар речи.

— Это в его стиле... Мама, давай заберем твои вещи. — Мы медленно двинулись к багажному отделению, сняли с транспортера чемоданы, и я пошла к стоянке за машиной.

— Извините, тут тесновато. Крис... Я... Ну, она дорога нам. — Ответом было неловкое молчание.

По дороге в город никто не проронил ни слова. Говорить было не о чем. Но пауза так затянулась, что мы одновременно раскрыли рты, попытались что-то произнести и истерически расхохотались. Завязался разговор о Сан-Франциско, о погоде в Денвере, о полете — в общем, обо всем, кроме Криса и несчастного случая.

— Когда должен появиться ребенок, Джиллиан? — Я вздрогнула. Так, начинается... Тон задала Джейн.

— Не раньше чем через два месяца. У вас ведь трое детей, верно? — Она кивнула.

Я старалась не смотреть на миссис Мэтьюз. Мы все были лишены предрассудков, но забыли, что у каждого из нас есть родители. Кристофер Колдуэлл Мэтьюз презирал условности, однако его мать могла относиться к проблеме незаконнорожденных детей совсем по-другому. Криса это нисколько не заботило; едва ли и мне следовало ожидать от его матери явного неодобрения. Ощутив на себе ее взгляд, я рискнула нерешительно улыбнуться. В конце концов мы виделись лишь однажды, да и то мельком...

В ее больших грустных глазах и слабой улыбке читалось беспокойство.

— Едва ли вы мне поверите, но я рада. Мой второй сын не успел жениться, а Крис... — Она осеклась. Мне хотелось расцеловать миссис Мэтьюз, но я вела машину и ограничилась тем, что улыбнулась ей, на этот раз по-настоящему.

— Может, остановимся... там... по пути?

— Мама, давай подождем до завтра. Лучше поедем прямо в гостиницу.

— Нет. Сегодня. Хочу увидеть его... — еле слышно прошептала она.

— Мм-м... Миссис Мэтьюз, я думаю, что... Уф-ф... Я вас понимаю... Конечно, если вы настаиваете... — Настаиваете... настаиваете... А Крис лежит там, выставленный на всеобщее обозрение, и ждет, пока мы его похороним...

— Ох, — еле слышно простонала она. — Он... Он что, очень?..

Я прервала ее: не хотелось слышать того, что должно было прозвучать.

— Нет, он выглядит... хорошо. — Надо было сказать «прекрасно», но язык не поворачивался произнести это слово. Он действительно был прекрасен — спящий мальчик, которым я так часто любовалась поздно ночью и рано утром. Мирным, безмятежным сном спала душа мальчика, заключенная в тело взрослого мужчины.

— Что ж, мама, Джиллиан виднее. Пусть будет так, как ты хочешь. — Миссис Мэтьюз молча кивнула.

На этом беседа закончилась. Добавить к

сказанному было нечего, и каждый углубился в собственные мысли. Доехав до бюро Хобсона, я припарковала машину, мы вышли и гуськом пошли к дверям.

За стойкой сидела бледная, похожая на привидение девушка, а мистер Феррари разговаривал в углу с кучкой незнакомых людей. Заметив нас, он коротко кивнул. Вид у него при этом был такой, словно он одобрил мой наряд. Паскуда.

Я подошла к девушке за стойкой и хрипло сказала:

— Мистер Мэтьюз, георгианский зал. Как туда пройти?

— Сюда, пожалуйста... — Она повела нас по длинному коридору, мимо множества открытых дверей, в которые я не отваживалась заглянуть, боясь увидеть трупы. Девушка остановилась у последней двери с левой стороны, и мы вошли в зал. Там стоял накрытый крышкой темный деревянный гроб, который я выбрала несколько часов назад. Его окружали цветы, купленные на Сакраменто-стрит. Чудесно. Красные, желтые, голубые, легкие, как дыхание ребенка. Милые, свежие, не имевшие ничего общего со смертью и увяданием. Как музыка Моцарта или Дебюсси. Именно то, чего я хотела.

По обеим сторонам гроба горело по две огромных свечи в подсвечниках, в головах лежало маленькое распятие. У стен стояли два дивана и несколько стульев. В зале царил полумрак, словно в церкви, которую так не выносил Крис.

Мне почудился его голос, шептавший что-то вроде: «Черт возьми, Джилл, вытащи меня из этой хреновины...» Но, видно, так и должно было быть. Во всяком случае, по выражению лица его матери было видно, что она со всем согласна.

— Красивые цветы, Джиллиан. Это вы их заказывали?

Я кивнула. Она подошла к гробу, и Джейн судорожно стиснула мою руку, когда миссис Мэтьюз — женщина, потерявшая мужа и двух сыновей, — преклонила колени перед распятием. Отныне все ее мужчины были мертвы.

Через мгновение она поднялась, и ее место заняла Джейн. Миссис Мэтьюз села на диван и уставилась в пол. У меня не хватало смелости посмотреть на нее. Это было выше моих сил.

Джейн встала и подошла к матери.

— Пойдем, мама. День был длинный, а в гостинице я сказала, что мы приедем к десяти часам.

Когда мы вышли на улицу, я спросила Джейн, в какой гостинице они остановились.

— «Сэр Френсис Дрейк».

— Я подвезу вас.

В машине Джейн, продолжая беседу, поглаживала мать по плечу и время от времени сжимала ее руку.

— Миссис Мэтьюз, мне тяжело об этом спрашивать, но... Как вы считаете, когда лучше устроить... похороны? — Так. Вот я и произнесла это слово.

— В воскресенье не слишком рано?

— Нет, не слишком. Наверное, это лучше всего. Хотите устроить отпевание в церкви? Простите, что надоедаю вам, но им надо знать... Я имею в виду, этим... от Хобсона...

— Ублюдки, — коротко отрезала Джейн. Именно так выразился бы и Крис.

— Джейн! Это их работа, и они стараются сделать ее как можно лучше.

Мы с Джейн не стали спорить, но почувствовали, что в наших жилах течет одна кровь. «Ублюдки» — самое подходящее слово.

— Крис часто ходил в церковь? — Увы...

— Не слишком. — Ложь во спасение. Никогда он там не был.

— Я пресвитерианка, а его отец был методистом. Не думаю, что Кристофер чувствовал разницу. Он никогда не был ортодоксом. — Что ж, с одной проблемой покончено. Кстати, насчет «ортодокса» миссис Мэтьюз была абсолютно права.

— Рядом с нашим домом есть небольшая, но красивая пресвитерианская церковь. Утром я могла бы поговорить со священником.

— Можно мне пойти с вами?

— Ох, простите... Конечно. Я не собиралась командовать, просто подумала, что...

— Джиллиан, вы все сделали правильно. Не волнуйтесь.

— Мы зайдем утром и вместе сходим в церковь, — сквозь зубы процедила Джейн. Она действительно очень походила на брата. Отпевание? Это нужно не Крису, а его матери и нам. Панихиду служат для живых, а не для мертвых.

У гостиницы мы снова обнялись, и они вошли в вестибюль. Высокая красивая девушка с походкой Криса и маленькая леди в черном костюме. Она была немного ниже меня, но казалась крошечной — наверное, потому, что была матерью Криса... Я посмотрела на часы и решила вернуться к Хобсону. На одну минутку. Хотелось побыть наедине с Крисом. Миссис Джегер чуть-чуть подождет. Она все понимает.

Я снова оставила машину на стоянке, вошла и с облегчением убедилась, что мистер Феррари уже ушел. Бледная девушка все еще сидела за стойкой, попивая кофе из пластмассовой кружки. Это напомнило мне о кофепитиях в «Жизни женщины». Я побрела по коридору, твердя себе, что для нее это «всего лишь работа». Кем надо быть, чтобы выбрать себе такую работу? В журнале ключом била жизнь — многолюдная, многоцветная, многошумная... А работать здесь — все равно что самому лежать в гробу.

Я медленно вошла в зал, села, откинулась на спинку стула, закрыла глаза и задумалась. На память приходили какие-то куски, обрывки и ничего не значащие слова... Пятнадцать часов назад Крис спускался по лестнице, а теперь лежит в тихой комнате, уставленной яркими цветами... Может, стоит задержать дыхание, закрыть глаза, сосчитать до семисот двенадцати, и все уйдет, как дурной сон?.. Нет, ничего не вышло. Я вздохнула, открыла глаза и увидела все то же, то же самое. Разница была лишь в том, что я задохнулась и младенец заворозился во мне, разгневанный нехваткой кислорода...

Тогда я медленно подошла к распятию и опустилась на колени, глядя туда, где покоилась невидимая голова Криса. Слезы катились по моему лицу и тихонько капали на бархат. Думаю, я молилась. А впрочем, не знаю... Затем я встала и ушла. Хотелось еще раз ощутить, что Крис со мной, что он рядом. Нет, тщетно. Крис лежит в гробу, его больше нет, я одна.

Машина Криса сиротливо дожидалась меня на стоянке. Я завела мотор, помня о «соблюдении дистанции», и поехала сквозь туман на Сакраменто-стрит. Близилась полночь. Бедная миссис Джегер... Я отперла дверь, вошла, оставила пальто на стуле в передней и на цыпочках двинулась к кухне — единственному месту, где еще горел свет.

— Миссис Джегер... Миссис Джегер... — Наверно, Сэм проснулась, и соседка поднялась к ней. Добравшись до лестничной площадки, я увидела, что в спальне зажегся свет. Пег стелила мне постель.

— Ох, Пег, ты святая... — Я привалилась к косяку и уставилась на нее во все глаза.

— Не болтай ерунды. Ложись спать. Сядь, я помогу тебе раздеться.

— Пег, ты сама еле жива. Ведь по нью-йоркскому времени сейчас три часа ночи.

— Именно благодаря этой дурацкой разнице я и успела долететь вовремя, так что лучше помалкивай.

— Боже мой, Пег, что я стану делать, когда вырасту, а тебя не окажется рядом?

— Замолчи. Никогда этого не будет.

— А где миссис Джегер?

— Ушла как раз перед твоим приходом. Она бы ни за что этого не сделала, но я заговорила ей зубы и буквально вытолкала за дверь... Где ты была?

— Встречала миссис Мэтьюз в аэропорту, возила к Хобсону, потом доставила их в гостиницу, а сама... вернулась к Хобсону.

— Вернулась к Хобсону, этому гробовщику? Зачем? Хочешь доконать и себя, и ребенка?

— Нет. То есть да. Хобсон — местный гробовщик, но я никого не хотела доконать, Пег. Кто-то должен был встретить ее.

— Никого другого не нашлось?

— Там была сестра Криса, но... Черт побери, я не могла иначе!

— Ладно, ладно... Слушай, надо бы сварить какао, что ли... Я привезла из Нью-Йорка таблетки.

— Какие таблетки?

— Успокаивающие. Я позвонила твоему врачу, и он дал рецепт.

— Господи, Пег...

— Ты принимала элениум?

— Ну, вообще-то... — Я покачала головой.

— Я так и знала.

Я огляделась. Все в спальне осталось по-прежнему, только стало немного опрятнее, и с кровати исчезло барахло. Вешалка с новым серым платьем висела на двери шкафа.

— Пег, ты не уберешь это? Я не могу его видеть.

— Конечно. — Платье тут же исчезло в шкафу.

— Похороны в воскресенье, так что в понедельник ты сможешь выйти на работу.

— Ты дашь мне хоть слово сказать? Я предупредила, что вернусь через неделю.

Пег... Пег... Неизменная Пег, придерживавшая мою голову, когда я в первый раз напилась... Она всегда, всегда была рядом. Прошло всего несколько часов после моего звонка, а она уже здесь. Одолела три тысячи миль, едва вошла в дом и принялась стелить мне постель. Прилетела из Нью-Йорка, чтобы лечить меня и быть при мне ночной сиделкой... Все для меня. Крис никогда бы не понял такой дружбы, но спасибо тебе, господи, за Пег. Таких, как она, одна на миллион. Как мне повезло с одноклассницей!

Пег дала мне таблетку, заставила запить ее горячим какао, а я сидела, думая о Крисе, лежащем у Хобсона.

— Пег...

— Помолчи. Лучше скажи, где мне лечь. Может, в комнате Сэм?

— Пег, ложись здесь. Я сама пойду ночевать к Сэм.

— Ни за что. Если попробуешь спустить ногу с кровати, познакомишься с моим знаменитым «крюком» левой!

— Ты про тот удар, из-за которого тебя чуть не выгнали из школы?

— Он самый. — И мы захихикали.

— Пег...

— Да?

— Знаешь, я...

— Знаю... — Она взяла пустую чашку, погасила свет, и я начала куда-то проваливаться. На секунду мне показалось, что рядом с кроватью стоит кто-то, похожий на Пег Ричардс. Но нет, не может быть. Пег в Нью-Йорке... Должно быть, это Крис... Не забыть рассказать ему утром, какой мне приснился странный сон. То-то он посмеется...

Глава 36

В окна врывалось солнце, снизу доносились голоса... Господи... Который час? Без пятнадцати двенадцать! Вскочив, я бросилась на лестничную площадку.

— Крис... Сэм... Почему вы не разбудили меня? Ведь сегодня... — Ох, нет... О господи, нет... Я опустилась на верхнюю ступеньку и спрятала лицо в ладони. Пег взбежала по лестнице, осторожно подняла меня и повела обратно в спальню.

— Что это с мамой, тетя Пег?

— Просто она очень устала, Сэм. Ты уже большая, спускайся-ка вниз и отнеси тарелки в мойку. Вот умница, хорошая девочка... — Сэм послушно пошла на кухню.

Пег усадила меня на кровать, села рядом и обняла за плечи. Я тут же затряслась от рыданий.

— Ох-х-х, Пег... Ох-х-х...

Мы сидели так, пока не вернулась удивленная и встревоженная Сэм. Я попыталась улыбнуться, но вместо этого заплакала еще сильнее.

— Ох, Пег... Не могу остановиться... Не могу...

— Все в порядке, Джилл. Так и должно быть. Пойдем-ка умоемся.

— Я хотела позвонить миссис Мэтьюз. Мы собирались к священнику.

— Звонила Джейн. Они с матерью придут к часу дня.

— Я съезжу за ними.

— Нет, они возьмут такси. Перестань корчить из себя героиню. Ты эгоистка, Джилл. Подумай о беби. Ты любила Криса, так позаботься о его ребенке. — Эти резкие слова подействовали на меня как ушат холодной воды. Пег была права.

— Пег, не пичкай меня больше таблетками, ладно?

— Посмотрим. Слушай, тебе звонило много народу. Во-первых, парень по имени Том Барди спрашивал, чем он может помочь. Я сказала, мы подумаем. Во-вторых, Хилари Прайс, Гордон Харт и... минуточку... ах да, Джон Темплтон и...

— Как они узнали? — Я поглядела на Пег и все поняла. — Ты звонила им.

— Только Гордону и Джону Темплтону. Перед самым отъездом. И твоя мать звонила. Должно быть, ей сообщил Гордон.

— Не хочу ни с кем говорить. Пожалуйста... — Пег внимательно следила за мной. — Нужно позвонить священнику. Куда, к черту, подевалась телефонная книга? — Я принялась рыться под кроватью, и в это время пронзительно зазвонил телефон. Меня бросило в дрожь. — Возьми трубку. .

— Алло... — отозвалась Пег. — Сейчас взгляну, мисс... — Она посмотрела на меня. Я бешено замотала головой из стороны в сторону и замахала руками. Нет, нет... Я не могу... Пег прикрыла микрофон и прошептала: — Это Гордон. Хочешь поговорить с ним? — Я снова покачала головой, но, посмотрев на Пег пару секунд, поколебалась и... протянула руку. Она передала мне трубку, снова выставила из комнаты Сэм, ушла и закрыла за собой дверь.

— Алло... Да, это я... Гордон? Алло... Спасибо за звонок... Пег сказала мне... Что?

— Я сказал, что могу приехать на пару дней, если нужна помощь.

— Нет... нет... Гордон, спасибо, но лучше не надо. Это было бы... Ну, в общем, это лишнее.

— Как чувствуешь себя, Джиллиан?

— Не знаю... Не знаю. Сегодня мы должны были... — И тут я снова заревела. Гордон попытался продолжить беседу.

— Не знаю, что и сказать. Мне очень жаль, Джилл. — Еще одно «мне очень жаль», на сей раз от Гордона. — Джиллиан, я понимаю, сейчас у тебя голова занята другим, но почему бы тебе не вернуться в Нью-Йорк вместе с Пег? Кто там позаботится о тебе?

— Нет. Я остаюсь. — Это была самая решительная фраза, которую я произнесла за два дня, не считая короткой отповеди мистеру Феррари. Но это было куда важнее, чем вопрос о том, стоит ли хоронить Криса в костюме. Никто не вырвет меня отсюда. Ни сейчас, ни потом. НЕТ!

— И все же подумай над этим. Ты уверена, что не нуждаешься в моей помощи?

— Нет... Да... Я сообщу, если что-нибудь понадобится. Чем тут поможешь? Это... — На глазах у меня снова выступили слезы. — Я больше не могу говорить... Спасибо за звонок... Спасибо за все.

— Джиллиан, мы все с тобой. Пожалуйста, помни об этом. — Я кивнула, еще раз пробормотала «спасибо» и первой повесила трубку.

Я позвонила священнику, и, когда приехали Джейн и миссис Мэтьюз, мы все вместе отправились в церковь и обо всем договорились. Отпевание назначили на четырнадцать тридцать. Они не могли провести его раньше из-за воскресной службы. Но я подозревала, что священнику просто хотелось успеть пообедать. За разговорами мы пропустили ленч и теперь стояли у дверей церкви, гадая, что делать дальше.

— Давайте вернемся домой.

— Джиллиан, я хочу ненадолго заехать к Хобсону, — проговорила миссис Мэтьюз. Джейн и Пег ничего не сказали, и я предложила сходить за машиной. Мы медленно направились к дому. Джейн и Пег шли позади, о чем-то негромко переговариваясь, а мы с миссис Мэтьюз обсуждали, какие отрывки из Библии подходят для похорон. Обе мы горевали о предстоящей разлуке. Что могло нас объединить? Ребенок? Он стал бы ее внуком, она бы полюбила его. Особенно если он будет похож на Криса.

Сэм увидела нас в окно, и они с миссис Джегер замахали руками. Я заметила, что они что-то горячо обсуждают. Наверное, Сэм не терпелось выбежать навстречу.

— Быстрее в машину, иначе Сэм потребует, чтобы ее взяли с собой.

Мы помахали ей и залезли в кабину со всей прытью, на которую оказались способны беременная женщина и не слишком проворная пожилая дама.

По пути к Хобсону все молчали. Я поставила машину на привычное место, мы вышли и по-прежнему безмолвно направились туда, где лежал Крис. Путь был знаком. Я ожидала, что в зале будет так же пусто, как и накануне вечером, но там были Том Барди и съемочная бригада в полном составе. Они скорбно стояли вокруг гроба, держа в руках белые с золотом листовки с рекламой бюро Хобсона, которые здесь вручали каждому, кто пришел исполнить свой долг.

Они представились нам, принялись неловко переминаться с ноги на ногу, не зная, что сказать, а потом один за другим потянулись к выходу. При этом они дружно оглядывались на меня. Одна из девушек заплакала, какой-то парень обнял ее за плечи и увел. Может быть, она хорошо знала Криса, любила его, спала с ним? Или просто жалеет меня? Я ощутила стыд за неуместное любопытство.

За моей спиной стоял Том. Он хотел мне что-то сказать.

— Сегодня утром об этом написали в газете.

— И что же там написали? — спросила я, стараясь сохранить вежливость.

— Всего лишь маленькое сообщение на одиннадцатой странице. Не некролог или что-нибудь в этом роде.

— Я слышала, вчера вечером об этом сообщили по радио в сводке новостей.

— Да, — кивнул он и ушел.

Я заглянула в книгу соболезнований в поисках женских имен. Их оказалось множество. Этого я не подозревала. Знала бы, пришла бы пораньше. Глаза застыли в середине списка... Вот оно! Десятое снизу. Мэрлин Ли. Разборчивый почерк с наклоном. Мэрлин Ли... Должно быть, она чувствует сейчас то же, что и я. Бедная Мэрлин. Я надеялась, что ей удалось несколько минут побыть с ним наедине. С соперничеством покончено. Две вдовы, стоящие бок о бок.

— От кого все эти цветы, Джиллиан?

— Цветы? — Какие цветы? Оглянувшись, я увидела, что в зале стоят не только мои полевые цветочки. Больше дюжины букетов, среди которых были и очень красивые, и специально заказанные для похорон, напыщенные и нелепые. Я была ошеломлена. На столе лежала стопка квитанций и карточек. Я поняла, что это одна из услуг, оказываемых бюро Хобсона. В желтых квитанциях описывался каждый букет. К оборотной стороне прикреплялась карточка с именем заказчика. Белые бессмертники от какой-то кинокомпании, название которой я не разобрала. Белые и желтые розы от Хилари Прайс. Разные цветы в горшках: Джон Темплтон и сотрудники редакции. Букетик ландышей: Гордон Харт... Гордон... И еще имена, которых я не знала. Наши друзья, все мои друзья... Я потянулась к Пег и снова заплакала. Бедная миссис Мэтьюз, кто поможет ее горю?

Мы просидели там два часа. Входили и выходили люди, кланялись нам, подходили к миссис Мэтьюз, пожимали ей руку и бормотали неизменное «как жаль»... Сколько раз ей довелось услышать это? Сначала на похоронах мужа, потом старшего сына, а теперь — Криса.

Ближе к концу дня в зал вошел скромно одетый мужчина в темном костюме, и мне на мгновение показалось, что это один из сотрудников Хобсона. Он был таким серьезным, таким торжественным... Но тут миссис Мэтьюз поднялась и сказала:

— Джиллиан, это мой зять, Дон Линдквист.

Они пожали друг другу руки. Дон поцеловал миссис Мэтьюз и обнял Джейн за талию. Мы обменялись приветствиями, я представила ему Пег, потом он отошел от нас и склонил голову над гробом Криса... Вернувшись, Дон предложил отвезти нас домой, а затем пообедать где-нибудь. Я отказалась; Пег смерила меня взглядом, но мне уже было все равно.

— Я приехал на машине.

— Ох... — Я почувствовала легкую досаду. Больше мне не придется возить ни Джейн, ни ее мать. У меня отнимали работу, одно из дел, которые помогали не сойти с ума... Ох...

Когда они ушли, Пег посмотрела на меня и поднялась.

— О'кей, детка, пошли домой.

— Нет, не пойду, — вызывающе ответила я. С места не стронусь! — Иди к Сэм. Уже поздно, а она в последние два дня ходит сама не своя. Скажи ей, что я приду позже.

— Не упрямься, Джиллиан. Если я приду одна, будет только хуже. Пойдем вместе. Можем прогуляться по дороге. — Добрая старая Пег честно тащит привычную ношу. А, к чертовой матери... Она права. Я встала, надела пальто и пошла с ней, еще раз оглянувшись на гроб Криса. «Раз, только лишь раз...»

— Где ты была весь день? Со мной никто не играет. Только эта старая толстая миссис Джегер. — Сэм злилась, чувствуя себя брошенной. — А где дядя Криц? — Наверное, это злило ее больше всего. Все забыли о ней. И она начала плакать. Собрав остатки сил, я взяла ее на руки и покачала.

— А как насчет того, чтобы искупаться со мной? — Она тут же повеселела, моментально забыла про Криса и стремглав помчалась наверх.

Пег сказала, что сама приготовит обед, и я потащилась по лестнице, с облегчением подумав, что мне больше не придется говорить с Сэм о Крисе. Да и горячая ванна не помешает. Тело налилось свинцом, весь день я ощущала небольшие судороги в спине. Младенец начинал беспокоиться, и я с трудом карабкалась по ступенькам.

Во время обеда у Сэм поднялось настроение. Мы смеялись, хихикали и вспоминали дурацкие старые шутки, чтобы развлечь друг друга. Я хохотала без передышки. Все казалось мне забавным. Боже, какое это облегчение — уйти от Хобсона и на время забыть про темный гроб, желтые квитанции и карточки с выражениями сочувствия, густой аромат цветов, миссис Мэтьюз, Джейн и всех остальных! Анекдот про четырехсотфунтовую канарейку вновь заставил меня истерически захохотать. Все трое смеялись до слез.

Уложив Сэм, мы вышли в коридор.

— Пег...

— Нет. — Мы вызывающе посмотрели друг на друга, и на секунду я ее возненавидела. Она не сможет помешать мне вернуться! — Ты никуда не пойдешь, Джиллиан. Забудь об этом.

— Нет, пойду!

Пег стояла между мной и лестницей, и я представила себе, что будет, если она достанет меня своим знаменитым «крюком левой». Все это выглядело так глупо, что я снова захохотала. Мне вспомнилось, как мы отвинтили стульчак от унитаза мисс Макфарлан, она упала и начала вопить, а мы сбежали вниз по лестнице и остановились на площадке, с трудом переводя дух и смеясь до изнеможения...

— Над чем смеетесь? — вклинилась между нами Сэм.

— Марш в кровать, юная леди! — Пока Пег загоняла ее обратно, я схватила пальто и быстро сбежала по ступенькам. Когда Пег вышла, я уже подходила к двери, зажав в руке ключ от машины.

— До встречи, Пег!

— О'кей, но если ты не вернешься к одиннадцати, я позвоню в полицию.

— Я вернусь! — Послав ей воздушный поцелуй, я захлопнула за собой дверь и окунулась в туман. Вдалеке завывал ревун, и я несколько минут просидела в машине, прислушиваясь к этому печальному звуку.

Глава 37

За стойкой у Хобсона сидела все та же бледная девица, в том же самом платье, так же попивая кофе и читая газету. Что ж, по крайней мере она умеет читать. Тут я что-то вспомнила.

— Можно посмотреть?

Она глянула на меня как кролик на удава. До сих пор все спрашивали ее только об одном: «Как пройти к миссис Джонс?» или «Где здесь греческий зал?». Девушка безропотно отдала газету, и я раскрыла ее на одиннадцатой странице. Черт побери, где это? Вот оно, в черной рамочке, в самом низу. «Вчера в Сэффорд-Филд, Окленд, насмерть разбился Кристофер Колдуэлл Мэтьюз, 33 лет, проживавший на Сакраменто-стрит, 2629. Он упал с крана во время съемок документального фильма. Пострадавшего доставили в оклендскую больницу, где он скончался, не приходя в сознание. Причиной смерти послужило повреждение шейного позвонка». Вот и все. Вполне достаточно, не правда ли? А люди читали и думали: «Да, скверно», или: «Эти чокнутые хиппи», или: «Никогда не знаешь, чего ожидать от киношников», или... О, дерьмо...

— Спасибо, — сказала я, возвращая газету. Девушка все еще ошеломленно смотрела на меня. Я улыбнулась, и она захлопала глазами. Подобную ситуацию инструкции Хобсона не предусматривали.

Я шла по коридору с таким чувством, словно хожу сюда всю жизнь. Как к старенькой тетушке в дом для престарелых. Крис всегда лежал здесь, и я всегда являлась в бюро, чтобы встретиться с ним. «Похоронная контора — самое удобное место для свиданий». Но Крис был мертв. Его душа вселилась в смятую простыню на нашей кровати, в тапочки, разбросанные по разным углам комнаты, в растрепанную зубную щетку, лежавшую рядом с раковиной, в студию, куда я не смогла заставить себя подняться...

Конечно, в моем стремлении не разлучаться с мертвым Крисом было что-то болезненное, но оно, как ни странно, спасало меня от безумия. Живой Крис будет еще долго являться мне в самый неожиданный момент — например, во время мытья посуды покажется, что кто-то закрыл дверь в студию... Живой Крис всегда останется со мной, но мысли о нем отныне будут неразрывно связаны с воспоминанием о человеке, лежащем в гробу на виду у людей, расписывающихся в книге соболезнований.

Войдя в георгианский зал, я заглянула в этот перечень. Он пополнился еще двумя фамилиями. Может, Мэрлин снова приходила? Я сняла пальто и начала подбирать цветочные лепестки, осыпавшиеся за последние часы. Не хотелось, чтобы в зале было грязно. Здесь не место беспорядку. И тут я стремительно обернулась, спиной почувствовав, что здесь находится кто-то еще. Привидение? Нет, это был Том Барди. Он тихо сидел в углу и покуривал сигарету.

— Хай...

— Хай. — И мы снова умолкли. Так было удобнее. Мне хотелось побыть с Крисом наедине, но то, что Том оказался здесь, даже к лучшему. Его присутствие мешало мне заглянуть в закрытый гроб и проверить, там ли Крис. Мы сидели, сидели и без конца курили. Никто не входил, никто не шел по коридору, всюду было тихо...

— Уже половина двенадцатого. Хотите домой, Джилл?

— Нет... Я... я останусь здесь на ночь. Может быть, это покажется вам странным, но такова наша традиция... семейная традиция... Я так хочу.

— Пег сказала, что так оно и будет.

— Пег? Когда? Она звонила вам? — Все прояснялось.

Он слишком быстро сказал «нет», слишком решительно покачал головой. Я знала, что он лжет. Пег позвонила, поэтому Том Барди и сидел здесь. Должно быть, он сразу же вскочил в машину, понесся прямо сюда и тихо уселся в уголке перед самым моим приездом. Пег, снова Пег! И Том. Что бы я делала без них? Меня бы возмутило это бесцеремонное вмешательство, если бы я могла без него обойтись. Но я не могла... Два часа... Три часа... Пять часов...

— Том...

Он дремал, положив голову на спинку дивана. Я хотела предупредить его. Если хочет, пусть уходит, но я все равно это сделаю. Я открою гроб. Надо убедиться, что там действительно Крис, что на нем та же одежда и что они не напялили на него костюм.

Я на цыпочках подошла к деревянному ящику, сняла с него букет роз, заказанный матерью Криса, и отступила назад, едва переводя дух. Было страшно, но я решилась. Теперь или никогда. Завтра будет поздно. Вернутся Мэтьюзы, придут в ужас, а потом он будет принадлежать им, священнику и людям, пришедшим в церковь. Но сегодня ночью он еще мой. Он еще Крис, а не «Кристофер Колдуэлл Мэтьюз, 33 лет, из дома номер 2629»... А я еще Джилл. Не одна из «собравшихся здесь родных и близких». Почему эти слова говорят только на свадьбах и похоронах? Родные и близкие... Кому? Господу? Если я ему близка, зачем он причинил мне такую боль? Я вспомнила слова Гордона: «Vaya con Dios». Должно быть, и господь иногда ошибается. Как в эту пятницу.

Я еще раз оглянулась на спящего Тома. О'кей, все в порядке. В скважине сбоку торчал замысловатый ключ. Он легко повернулся, и я попыталась снять обтянутую серым бархатом крышку. Это оказалось чертовски трудно, но я справилась. Да, в гробу лежал Крис... Крис... Он выглядел так же, как и в пятницу, в больнице Святой Марии, только на щеке уже не было песка. Но что-то было не так, что-то не так... Волосы! Они сделали ему другую прическу! Я вынула из сумки гребешок и причесала Криса так, как он привык. Волосы прикрывали уши, а впереди были слегка взлохмачены. Я наклонилась и поцеловала прядь волос на лбу так же, как целовала Сэм, закончив колдовать над ее прической. Потом я попробовала приподнять его руку, но та уже закоченела. Как у восковой куклы. Он был очень бледен. Я опустилась на колени и принялась следить. Сейчас он пошевелится, сейчас вздохнет... Затем я села, по-прежнему не отрывая от Криса глаз, а потом встала и обняла. Странно, его гибкое, податливое тело с нежной кожей не гнулось, оно перестало отзываться на мои прикосновения... На лицо упал луч света. Это был тот же Крис, лежавший со мной в одной постели, спящий мальчик, которым я так часто любовалась по утрам, когда начинала рассеиваться ночная мгла. Слезы падали на его руки и рубашку, текли у меня по шее. Тихие слезы, а не сдавленные рыдания двух последних дней. Теперь я оплакивала Криса, а не себя. Я целовала его щеки, глаза, руки, так странно и непривычно сложенные на груди, потом положила рядом крошечный белый цветок и сняла у него с шеи золотую цепочку. Не знаю, может быть, это было преступлением... Крис всегда носил ее, но он ни за что бы не заподозрил меня в воровстве. Я взяла цепочку вместо обручального кольца, чтобы не снимать ее всю оставшуюся жизнь. Опуская крышку на место, я отвернулась: не хотелось видеть, как под ней исчезает лицо Криса.

Том не шевелился. Я снова опустилась на стул. Приближалось утро, а мы трое по-прежнему оставались на своих местах: Том, Крис и я. Что сделано, то сделано: я прикоснулась к мертвецу, посмотрела ему в лицо и поцеловала. В гробу лежал мертвый Крис, я попрощалась с ним, а живой Крис возродился вновь. Я никогда не притронусь к его телу, не увижу лица, но вечно буду слышать его смех, его зов, просыпаться по утрам, вспоминая родную улыбку и голос... Крис вернулся и останется со мной навсегда. Я откинула голову к стене и уснула.

Подпрыгнув на стуле как ужаленная, я увидела перед собой лицо Тома Барди. Где я? Как я сюда попала?

— Хотите кофе?

— Да... Сколько времени?

— Полдесятого. Вы хорошо поспали. Я проснулся несколько часов назад.

Ничего себе! Он вернулся, неся две пластмассовые кружки с дымящимся кофе. Мы пили и негромко переговаривались. При дневном свете, врывавшемся в окна, комната уже не казалась такой зловещей.

Когда мы покончили с кофе, прибыли миссис Мэтьюз, Джейн и Дон. Все они были одеты очень скромно. Миссис Мэтьюз надела новый черный костюм, Джейн — закрытое платье цвета морской волны, а Дон остался в той же темной тройке.

Том предложил отвезти меня домой, но я не могла оставить машину, и мы друг за другом поехали по пустынным улицам на западную окраину города. Как обычно, в воскресное утро никто не торопился выезжать на улицу. Мы договорились с миссис Мэтьюз, что встретимся в церкви, и я была рада побыть дома хоть пару часов. Прощай, Крис... Прощай, Хобсон! Кто-то займет твой георгианский зал завтра? Я никогда не забуду его. Пройдут годы, но при первом же случайном взгляде на этот виднеющийся издалека холм я буду гадать, какой покойник лежит сегодня в этой комнате.

Я остановилась под окнами нашего дома. Том помахал мне рукой и поехал дальше. Хотелось пригласить его на чашку кофе, но было уже поздно. Пег и Сэм завтракали, а я ограничилась кофе, чувствуя себя не менее уставшей, но более спокойной и более умиротворенной, чем в пятницу. После завтрака я поднялась наверх и прилегла на кровать. Не спать, просто полежать... Спасибо тебе, Пег, что увела Сэм в сад. Сегодня мне хочется побыть одной.

В час тридцать Пег пришла меня проведать. Она приоткрыла дверь и буркнула:

— Осталось полчаса.

Я тут же вспомнила, что Пег была подружкой на моей свадьбе. Она ворчала, ругалась и издевалась, как могла, над вуалью, которую ее заставила надеть «эта сука Джилл», но все моментально прекратилось, когда пришла пора выносить обручальные кольца. Пег выглядела в высшей степени торжественно, и все прошло великолепно, но не успели мы выйти из церкви, как она прожгла вуаль сигаретой на самом видном месте. Ах, Пег...

Я причесалась, привела себя в порядок, но так и не решила, как быть с платьем. Черное, которое я надевала в Нью-Йорке? Слишком поношенное. Твидовый костюм? Слишком светлый. Темно-синее платье узко, темно-серое заляпала яйцом Саманта, а сдать его в чистку по возвращении в Сан-Франциско я забыла.

Оставалось одно «свадебное» светло-серое, которого так и не увидел Крис. Оно висело в дальнем углу шкафа с тех пор, как Пег сунула его туда по моей просьбе.

Двадцать минут спустя я стояла перед зеркалом в платье, накидке, черных туфлях, бабушкиных жемчугах, с волосами, стянутыми в скромный пучок на затылке. Именно так я хотела одеться в субботу. Слишком долго мы собирались... Я распахнула воротник и прикоснулась к цепочке, которую сегодня утром сняла с мертвого Криса. Слишком долго... Поздно, поздно, поздно.

Глава 38

Миссис Мэтьюз и Линдквисты ждали нас в церкви. Все были одеты в траур, и каждый углубился в собственные мысли. Мы недолго поговорили со священником, потом он вышел, и вскоре послышалась негромкая музыка. Я забыла поговорить с органистом и не знала, что он играет. Мелодия была нежной и грустной. Мы прошли в церковь, и я проскользнула в первый ряд, поближе к родным Криса. Пег и Том Барди стояли у нас за спиной. Я обернулась, сделала шаг назад, и Пег сжала мою руку. В церкви собралось человек семьдесят-восемьдесят. Не так много, как на пышных похоронах моей бабушки, но вполне достаточно для Криса, который не успел обзавестись кучей знакомых. Я заметила стоявшую слева девушку в черном платье и вуали и сразу поняла, что это Мэрлин. Мы встретились взглядом, не ощутив родства, как это было с семьей Криса, но поняв друг друга лучше, чем они понимали нас. Мы обе осиротели. Крис ушел от нас. Я отвернулась и стала смотреть на священника.

Крис лежал в гробу, утопая в цветах.

— Нежно любимый... Покойся с миром... Аминь...

Мы застыли, молясь про себя, а орган играл что-то похожее на Баха, хотя я предпочла бы Равеля. Служащие Хобсона подхватили гроб и понесли его к выходу, за ним двинулась миссис Мэтьюз, опиравшаяся на руку Дона. Казалось, она стала меньше ростом. Следом шла Джейн, а за ней, отставая на шаг, я. Рискнет ли Мэрлин занять законное место за моей спиной? Остальные провожали нас взглядами. Кое-кто сморкался, послышались громкие рыдания. Они могли себе это позволить, мы — нет. Я знала, что Мэрлин тоже молчит. Люди, близко знавшие «усопшего», не станут рыдать на его похоронах.

Выйдя наружу, мы забились в знакомый коричневый лимузин Хобсона. Краем глаза я заметила, что Пег села в машину Тома Барди. Процессия тронулась. Спустившись по Сакраменто-стрит, мы выехали на шоссе, которое вело в Дейли-Сити, знаменитый своим рынком подержанных автомобилей и кладбищем.

Джейн и Дон перекинулись парой слов; мы же с миссис Мэтьюз молчали. Она сидела потупившись, я смотрела в окно. И тут до меня дошло, что именно по этому шоссе я ехала неделю назад, когда мы с Сэм прилетели из Нью-Йорка. Сначала взятый взаймы «Фольксваген», а затем коричневый лимузин. Всего одна неделя, а кажется, что с тех пор прошла тысяча лет.

По прибытии на кладбище первым вышел священник, мы вчетвером двинулись за ним, следом шли Пег и Том, пятеро незнакомых людей... и Мэрлин. Сначала я не увидела ее. Она стояла немного поодаль и выглядела воплощением красоты и трагедии. Серое облако вуали, подчеркивавшее ее огромные глаза, прекрасно сшитое черное платье... Каждое ее движение было полно чарующего изящества. Изящества и гордости. Достоинства.

Поза Мэрлин означала, что она приехала только ради Криса. Девушка прямо смотрела мне в глаза, ничем не выражая переполнявшие ее чувства. Она была с Крисом. Как и все мы. Меня поразил не столько ее приезд, сколько то, как она вела себя. На ее месте я поступила бы точно так же, но не смогла бы скрыть смущения и страха. Ни следа этого не было в Мэрлин.

Священник прочитал молитву, мы склонили головы, а затем настала тишина... Я вздрогнула, когда он во весь голос грянул:

— Кристофер Колдуэлл Мэтьюз, мы предаем твое тело земле, а душу твою вручаем в длани господа!

И я про себя добавила: «Vaya con Dios».

Мы возвратились к машинам и тронулись в

путь. Обернувшись, я увидела, что Мэрлин по-прежнему стоит рядом с могилой. Прямая, гордая, одинокая. Вдова в темной вуали.

Глава 39

Линдквисты уехали из Сан-Франциско сразу после похорон, забрав с собой миссис Мэтьюз. Она собиралась какое-то время пожить во Фресно, и я обещала позвонить ей после рождения ребенка. На том мы и расстались. Они высадили меня у дома, и я заметила машину Тома Барди. Том и Пег разговаривали с Сэм. Когда я вошла, все умолкли.

— Хай, мамочка. Где дядя Криц? — заныла она. Два больших печальных глаза смотрели на меня снизу вверх, требуя немедленного ответа. Теперь или никогда. Я набрала в грудь побольше воздуха.

— Сэм, давай присядем на минутку.

— Он ушел, как мой папа?

— Нет. Он не ушел. — Мне не хотелось, чтобы она думала, будто жизнь — это череда мужчин, которые уходят, но время от времени ненадолго возвращаются. Может, так оно и было, но к Крису это не имело отношения. Во всяком случае, на этот раз. — Сэм, ты помнишь бабушку Джин?

— Папину маму?

— Да. — Тут Пег и Том неслышно встали и ушли на кухню, беззвучно закрыв за собой дверь. Мне показалось, что Пег плачет. Но я не была в этом уверена, потому что была поглощена мыслями о предстоящем разговоре. Мне надо было объяснить Сэм то, что останется с ней на всю жизнь.

— Что ж, родная моя... Господь очень любит людей, и когда он видит, что человек сделал все, что он должен был сделать, то забирает его к себе на небеса.

— Он всех очень любит?

— Да, всех, но позволяет некоторым прожить здесь очень долго. А других забирает к себе немножко быстрее.

— Мамочка, а тебя он очень любит? — У нее задрожал подбородок.

— Сэм, родная, со мной ничего не случится. — Я понимала ход ее мыслей. — Но ему очень понадобилась помощь дяди Криса. Так что дядя Крис теперь на небесах, с господом и бабушкой Джин.

— Он когда-нибудь придет в гости?

— Не так, как ты думаешь, Сэм. Но стоит тебе вспомнить о дяде Крисе, и он придет. Он всегда будет рядом с тобой. Мы можем говорить о нем, думать о нем, любить его, а он будет знать это. И так будет всегда.

— Но я хочу, чтобы он был с нами. — Этот взгляд... О боже, этот взгляд...

— Я тоже, однако господь решает по-своему. Мы будем сильно тосковать по дяде Крису, но у меня есть ты, а у тебя — я. И я очень, очень люблю тебя. — Она бросилась в мои объятия, и мы обе заплакали. — Сэм, пожалуйста, не грусти. Дядя Крис не хотел бы, чтобы ты грустила. Он сам не грустит, ему не больно, и он все еще любит нас...

Сэм сидела у меня на коленях, а я тихонько покачивала ее. Слезы бежали у нас по щекам, ее маленькие пальчики обнимали меня за шею, цеплялись за единственное близкое ей существо. Я качала ее, качала, и вдруг руки Сэм разжались. Заглянув дочке в лицо, я увидела, что она уснула. Моей крошечной дикой индианке, на прошлой неделе сунувшей в руку Криса Мэтьюза трех червяков, отныне придется жить с мыслью о том, что он ушел... Я сидела и смотрела на нее, пока в комнате не стемнело, а потом уложила девочку на диван. На ее лице еще не высохли слезы.

Я встала, посмотрела в окно, тяжело вздохнула и пошла искать Тома и Пег. Они все еще сидели на кухне, и глаза у обоих были красные. Пег сконфуженно посмотрела на меня и спросила:

— Не хочешь выпить?

— Это вряд ли поможет.

— Где она?

— Уснула на диване. Не стану будить ее к обеду. За эти дни ей тоже здорово досталось. Пусть отоспится.

— Хотите, я отнесу ее в кровать?

— Спасибо, Том, это хорошая мысль. Пожалуй, и я лягу. Мне это тоже не помешает...

Я с трудом поднималась по лестнице. Том шел впереди с Сэм на руках, поникшей, словно тряпичная кукла, а замыкала шествие Пег. Хотелось попросить ее подтолкнуть меня в спину — до лестничной площадки было так далеко...

Я не раздеваясь упала на кровать, и Пег пришла, чтобы помочь мне снять серое платье.

— Не могу пошевелиться, Пег.

— Знаю. Только сними платье, а потом лежи сколько влезет.

Я кряхтя стащила с себя платье и рухнула в постель. Пока Пег задергивала шторы и выключала свет, сон сморил меня так же внезапно и так же быстро, как и Сэм.

Я почувствовала удар штыка. Кто-то пытался убить меня, молотил кулаками, мне раздирали спину, вспарывали живот, вытягивали жилы... О боже, спаси меня, кто-нибудь, помогите, пожалуйста... Хотелось проснуться, вырваться из кошмара, спрятаться от боли. Я очнулась слабая, измученная и попыталась взглянуть на лежавшие рядом часы. Но стоило поднять голову, как меня скрутила та же боль. Она вцепилась мне в спину и пронзила насквозь, до самого живота, словно чья-то рука вырывала из меня внутренности. Я закричала, и в комнату тут же вошла Пег. Когда боль отступила, я с трудом перевела дух.

— Джилл, что с тобой? Я слышала... О боже, тебе плохо?

— Уже легче. — Я попробовала сесть, и боль снова распорола меня, заставив схватиться за простыню и закорчиться как червяк.

— Не двигайся. Я позвоню доктору. Как его фамилия?

— Морз. Номер телефона в книжке на кухне. Скажи ему... Я думаю, у меня схватки... Скажи ему... — Тут боль вернулась снова. Я лежала на кровати, пытаясь справиться с приступами и не удариться в панику, и ждала возвращения Пег.

— Он велел сию же минуту везти тебя в больницу. Сможешь дойти до машины?

Я попыталась подняться, но не смогла даже сесть, только перекатилась ближе к краю кровати. На простыне расплывалось кровавое пятно.

— Боже мой... О господи, Пег...

— Успокойся, Джилл. Я позвонила Тому, он побудет с Сэм, а заодно поможет тебе спуститься.

Я откинулась на спину. Боль не давала раскрыть рта. Пег то куда-то исчезала, то появлялась снова, а боль пронизывала меня, выворачивала наизнанку, поднимала и швыряла на острые скалы. Я хотела взять Пег за руку, но не могла пошевелиться. А затем в дверях появился Том Барди. Он подошел ко мне, поднял вместе с одеялом и понес вниз, к машине Криса. Я заметила, что Том и Пег обменялись взглядами, и, должно быть, потеряла сознание, потому что, когда я вновь открыла глаза, надо мной горели тысячи огней, стоял невообразимый шум, суетились какие-то люди, звякал металл, и я чувствовала, что сплю и в то же время куда-то лечу, поднимаюсь над лампами, над людьми и парю между мирами. Я немного полетала, а затем... о господи... О боже мой... Они снова рвут меня на части... убивают меня... О боже... Крис... Пег... пожалуйста, остановите их... Я не могу этого вынести, не могу, не могу... Я не могу... И все рухнуло куда-то в темноту.

Я очнулась в незнакомой комнате, почувствовав, что меня вот-вот вырвет. Оглянувшись, я увидела Пег, а затем все померкло. Творилось что-то странное. Пег то возникала, то растворялась во мраке. Кто-то лежал в постели, утыканный капельницами, обвитый трубками... Я ясно видела эту женщину, однако не могла вспомнить, кто она такая. Надо бы спросить, но я не могла. Я слишком устала... слишком устала...

О господи, как все болит внутри...

— Пег... Что случилось? — Я повернулась к ней... Мой живот... Он плоский... Малыш... — Пег... Пег... Мой ребенок... — Но я уже знала. Я знала, что случилось. Младенец умер.

— Лежи, лежи, Джиллиан. Ты долго была без сознания.

— Это неважно. — Рыдания душили меня, делая боль невыносимой.

Потом я спросила, сколько времени.

— Два часа.

— Дня?.. Боже мой...

— Ага, Джилл... Знаешь, сегодня вторник...

— Вторник... О господи!

Входили и выходили медсестры, появлялась и исчезала Пег, и шло время. Не из-за чего было волноваться, не о чем думать. Сэм осталась дома с Пег и миссис Джегер, а Крис и малыш умерли. Больше ничего не могло случиться. Ни с кем. Ни с Крисом, ни с ребенком, ни с Сэм, ни со мной. Абсолютно ничего.

Наверное, Пег еще раз звонила в Нью-Йорк, потому что в палате снова появились цветы от Хилари, Гордона и «Джона Темплтона с сотрудниками». Еще одни похороны. Только на сей раз это меня не тронуло. Мне было на все наплевать.

Я сделала открытие: в этой больнице женщин, потерявших детей, помещали в одно отделение с роженицами. Как ни странно, это считалось одним из наиболее выдающихся достижений современной медицинской психологии. По коридорам туда и сюда возили младенцев, слышался детский плач. И ты начинала жалеть, что осталась в живых.

Мне рассказали, сколько весил мой ребенок, какого он был роста, какая у него была группа крови и сколько он прожил. Семь часов двадцать три минуты. А мне так и не довелось увидеть его. Это был мальчик.

К концу недели я немного окрепла, и меня решили выписать в воскресенье. Как бы то ни было, надо возвращаться домой. Пег пора уезжать.

— Я останусь еще на неделю.

— Нет, не останешься. Ты и так задержалась, пока возилась со мной. Слишком много несчастий свалилось на мою голову.

— Не преувеличивай. Я остаюсь.

— Послушай, Пег, я позвоню в агентство и

найму помощницу. По закону я имею право еще три недели бить баклуши. Ты ведь не сможешь оставаться со мной все это время, правда? — Тут Пег заколебалась, и мы заключили компромисс. Она останется до среды.

В воскресенье меня выписали вместе с полудюжиной девчонок, любовно глядевших на своих младенцев, завернутых в одеяла пастельных тонов. Пег отвела меня к машине, я выхватила из рук медсестры чемоданчик с моими вещами, плюхнулась на сиденье и выпалила:

— Давай, Пег, поехали отсюда ко всем чертям!

Она нажала на газ, и мы помчались в сторону Сакраменто-стрит.

Дом был в идеальном порядке. Пег Ричардс обладала нечеловеческой работоспособностью. Сэм встречала меня у дверей с букетиком цветов, сорванных в саду. Как хорошо снова оказаться с ней рядом! Я почувствовала раскаяние, потому что в больнице редко думала о дочке. Казалось, даже ее судьба перестала меня волновать. Но это только казалось, моя милая, ласковая Сэм...

Пег помогла мне подняться по лестнице, уложила в постель, принесла чаю, и я почувствовала себя настоящей королевой. Больной, но все же королевой. Мне было абсолютно нечего делать, кроме как лежать и плевать в потолок.

Я была еще очень слаба и с удовольствием следила за тем, как суетится вокруг меня Пег. После моего возвращения дважды звонил телефон. Сначала о моем здоровье осведомилась миссис Мэтьюз, а потом Гордон. Пег оба раза посмотрела в мою сторону, и оба раза я покачала головой. Еще нет. Они все знали, и хватит с них. Я ничего не могла добавить. Миссис Мэтьюз в очередной раз сказала бы «как жаль». Мне и самой было жаль, да и чувствовала я себя отвратительно из-за того, что добавила ей горя. Гордон же предложил бы приехать или начал уговаривать меня вернуться в Нью-Йорк, а я не хотела об этом слышать. Я выбрала джинсы и маргаритки... и оставалась верна своему выбору. Я не хотела слышать ни о Нью-Йорке, ни о журнале, ни о чем-нибудь другом. Все осталось позади, все ушло.

Я просмотрела почту и обнаружила, что Гордон прислал фотографию, где мы втроем снялись у «Роллс-Ройса». Взглянув на открытку, я небрежно бросила ее на столик рядом с кроватью. Там ее и нашла Пег.

— Это было так давно... — пробормотала я.

Пег кивнула и вложила фотографию обратно в конверт.

Единственное, что сделала для меня больница: она на короткое время позволила забыть о внезапно свалившихся на меня жестоких испытаниях. Мне не пришлось слоняться по дому, трогать вещи и вспоминать, вспоминать, вспоминать... Не все сразу. Пока что я отдыхаю, но рано или поздно через это придется пройти.

Промелькнуло еще несколько дней, и настала среда. Мы с Пег обнялись и расцеловались. Я не могла высказать, как я ей благодарна, а она обещала звонить, писать и даже заверила, что постарается весной выбраться на недельку. Том Барди отвез её в аэропорт, и я начала подумывать, что тут кроется нечто большее, чем желание избавить меня от хлопот. Полторы недели, проведенные вместе, рождают взаимную симпатию не хуже, чем морские круизы. Они были вырваны из привычного окружения, постоянно находились рядом, и хотя их свело не приятное путешествие, а череда катастроф, но им пришлось взяться за руки, чтобы заключить меня в магический круг. Этого оказалось достаточно. Возможно, как это случается после круизов, при новой встрече они поймут, что у них нет ничего общего, но сначала нужно, чтобы такая встреча состоялась. Пег ничего не сказала мне перед отъездом, и я имела право думать об этом все, что угодно.

Том принадлежал к миру Криса, очень напоминал друга своей непосредственностью и целеустремленностью, но был проще и казался добрее; он не отличался склонностью к жестокой откровенности, но в нем не было блеска Криса. Наверное, жить с ним было бы легче. Он не был искушен в красноречии. Мне показалось, что Том смотрит Пег в рот. Нет, тут было над чем призадуматься...

Я наняла помощницу по хозяйству. Она спала в комнате Сэм, и все пошло своим чередом. Силы понемногу возвращались ко мне, и душевная боль начала слабеть. Как я и говорила Сэм, Крис всегда был с нами. Мы говорили о нем, память о его лице согревала меня днем, а голос снился по ночам. Я поймала себя на том, что стала слишком много спать. Это было настоящим бегством от действительности: во сне мне всегда являлся Крис. Он ждал, когда я лягу, протягивал руку и тащил меня к себе, подальше от опустевшего дома... и от правды.

Глава 40

В марте из письма Джона Темплтона я узнала, что Джулия Вейнтрауб три недели пробыла без сознания и тихо скончалась, не приходя в себя. Оно и к лучшему, иначе ее последние дни омрачила бы невыносимая боль. Что ж, достойное завершение большого куска моей жизни. Крис, ребенок, Джулия. Казалось, меня со всех сторон окружили призраки... Я потихоньку начала вставать и посвятила себя дому: немного рисовала, возилась с Самантой и не обращала внимания на то, как летит время. Мне нечем было заняться. Долгие прогулки с Самантой пошли мне на пользу: я прибавляла в весе, у меня постепенно восстанавливался цвет лица.

Частенько захаживал Том Барди, приносил Сэм маленькие подарки и время от времени оставался обедать. Говорить он был не мастер, но с ним было хорошо, и мы с Сэм радовались его посещениям. Том никогда не говорил о Пег, но стоило упомянуть ее имя, как он сразу выпрямлялся на стуле и начинал жадно ловить каждое слово. Приятно было посмотреть на влюбленного человека, и оставалось только гадать, знает ли об этом Пег. Может, они давно объяснились, а я, как обычно, узнаю обо всем последней?

В один прекрасный день я не выдержала:

— Том, ты ничего не получал от Пег?

— Нет, — вспыхнул он.

— Почему бы тебе не позвонить ей как-нибудь?

— Позвонить? Ей? — Он был так поражен, что я предпочла сменить тему. Оба они взрослые люди; решительность Пег вошла в пословицу, да и Том мог сам позаботиться о себе, поэтому я решила держать язык за зубами и не лезть не в свое дело.

Перед отъездом во Францию дважды звонил Гордон, умолял меня подумать о себе, о нем, уговаривал приехать, но все было тщетно. Я не хотела покидать Сан-Франциско. И Криса.

Я так и не убрала его вещи. Когда мне становилось одиноко, я открывала шкаф, перебирала его ботинки, джинсы, свитера, вдыхала знакомый запах, и начинало казаться, что Крис ненадолго вышел, что он вот-вот вернется и обнимет меня. Его студия оставалась нетронутой. Я зашла туда один раз, чтобы проверить, нет ли там каких-нибудь важных документов, и с тех пор не поднималась наверх. Все вещи стали неприкасаемыми, а дом превратился в мавзолей.

Я регулярно писала Пег, посвящая ее во все наши дела, а она отвечала мне время от времени. Я знала, что она очень устает на работе. Однажды Пег намекнула, что могла бы приехать, но это больше не повторялось. Кому, как не Пег, знать, что двери моего дома для нее всегда открыты, поэтому я все же надеялась, что она когда-нибудь постучится в них.

Пег начала тормошить меня. В ее письмах стали попадаться советы типа: «Ты должна видеться с людьми... Ты должна подыскать себе работу... Ты должна куда-нибудь съездить...» Слава богу, она не предлагала мне вернуться в Нью-Йорк, не хуже меня зная, что эта тема запретна.

В конце мая завершился учебный год. Однажды утром, завтракая с Сэм, я подумала о том, что со дня смерти Криса прошло уже пять месяцев. Казалось, мы с Сэм прожили здесь целую вечность, и в то же время чудилось, что Крис вышел из дому только сегодня утром. Я упорно продолжала считать Криса живым, и это помогало мне не впасть в отчаяние.

Мне было одиноко, но это было совсем не то одиночество, которое я испытывала в Нью-Йорке после разлуки с Крисом. Тогда я была в ярости, ощущала оскорбленное самолюбие и не находила себе места, переживала и расстраивалась, хотя и не отдавала себе в этом отчета. То было время гнева. Но теперь, после смерти Криса, все стало по-другому. Гнев исчез. Сходство было только в одном: я чувствовала одиночество. Потеря была безвозвратной, и я начинала примиряться с этой мыслью. Корабль мой стоял на якоре, плыть было некуда. Да и не хотела я никуда плыть. Я много рисовала, перечитала уйму книг и все больше и больше замыкалась в себе, словно собиралась постричься в монахини. Это напоминало темный тоннель: едешь, едешь, а свет впереди так и не брезжит... Лишь бы добраться до конца тоннеля, а там... Там увидим.

В июне Сэм предстояло уехать к отцу, и я подумывала о путешествии в горы, к озеру Тахо, чтобы хоть ненадолго сменить обстановку, но колебалась. Я была счастлива дома, в окружении вещей Криса. Хорошо было спать в его постели, зарываться лицом в его свитера и рубашки... В конце концов я все же вышла за Криса, но моим мужем стал мертвец и увел меня за собой. Теперь я была почти так же мертва, как и он.

— Сэм, звонят в дверь! Я наверху, так что открой, пожалуйста. Только спроси, кто там.

Ворвался Том Барди и понесся по лестнице, прыгая через две ступеньки.

— Пег прилетает!

— Когда?

— Завтра. — Он улыбался от уха до уха.

— Да неужели? Это точно? Как ты узнал? — Забавно. Я ничего об этом не слышала.

— Она позвонила мне, — досадливо пояснил он. Как я смела сомневаться?

Странно. Правда, в последнем письме, кажется, был какой-то туманный намек.

— Самолет прибывает рано утром. Я поеду ее встречать.

Хотелось спросить, нельзя ли к нему присоединиться. Я знала Пег всю мою жизнь, а тут появляется какой-то чужак и встревает между нами. Но я ничего не сказала. Может, Пег это по душе. Она ведь позвонила ему, а не мне.

Затем зазвонил телефон. Это была Пег. Легка на помине.

— Завтра прилетаю!

— Я уже знаю.

— Ох...

— Том стоит рядом.

— Передай ему привет. Можно остановиться у тебя? — И все мои подозрения тут же испарились. Или почти испарились.

— Ну конечно! Я соскучилась. Ты надолго?

— На недельку-другую. Может, и больше. Посмотрим. Вообще-то я оформила отпуск на три недели, но на обратном пути хотела навестить маму.

— Прекрасно. Том сказал, что встретит тебя. Слушай, почему бы тебе не перебраться сюда?.. Ладно, посмотрим. До завтра, Пег. Жду с нетерпением! — Мы попрощались, и я повесила трубку.

— Почему она не поговорила со мной?

— Ей надо торопиться, Том. Завтра она будет здесь. — Он напоминал обиженного ребенка. В точности как Крис или Саманта.

Том сбежал по лестнице и был таков. Когда мы увиделись в следующий раз, он стоял у дверей позади Пег и сиял так, словно нашел клад. Пег бросилась ко мне в объятия, мы захохотали, завизжали и начали целоваться. Сэм тоже внесла свой вклад в поднявшуюся кутерьму. Настоящее возвращение домой.

— Добро пожаловать. Мы стосковались по тебе.

— Ну что ж, я вижу, у вас тут без перемен. Господи, как я рада, что приехала!

Том отнес ее вещи в комнату Сэм и тут же возвратился. Настало время ленча, мы поели, немного отдохнули, а потом Пег с Томом захотели прогуляться и предупредили, что сходят в кино. Я рано легла спать и не слышала, когда вернулась Пег.

На следующее утро Пег спустилась завтракать с крайне серьезным выражением лица. Это означало, что она собирается «провести со мной беседу». Мама Пег будет учить меня уму-разуму. Чашка кофе и усмешка помогли мне взять себя в руки. Я действительно соскучилась по Пег.

— Джиллиан, — решительно заявила она.

— Да, Пег? Или мне тоже начать называть тебя Маргарет? Ты сегодня вылитая Маргарет. — Ни намека на улыбку.

— Где Сэм?

— Играет с друзьями, а что?

— Я хочу сказать тебе кое-что, не предназначенное для ее ушей. Джилл, вчера я сказала, что у вас тут без перемен, но и сама не знала, насколько я права. Господи, Джилл, все вещи Криса на месте — его бумаги, одежда, рубашки, даже зубная щетка. На кой черт это нужно? Тебе двадцать девять лет. Он мертв, ты жива. Держу пари, ты даже не зашла в его кабинет. Права я? Ну что, права?

Нечестный удар. Все правда, но ей этого не понять. Да и как понять? У Пег щедрое сердце, она полна жизни, но у нее никогда не было ни мужа, ни детей, она не теряла ни любимого человека, ни его ребенка. До нее не дойдет.

— Пег, ты не понимаешь...

— Все я понимаю. Намного больше, чем ты думаешь, и уж наверняка больше, чем ты сама. Знаешь, со стороны виднее. И Том считает так же. Он говорит, что ты ходишь в одежде Криса и говоришь о нем так, словно он жив. Ты ничего не делаешь, никуда не выходишь. Джилл, у меня от этого волосы встали дыбом.

— Не от чего им вставать дыбом. Как хочу, так и живу. Черт побери, есть из-за чего поднимать шум. Как будто я по улицам шляюсь в его одежде. Кончай пудрить мне мозги, понятно? — Я здорово разозлилась, потому что правда, прозвучавшая в ее словах, задела меня за живое. Пег не имела права так говорить.

— Да, я знаю, что не имею права так говорить, но у меня нет другого выхода. Потому что я люблю тебя, Джилл. Я не могу спокойно смотреть на то, что ты с собой делаешь. Ты и раньше вытворяла глупости, и я всегда тебя защищала. Ты вернулась в Нью-Йорк, чтобы сохранить ребенка, и я ни слова тебе не сказала, потому что считала, что ты права. Сама бы я на такое не решилась, но по крайней мере могла это понять. Но тут... Тут совсем другое дело. Это клиника, Джилл. Ради бога, посмотри на себя со стороны. Что ты делаешь с собой... и с Сэм? Какого черта? Думаешь, она ничего не понимает?

И снова она была права, права на сто процентов. Крыть было нечем, и я молча опустила глаза... Когда наконец я сумела поднять их, то увидела, что Пег плачет. Из-за меня, из-за Саманты и, может быть, даже из-за Криса.

Увидев ее слезы, я уронила голову на стол и заревела в три ручья. Мир и покой последних месяцев рухнули за десять минут. Да иначе и быть не могло, потому что этот призрачный замок я построила на песке. Я жила во сне и боялась взглянуть в лицо правде. Может быть, мне удалось бы пережить гибель Криса, если бы у меня остался ребенок, но потеря младенца лишила меня всего. Реальный мир оказался слишком жесток, и я создала вместо него свой собственный. Призрачный мир, державшийся на Крисе. Теперь этот карточный домик рассыпался, и я — голая, с ободранной кожей, окровавленная — оказалась перед лицом того, от чего пряталась все эти месяцы: перед лицом правды. Крис был мертв.

Пег неслышно передвигалась по кухне, не мешая мне плакать. Лишь раз она положила руку мне на плечо и промолвила:

— Прости меня, Джилл.

— Не за что, — с трудом выдавила я. Потому что она была права и считала своей обязанностью сказать мне правду. А я была виновата. Ужасно, ужасно виновата. И самое ужасное заключалось в том, что я вовлекла в эту сделку и Саманту.

— Пег, ты поможешь мне?

— Чем, малышка?

— Помоги убрать его вещи.

Она кивнула.

— Когда?

— Сейчас.

— Сейчас?

— Да, сейчас. Если я не сделаю это сию минуту, то не сделаю никогда и всю оставшуюся жизнь проживу в этой паутине...

— О'кей. Пошли.

Несколько часов мы разбирали вещи, раскладывали их в кучки и перекладывали с места на место. Надо было сделать это на следующий день после похорон, но... Пятимесячная задержка ничего не изменила: боль никуда не ушла, она осталась со мной.

Я сложила в коробку вещи, которые следовало отослать миссис Мэтьюз. Еще одна коробка предназначалась Джейн. Несколько вещей я отобрала для себя. У меня не было сил с ними расстаться. Однако на сей раз я спрятала их в ящик. Они останутся со мной, но я не буду гладить и нюхать их каждую ночь. Достаточно и того, что они у меня есть.

Остальное мы сложили в мешки и отнесли в чулан, чтобы как-нибудь потом отвезти старьевщику.

Только вечером я вспомнила о том, что вот-вот вернется Сэм, и мы прервались. Впрочем, с двумя нижними этажами было покончено. Мы вынесли оттуда все.

— Завтра возьмемся за студию.

— Тома позовем?

— Да.

На следующий день мы снова сортировали и паковали вещи, но теперь уже втроем. Очень многое я отдала Тому. Кое-что могло пригодиться ему в работе. Мы трудились как каторжные, и в восемнадцать часов семь минут студия перестала существовать. С наследством Кристофера Колдуэлла Мэтьюза было покончено. Начиналась новая эра.

Глава 41

Когда Пег прожила у меня вторую неделю, я слегка удивилась. Казалось, она и не думает уезжать, а самой заводить об этом разговор было неудобно. Еще подумает, что я ее выставляю. Пег много времени проводила с Томом, и мне не так уж часто доводилось видеть подругу. Похоже, она была счастлива, да и Сан-Франциско пришелся ей по душе.

Мы с Сэм наслаждались последними днями перед ее отъездом к отцу. Я начинала подумывать о работе. Как обычно, приезд Пег увенчался успехом.

Однажды утром я чесала в затылке, просматривая газетную полосу с шапкой «Требуются», как вдруг в дверях остановилась Пег. На ее лице снова появилось решительное выражение.

— Слушай, не смотри на меня так грозно. Садись. Не ругай меня. Я была хорошей девочкой и даже читала объявления о приеме на работу.

И тут она рассмеялась.

— О боже, неужели у меня такой свирепый вид?

— Ага... Что случилось?

— Ну... Мы с Томом женимся. — Она села и затаила дыхание.

— Пег!.. Ух ты! — Я вскочила и обняла ее. — Когда?

— Завтра.

— Вы получили разрешение? — Такой же вопрос я совсем недавно задавала Крису...

— Да.

— Ну, черт возьми! И не сказали мне ни слова!

— Я не хотела. Честно говоря, Джилл, я сама ни в чем не была уверена. Я поняла, что люблю его, только в Нью-Йорке, но Том молчал, и я не знала, любит ли он меня... И... О, черт...

— Господи Иисусе, Пег, просто не верится. Оказывается, волшебные сказки еще существуют... для кого-то. — И мы отвели глаза, вспомнив о том, что счастливой ее сделала моя беда.

Тут в дверь позвонил Том, я поцеловала его и сказала:

— Поздравляю!

Он зарделся, как девушка.

— Ты уже знаешь?

— Что знаю? — У него задымились уши, а мы с Пег залились хохотом.

— Она дразнит тебя, милый. Я обо всем рассказала. — Он облегченно вздохнул.

Томас Хьюго Барди и Маргарет Эллисон Ричардс поженились на следующий день, зарегистрировав брак в том же заполненном смешными стариками месте, куда мы с Крисом ходили за разрешением. Оно все еще хранилось у меня.

Мы с Самантой и один из приятелей Тома были свидетелями церемонии, а потом все вместе отправились в Созалито и как следует отметили это событие.

После ленча мы заскочили за вещами, и Том увез Пег к себе. Начинался медовый месяц. Они уехали, а я долго думала о том, как не похожа жизнь на мечты маленьких девочек. Пег клялась, что сбежит с настоящим ковбоем или кем-нибудь еще в этом роде. Ничего из этого не вышло. И слава богу, подумала я. Моя подруга заслуживает большего. Они будут счастливы. Интересно, знает ли об этом мать Пег? Эта ужасная миссис Ричардс была так же не похожа на Пег, как горчица на икру. О ней можно было долго рассказывать.

На следующий день они приехали к нам на ленч, болтали с Сэм, как ни в чем не бывало сидели за столом на кухне, и все выглядело так, будто они женаты по меньшей мере лет семь.

— А что будет с твоим барахлом, оставшимся в Нью-Йорке?

— О, подружка обещала все упаковать и прислать мне. Пожитков у меня совсем немного. Кое-что она оставит себе, когда переедет в мою квартиру. — Тут я спохватилась, что арендный договор на дом Криса через месяц заканчивается и надо будет его продлить... — На работе все очень обрадовались, в один голос заявили, что рано или поздно это должно было случиться, и в качестве свадебного подарка предложили мне место в оклендской закупочной конторе.

— И ты каждый день будешь ездить в такую даль?

— За такие деньги и ты бы согласилась!

— Слушай, а что сказала об этом твоя мать? Вчера я совсем забыла спросить...

— Не стоит повторять эти слова в присутствии детей. Ладно, как-нибудь перебьется.

Мы долго сидели и болтали о всяких пустяках. Я любовалась ими и вспоминала Криса. Все мы были связаны одной веревочкой. Больно было видеть их счастье, но ни за что на свете я не призналась бы в этом Пег. Впрочем, она и сама все понимала.

— Джиллиан...

— Да?

— Почему бы тебе не сменить обстановку? Знаешь, я думаю, что тебе следовало бы переехать в город поменьше.

— Эй, подожди минутку, Пег. Остынь. Я следовала всем твоим советам, выскребла дом, но эту мысль ты оставь. Пора остепениться. Переключись на Тома, повоспитывай его. Попадет к тебе под башмак — сразу узнает, почем фунт лиха.

— Ну, не упирайся всеми четырьмя копытами. Я знаю, что говорю. По крайней мере могла бы отправиться в путешествие. На работу ты еще не устроилась, а Саманта уезжает. Съездила бы ты на Гавайи, что ли...

— Терпеть не могу Гавайи. Мы с Ричардом были там еще до рождения Сэм и не знали, куда деваться от этого чертова дождя.

— Ну, тогда еще куда-нибудь.

— Ладно, я подумаю, — пообещала я, лишь бы отвязаться. Одно дело — освободить дом от ненужных вещей, и совсем другое — оставить его.

Том и Пег собрались уходить и посулили забежать завтра или послезавтра.

— Слушайте, ребята, у вас ведь медовый месяц. Вы что, всю жизнь собираетесь оставаться при мне сиделками?

— Нет. Просто нам нравится, как ты варишь кофе, — улыбнулся Том, потрепал меня по плечу, и они ушли.

Я смотрела им вслед и думала о том, как хорошо иметь таких заботливых, таких верных друзей. Может, они чувствовали себя слегка в долгу передо мной: ведь это я познакомила их. Как бы там ни было, меня радовало, что они рядом. На эту пару было любо-дорого смотреть, но, когда они уходили, я еще сильнее ощущала свое одиночество. Они переглядывались друг с другом и держались за руки, думая, что я ничего не вижу. Но я все видела, все замечала, и меня охватывала лютая тоска. Крис не торопился уходить.

Глава 42

Я получила письмо от Гордона. Он писал, что дела его идут успешно и что Эзе ему очень нравится. Если все сложится удачно, то поздней осенью в Париже откроется его выставка, которая может принести ему славу. Он уже устроился, снял маленький домик с прекрасным видом из окна и учится играть в кегли.

Гордон спрашивал, не собираюсь ли я летом съездить в Европу, и приглашал в гости — можно на месяц, можно на несколько дней, «как понравится». Но по тону приглашения было видно, что он не слишком верит в мой приезд. Я не видела Гордона несколько месяцев, которые могли бы сойти за годы. Я чувствовала, что стала намного старше и сильно изменилась. Мудрости у меня не прибавилось, зато прибавилось усталости... Словом, теперь я была совсем другим человеком.

Я укладывала вещи Сэм, готовя ее к отъезду, и думала: как хорошо, что Том и Пег рядом.

Мне будет не так одиноко. Дом без Сэм опустеет, но все же лучше так, чем расставаться с ней на несколько уик-эндов и обрекать ребенка на постоянные разъезды или мириться с регулярными визитами проживающего неподалеку отца. Я бы не удивилась, если бы у взрослой Сэм возникла такая же стойкая неприязнь к отцу, которую я испытывала к своему непутевому папаше. Может, это и есть настоящая цена развода, которую платят мужчины. Во всяком случае, кое-кто из них.

Зазвонил телефон. Наверное, Пег...

— Алло...

— Алло, алло, oui[1], алло...

— Да, слушаю. — Ужасная слышимость. Как будто гномы дробят руду в штольне.

— Мадам Фор-ресс-терр, пожалуйста. Ее вызывает мсье Аррт. — Картавый голосок телефонистки, в горле которой перекатывалась буква «р», напомнил мне о школьных уроках французского языка.

— Это я.

— Джиллиан?

— Да. Гордон, какого черта ты мне звонишь в такую даль? Разбогател, что ли?

— Я сижу и любуюсь самым роскошным закатом, который мне когда-либо доводилось видеть. Я должен был позвонить тебе. Хочу, чтобы ты приехала.

— Любоваться закатом? Как-нибудь обойдусь. Слишком далеко, Гордон. Я предпочитаю остаться в Сан-Франциско.

---

[1] Да (фр.).

— Почему ты не хочешь приехать? Возьми с собой Сэм. Ей тут безумно понравится.

— Через два дня она уезжает к отцу и пробудет у него по крайней мере месяц. А я останусь дома и займусь хозяйством.

— Ради кого?

— Ради себя.

— Джиллиан, пожалуйста. Не отвечай мне сразу. Подумай, прошу тебя.

— Ладно, подумаю.

— По тону слышу, что говоришь неправду, — упрекнул он.

— Ей-богу, подумаю и напишу тебе о своем решении. — Решение будет одно и то же, что в письме, что по телефону. Нет.

— Нет. Если напишешь, это будет значить, что ты не приедешь. Я позвоню через несколько дней. Есть прямой рейс из Лос-Анджелеса до Ниццы. Я встречу тебя в аэропорту.

— Ницца? В последний раз я была там ребенком.

— Значит, настала пора побывать еще раз... Пожалуйста... — В его голосе снова появилась умоляющая нотка.

— Так и быть, подумаю... Как идут дела?

— Чудесно. Я почувствовал себя другим человеком. Ты была права. — Первый раз в жизни кто-то признал, что я права... Нет, это нечестно! Никто не виноват в том, что Крис упал с крана. Может быть, и он когда-нибудь сказал бы мне то же самое.

— Как Грег?

— Он приезжал ко мне на весенние каникулы. Влюбился в город и пообещал приехать в июле. — Тон Гордона стал иным. Я услышала это даже сквозь удары кирок гномов.

— Слушай, этот разговор обойдется тебе в целое состояние. Договорим в следующий раз.

— Подумай об этом, Джиллиан... Ты нужна мне.

— До свидания.

— Пока... Позвоню в конце недели.

...Ты нужна мне... Ты нужна мне... Когда я слышала от мужчины эти слова? Несколько месяцев назад? Больше? Неужели я была нужна Крису, неужели он любил меня? Прежде я и Гордону не была нужна. Вернее, нужна, но не целиком. Так когда же я была нужна мужчине? Никогда?.. Ты нужна мне...

Я позвонила Пег и все ей рассказала.

— Езжай! — немедленно заявила она.

Это был приказ. Но я и так знала, что скажет Пег. Зачем же было звонить? Чтобы она лишний раз сказала мне это? Чтобы услышать от нее категорическое «езжай»?

— Не будь дурой. По-твоему, все, что мне нужно, это поехать на юг Франции и трахнуться там с унылым занудой Гордоном?

— С занудой? Раньше он был достаточно хорош для тебя, а теперь стал занудой? У тебя был кто-нибудь лучше? Дерьмо все это, Джиллиан. Да я бы руками и ногами ухватилась за такую возможность!

— Потише. Не дай бог, Том услышит.

— Ладно, ладно... Но если ты никуда не поедешь, я скажу тебе, детка, только одно: ты окончательно выжила из ума!

Мы одновременно бросили трубку, обидевшись друг на друга. Я злилась и на Пег, и на себя за то, что позвонила ей. Теперь мне предстоит несколько дней выслушивать ее понукания, а потом она будет все лето ворчать на меня за то, что я никуда не поехала.

Сэм улетала с Ричардом в Лондон. Перед тем как сесть в машину, он посмотрел на меня и покачал головой. Я догадалась: сейчас он начнет жалеть меня.

— Мне жаль, Джилл, что на тебя свалилось столько всего. — Он знал лишь половину случившегося.

— Спасибо. Мне тоже. Но сейчас все нормально. Сэм нравится Сан-Франциско. — Что угодно, лишь бы подальше от этой темы.

— Ты давно не была в Европе. Почему бы тебе не слетать туда и не забрать у меня Сэм? Могла бы снова побродить по знакомым местам.

— И ко мне вернется юность?

— Я этого не говорил.

— Но подумал... Посмотрим. — Все гонят меня в Европу. Сговорились, что ли?

Я пообещала Сэм, что позвоню ей, и они уехали. Глаза девочки были полны слез. Я вспомнила, что в детстве испытывала то же самое чувство, и это воспоминание больно укололо меня. Стоя на ступеньках крыльца, я долго махала им вслед.

Я сидела одна, вслушиваясь в тишину, смотрела на разбросанные по всей гостиной игрушки и удивлялась, как это люди могут жить без детей.

Раздался телефонный звонок. Я надеялась, что это Пег. Хоть бы они пришли и оживили это кладбище...

— Алло? — О боже... Опять Гордон. А я еще ничего не надумала. Нужно выиграть время. Пожалуйста, хоть немного... Еще нет... Все еще нет...

— Джиллиан, что ты решила? Но прежде чем ты ответишь, я хочу, чтобы ты знала, что я все понимаю. Я хочу, чтобы ты приехала, но если этого не случится, я все пойму. Я не имею права...

— Я еду. — Я произнесла эти слова и чуть не свалилась со стула от изумления.

— Едешь? — Оказывается, не одна я удивилась.

— Да. Я решилась. Только что, по правде говоря. — Я все еще не пришла в себя.

— Когда ты вылетаешь?

— Не знаю. Честное слово, я не задумывалась над этим до последней секунды. Когда ближайший рейс?

— Завтра.

— Слишком рано. Я не успею.

— Хорошо. Следующий — ровно через неделю. У тебя будет время собраться. Когда уезжает Сэм?

— Она уже уехала, восемь минут назад.

— Отлично. Значит, жду тебя в Ницце через неделю. Приеду в аэропорт. Джиллиан, милая... Спасибо тебе. Ты полюбишь здешние места, ей-богу, полюбишь... Спасибо.

Я что-то пробормотала в ответ и повесила трубку. Черт побери, что я наделала? Устроила себе каникулы, только и всего. О нет, куда больше. Подала человеку надежду и вновь почувствовала себя нужной. Но ведь и Гордон был нужен мне. Это прекрасно. Крис... Крис, дорогой, прости... Поднимаясь по ступенькам, я вновь вспомнила Криса. И Мэрлин. Настоящего Криса. Он все понимал. И сейчас бы понял меня правильно.

— Пег? Я еду. Только что звонил Гордон. Вылетаю через неделю.

— Аллилуйя! Мы сейчас приедем.

И они действительно приехали, привезли с собой бутылку испанского вина, которую мы прикончили за час, буйно хохоча и хлопая друг друга по спине. Они, видите ли, «гордились» мной. Слишком гордились. Я чувствовала себя предательницей. Когда понадобился лед, я пошла на кухню и спряталась от них.

Том стоял за спиной и внимательно наблюдал, как я вожусь с подносом. Я старалась не плакать и не оглядываться. Вдруг он схватил меня за руку и вытащил из моего укрытия.

— Джиллиан, он бы сам хотел этого. Ему бы

наверняка не понравилось, как ты жила до этого.

— Я знаю, но ничего не могу с собой поделать. Я должна... Я должна.

— Я тоже знаю. Но это пора прекратить. Люби его, Джиллиан, помни его, помни, каким он был. Но не превращай его в призрак. Он не годится для этого. И ты не годишься. Не забывай о нем. И мы не забудем. Может, ты не сумеешь полюбить кого-нибудь столь же крепко, но я готов биться об заклад, что ты не любила его живого так, как полюбила мертвого.

Да, да, правда... Иногда я сомневалась, достоин ли он моей любви, но все равно любила. Я посмотрела на Тома снизу вверх глазами, полными слез, и с вызовом сказала:

— Я действительно любила его.

— Конечно, любила. Но будь смелее, Джилл. Не останавливайся на полпути. Ты никогда ничего не боялась, и он тоже.

Я повисла у Тома на шее и заплакала. Это было уже чересчур. Не останавливаться на полпути... твердо ступать, идти вперед, тянуться... снова любить... быть смелой... ехать в Эзе... не бояться Гордона. Не бояться Криса.

Когда мы вернулись с кухни, Пег посмотрела на нас и спросила:

— Целовались на кухне, да? Слушай, Джилл, не хочется тебя об этом просить, но... можно нам пожить у вас после твоего отъезда? Придется отказаться от дома, в котором живет Том.

Он слишком мал, и это жутко раздражает меня. Срок договора кончается в этом месяце, и мы постараемся как можно быстрее подыскать что-нибудь подходящее.

— Конечно! И спрашивать нечего. Переезжайте хоть завтра.

— Ну, так уж и завтра. Неделю мы еще потерпим.

Было очень приятно знать, что после моего отъезда в доме будут жить люди. Живые люди. Счастливые люди. В доме Криса будут жить наши друзья.

— «Пан-Америкэн», рейс номер сто пятнадцать, посадка через ворота сорок три... Заканчивается регистрация пассажиров, вылетающих в Ниццу, Франция, самолетом компании «Пан-Америкэн», рейс...

— Вот и все.

— Ага...

Мы нервничали и не знали, что сказать. То же чувство, что и в бюро Хобсона. О боже, как я ненавижу прощаться...

— Пег, береги себя... Я буду писать... Том...

Он стиснул меня в объятиях, как медведь, и подвел к Пег. Та тоже обняла меня. Она волновалась.

— Слушай, иди на этот чертов самолет, а то опоздаешь. Иди скорее, ради Христа. — А ты все та же, старушка Пег...

— До свидания, друзья!

Том одарил меня мальчишеской улыбкой.

— Мы будем как следует заботиться о доме.

Только дай знать, когда вернешься, чтобы мы успели вымести сор.

Они помахали мне, я кивнула и пошла к воротам сорок три. Когда я обернулась, они все еще смотрели мне вслед и держались за руки.

Глава 43

Туристский сезон еще не начался, и половина мест в самолете пустовала. Полет был долгий, поэтому большинство предпочитало лететь из Нью-Йорка. Почти все пассажиры были европейцами. Я сидела одна, три пустых кресла отделяли меня от прохода, за которым располагался одинокий мужчина, явный американец с виду. Он несколько раз посмотрел на меня и, кажется, готов был вступить в беседу, поэтому я предпочла отвернуться.

Большую часть времени я спала, смотрела на облака, думала о Пег и о том, как долго мы с ней знакомы, вспоминала о Томе, который оказался чертовски хорошим другом. Надо же, как быстро они с Пег нашли общий язык... Кто бы поверил в это год назад? Кто бы догадался год назад, чем это кончится?

— Простите, вы не Лиллиан Форрест? Кажется, мы встречались с вами в Нью-Йорке, — обратился ко мне мужчина, сидевший по ту сторону прохода, и мне захотелось ответить, что мое имя Джейн Джонс.

— Джиллиан Форрестер. Почти угадали. —

И я снова отвернулась, надеясь, что он удовлетворится этим. Я не просила его представиться из страха, что он захочет продолжить разговор.

— Вы не поверите, но я встречал вас на балу в октябре прошлого года. Великолепный был бал!

— Спасибо.

— Я работал в нью-йоркском банке, а одна девчушка мне как-то говорит: «Вчера я была на потрясающем балу. Эта женщина знает, как надо на них одеваться». И она оказалась права. Замечательная вечеринка! Хотите верьте, хотите нет, но после этого бала она вышла замуж, меня перевели в Лос-Анджелес, а моя сестра родила двойню! Я имею в виду, что все это случилось после того листопада. — Он посмотрел на меня так, словно в это действительно невозможно было поверить.

— Спасибо за отзыв о бале, я все поняла. Похоже, у вас действительно выдался трудный год, — поддакнула я и с ужасом поняла, что поощряю его излияния.

— Ага. Иногда я сижу и думаю: «Кто бы поверил год назад, что я окажусь в Лос-Анджелесе?» Я имею в виду, что попал в новый мир и начал новую жизнь.

— Мм-м... Я понимаю, что вы имеете в виду. Действительно, кто бы поверил? — Я снова отвернулась и принялась глядеть в иллюминатор, любуясь облаками.

— Знаете что, Лиллиан, вы изменились. Я бы ни за что не узнал вас, если бы не моя память на лица. — Какое-то время он пристально смотрел на меня. — Ага, вы здорово изменились. Как-то по-другому стали выглядеть. Не старше, но по-другому. — Тут ты прав, братец. Именно «по-другому», хотя и старше тоже. О'кей, можешь смело утверждать это, потому что, малыш, я дорогой ценой заплатила за эту перемену.

Я снова отвернулась, на этот раз окончательно, и проспала до самой Ниццы.

— Veuillez attacher vorte ceinture de surete, et ne pas... Пожалуйста, пристегнитесь... Мы прибываем в Ниццу приблизительно через пятнадцать минут; местное время три часа тридцать пять минут, температура воздуха семьдесят восемь градусов по Фаренгейту. Спасибо за то, что вы предпочли компанию «Пан-Америкэн». Надеемся, что вы получили удовольствие от полета, и желаем вам приятного отдыха в Ницце. Если вы желаете забронировать места на обратный рейс, просим предъявить наш билет сотруднику бюро, находящегося в главном вестибюле аэровокзала. Благодарим вас, до свидания... Mesdames et messieurs, nous allons atterrir a Nice dans... Merci et au revoir.

Самолет коснулся колесами выщербленной посадочной полосы и покатился к зданию аэровокзала, но остановился достаточно далеко от него в ожидании, пока к дверям подвезут трап. Я спустилась по ступенькам и огляделась. Никаких следов Гордона. И тогда я вспомнила про таможню. La douane. Должно быть, они ждут с другой стороны. Я чувствовала себя на удивление спокойно, только испытывала легкую досаду, что не успела напоследок причесаться. Проспала до последней минуты, и пришлось исправлять эту ошибку на ходу. Тело ломило, путешествие было долгим.

Таможенник, похожий на араба, не глядя поставил печать на моем паспорте и чемоданах. Американский паспорт. Абракадабра, китайская грамота... Они ненавидят нас, но по крайней мере не роются в нашем багаже. В Штатах же все совсем по-другому.

— До свидания, Лиллиан... Надеюсь, увидимся на обратном пути. — Мой друг с противоположной стороны прохода. Гордона все нет. Может, задержался в пути? Может быть. А вдруг... Нет, только не это! О господи, прости и помилуй... Ты не можешь быть таким жестоким. Нет, о нет... Поддавшись панике, я подняла голову и вдруг увидела его. Он был выше, чем мне казалось, тоньше, борода гуще, глаза более голубые, лицо смуглее. Вид у него был такой, словно он сомневался, словно не был уверен, имеет ли право подойти и обнять меня. Все последние месяцы стояли между нами, их история читалась не только в его глазах, но и в моих — теперь я твердо знала это. Мы застыли на месте, молча глядя друг на друга.

— Следите за ступеньками, мадам, тут очень высокие ступеньки. Следите за ступеньками, сэр...

С площадки, на которой находилась таможня, нужно было спуститься по двум крутым ступеням, и охранник предупреждал об этом каждого прибывшего туриста. Вы правы, мсье, ступенька действительно очень высокая. А в моих ушах звучали слова Тома: «Смелее, Джилл. Не останавливайся на полдороге...» Я медленно, осторожно, тщательно шагнула вниз, внимательно смотря под ноги. Всегда нужно смотреть под ноги. Взгляни на эти ступени — раз... два... — и ты уже на другой стороне.

Он бесконечно долго смотрел на меня, словно не верил собственным глазам, затем медленно привлек к себе и нежно обнял.

— Я вернулась, — уткнувшись в его плечо, прошептала я.

Тогда он закрыл глаза и крепко прижал меня к груди.

— Теперь вижу. Я думал, что потерял и тебя.

Мы снова смотрели в лицо друг другу, и в наших глазах отражались все прожитые годы, люди, с которыми мы жили, которых любили и теряли по своей и чужой вине: его жена... мой муж... Хуанита... Грег... Крис... Они стояли вокруг нас и следили за тем, как мы, взявшись за руки, возвращаемся домой.

Литературно-художественное издание

Даниэла Стил

ВОЗВРАЩЕНИЕ

Художественный редактор *Е. Савченко*
Технический редактор *Н. Носова*
Компьютерная верстка *Е. Кумшаева*
Корректор *Н. Овсяникова*

Налоговая льгота — общероссийский классификатор
продукции ОК-005-93, том 2; 953000 — книги, брошюры.

Подписано в печать с готовых монтажей 13.11.00.
Формат 84x108 $^1/_{32}$. Гарнитура «Таймс».
Печать офсетная. Усл. печ. л. 20,16. Уч.-изд. л. 13,3.
Тираж 5000 экз. Заказ 5443.

ЗАО «Издательство «ЭКСМО-Пресс»
Изд. лиц. № 065377 от 22.08.97
125190, Москва, Ленинградский проспект, д. 80, корп. 16, подъезд 3.
Интернет/Home page — www.eksmo.ru
Электронная почта (E-mail) — info@ eksmo.ru

Отпечатано в ГИПП «Нижполиграф».
603006, Нижний Новгород, ул. Варварская, 32.

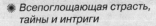